A FORMAÇÃO DE UM LÍDER

CB018528

JOYCE MEYER

A FORMAÇÃO DE UM LÍDER

A ESSÊNCIA DE UM LÍDER SEGUNDO O CORAÇÃO DE DEUS

3.ª Edição

Belo Horizonte

Edição publicada mediante acordo com FaithWords, New York, New York. Todos os direitos reservados.

Diretor
Lester Bello

Autora
Joyce Meyer

Título Original
A Leader in the Making

Tradução
Ana Paula Barroso Magalhães

Revisão
Tucha
Fausto Roberto C. Branco

Editoração Eletrônica
Rute Gouvêa

Diagramação
Julio Fado
Ronald Machado (Direção de arte)

Design capa (adaptação)
Fernando Rezende
Ronald Machado (Direção de arte)

Impressão e Acabamento
Promove Artes Gráficas e Editora

bello editora

Rua Vera Lucia Pereira, 122
Bairro Goiânia, CEP 31.950-060
Belo Horizonte/MG - Brasil
contato@belloeditora.com
www.belloeditora.com

© 2001 Joyce Meyer
Copyright desta edição
Joyce Meyer Ministries.

Todos os direitos autorais
desta obra estão reservados

Publicado pela
Bello Comércio e Publicações Ltda-ME
com a devida autorização de
Hachette Book Group USA e
todos os direitos reservados.

Primeira Edição - Novembro 2005
Segunda Edição - Maio 2006
Terceira Edição - Março 2010
8ª Reimpressão - Novembro 2016
9ª Reimpressão - Julho 2018

Dados Internacionais de Catalogação na Publicação (CIP)
(Câmara Brasileira do Livro, SP, Brasil)

Meyer, Joyce
M612 A formação de um líder: a essência de um líder segundo o coração de Deus / Joyce Meyer; tradução de Ana Paula Barroso Magalhães.– 3ed.-Belo Horizonte: Bello Publicações, 2016.
317p.
Título original: A leader in the making

ISBN: 978-85-61721-51-0

1. Liderança – Aspectos religiosos. I. Título

CDD: 232.903
CDU: 230.112

Publicação em acordo com as orientações do NOVO ACORDO ORTOGRÁFICO DA LÍNGUA PORTUGUESA, em vigor desde janeiro de 2009.

Sumário

Parte 4: Os Requisitos da Liderança

Introdução

Alguns se tornam líderes porque possuem qualidades inatas de liderança. Outros, que não as possuem, vêm a ser excelentes líderes mediante treinamento específico. Contudo, mesmo os líderes natos precisam de aperfeiçoamento, pois ninguém nasce totalmente preparado para tal incumbência.

Deus me chamou para o ministério há muitos anos, mas não foi da noite para o dia que me encontrei realmente preparada para assumir uma posição de liderança. Também não foi apenas uma questão de semanas para chegar ao topo da liderança. Cheguei a pensar que já estivesse pronta, mas, na verdade, não estava. O problema era que o fruto do Espírito não era visível em minha vida nem evidente em meu caráter. Eu não demonstrava possuir estabilidade, fidelidade, paciência, alegria, amor, bondade, gentileza nem mansidão. Quanto à humildade, era ainda pior: eu não tinha absolutamente nenhuma. Só pensava em mim mesma; só me importava com os meus próprios desejos, agindo como queria. Se naquela época eu estivesse numa posição de liderança, ao invés de ajudar as pessoas a trazer à tona o melhor de si, como um líder deve fazer, eu certamente teria transformado a vida dos meus liderados e a minha própria numa tragédia. Apesar de tudo isso, porém, Deus me vocacionou para ser líder. Às vezes eu ficava me perguntando por que Ele não chamava aqueles que já se encontravam plenamente preparados para liderar. Hoje creio que Ele não o faz porque não conseguiria encontrar ninguém assim: tais pessoas não existem.

É impressionante constatarmos que há um grande número de pessoas talentosas que estão ociosas, sem fazer absolutamente nada. Talvez você, leitor, seja uma delas. Nesse caso, afirmo-lhe que o fato de Deus usá-lo ou não depende de muitos outros fatores além dos dons e talentos que Ele lhe deu. O fato de Deus nos usar ou não está relacionado ao nosso caráter, à nossa maturidade, que é o fruto do Espírito, bem como à nossa conduta e à atitude do nosso coração.

Neste estudo, quando menciono o **coração** da pessoa, refiro-me à maneira como ela se relaciona com Deus, com os outros e com as circunstâncias. Poderíamos até mesmo substituir a palavra **coração** pela palavra **atitude**. Creio que Deus nem sempre usa as pessoas mais talentosas, mas aquelas que têm a melhor atitude interior, isto é, que têm um coração reto para com Ele.

Muitos tentam ser líderes, mas nunca passaram por um processo de treinamento. Também não amadureceram nem desenvolveram o caráter e têm uma atitude errada no coração. Se continuarem assim, creio que nunca serão os líderes que Deus quer que sejam. Para ser um líder forte, há certas experiências pessoais pelas quais precisamos passar, ao mesmo tempo em que devemos mantemos a atitude correta no coração.

Mas por que deveríamos querer passar por certas coisas para desenvolvermos o potencial que Deus nos deu? Bem, uma das razões é que só atingiremos a plenitude quando desenvolvermos esse potencial.

Alguns gostariam de desenvolver o seu potencial, porém não sabem nem por onde começar. Outros até o sabem, mas não sabem como avançar para alcançar a linha de chegada. Se você se enquadra em uma dessas categorias, este livro o ensinará a alcançar seus alvos e a cumprir os bons planos de Deus para você. Irá também aprender o que é necessário para desenvolver as qualidades de um líder eficaz.

Antes de escrever este livro, li a obra *The Making of a Leader* (O Desenvolvimento de um Líder), de Frank Damazio. Ali encontrei informações muito úteis, principalmente no que se refere à condição do coração, ao desenvolvimento do caráter, ao processo de preparação para exercer a liderança, a avaliações relativas ao exercício da liderança e às qualidades que ele requer. Lendo isso, me senti inspirada a desenvolver um pouco mais alguns desses assuntos neste estudo. Aliás, creio que esse livro de Frank Damazio pode beneficiá-los grandemente. Por isso o recomendo muito, e o incluí na lista de leituras recomendadas no final do livro.

Embora os ensinos deste livro sejam dirigidos a líderes e a aspirantes à liderança, ele contém instruções práticas para o dia-a-dia que podem se aplicar a todos os que desejam experimentar tudo o que Deus tem para a sua vida. Além disso, mesmo para quem não tenha a intenção de assumir um cargo de liderança, Deus pode ter outros planos em mente. Afinal, nunca se sabe o que Deus tem planejado para o nosso futuro. Talvez Ele tenha mais coisas reservadas para nós do que possamos imaginar! Afinal, a maioria de nós quer liderar algo, mesmo que seja alguma coisa bem simples. O ser humano tem um desejo natural de estar no comando de algo.

O líder não é necessariamente alguém que possui um grande ministério ou que ocupa uma posição por meio da qual pode influenciar milhares de vidas. O líder é tão somente alguém que está no comando das coisas em seu âmbito de influência. Neste livro, quero compartilhar o que Deus me ensinou nesses anos, orientando-me desde o início, quando eu manifestava minha impaciência no meu âmbito inicial de influência, que era o ministério com poucas pessoas em nosso estudo bíblico em casa, durante um tempo, até atingir o meu âmbito atual e bem mais abrangente, exercendo um ministério diante de milhares de pessoas por meio das conferências da *Vida na Palavra* e de outros trabalhos de evangelismo. Eu e meu marido, Dave, estamos fazendo a obra para a qual fomos chamados. E, à medida que vamos aperfeiçoando os dons que Deus nos deu, vamos também desenvolvendo nosso potencial. Já consigo visualizar meus sonhos e minhas visões sendo realizados. E não creio que isso seja algo que Deus reservou somente para poucos privilegiados. Na verdade, creio que a vontade do Senhor é que todos venham a desenvolver ao máximo o seu potencial.

Deus quer usar sua vida de tal maneira que você jamais conseguiria imaginar.

Deus quer usar sua vida de tal maneira que você jamais poderia imaginar. À medida que for lendo este livro, eu o encorajo a manter o coração e a mente completamente abertos para ouvir o que Ele quer lhe dizer.

PARTE 1

A PREPARAÇÃO PARA A LIDERANÇA

1

Desenvolva seu potencial: Nunca se Inicia um Processo pela Etapa Final, Parte 1

"Ele é um líder nato."

Ouvimos essa frase com frequência.

Mas será que os líderes já nascem com essa capacidade ou são formados depois?

É verdade que alguns parecem nascer com abundância de dons e qualidades de liderança. Contudo, também é verdade que alguns dos melhores líderes do reino de Deus são aqueles a quem o mundo provavelmente nem cogitaria para ocupar cargos de liderança. Essas pessoas, porém, precisam apenas de alguém que reconheça o potencial delas e as ajude a desenvolvê-lo. Com muita frequência elas acabam se tornando as pessoas mais valiosas e eficazes na liderança.

Se você é um líder nato ou se precisa passar por um processo de treinamento para se tornar líder, meu propósito ao escrever este livro é ajudá-lo a reconhecer seu potencial como líder e mostrar-lhe como desenvolvê-lo.

Algumas pessoas que trabalham comigo e meu marido em nosso ministério estão na categoria de líderes natos. Possuem habilidades naturais para fazer o que precisa ser feito. Além disso, têm uma personalidade firme, são ousadas e parecem até saber instintivamente como motivar outros a trabalhar em conjunto.

Entretanto, também temos outros integrantes de nossa equipe que, de início, eu jamais imaginava que pudessem se tornar líderes. Porém, quando surgia uma necessidade em determinada área, parecia que Deus estava indicando justamente essas pessoas para ocupar o cargo; assim, dávamos-lhes uma chance. E continuamos a trabalhar com esse grupo, até que, por fim, algumas delas vieram a se tornar os melhores líderes que temos hoje.

Uma delas é uma mulher chamada Charlotte. Quando ela veio trabalhar conosco, era tão insegura que nem conseguia falar comigo sem começar a chorar. Sempre que lhe pedíamos que fizesse algo a que não estava acostumada, ela ficava receosa e dizia: "Não sei se consigo fazer isso. Tenho medo de cometer erros".

E assim foi, até que um dia senti que o Senhor me dizia para chamá-la ao meu escritório e dizer-lhe: "Charlotte, Deus quer que eu diga a você para crescer. Você precisa parar de chorar e de ter medo de tudo". E foi o que fiz.

Passado algum tempo, ela me contou que havia voltado para casa em prantos porque achava que eu a havia magoado. Mas quando orou a respeito, Deus lhe respondeu: "Joyce tem razão. É hora de você crescer e começar a assumir mais responsabilidades".

Então, ela disse "sim" ao Senhor e a nós, e acabou se tornando uma das melhores líderes. Com o tempo, foi aprendendo a assumir novas responsabilidades. Mas tudo isso só foi possível porque ela superou o medo e começou a desenvolver seu potencial.

Isso aconteceu também porque estávamos determinados a não desistir dela. Assim como Charlotte, há muitas pessoas que têm um potencial enorme, mas precisam de alguém que trabalhe com elas e não as deixe desistir.

Deus não desiste de você! Isso não o deixa feliz? Além disso, Ele, provavelmente, colocou alguém em sua vida e também não quer que você desista dessa pessoa.

Às vezes, justamente certas pessoas que consideramos pedras no sapato são aquelas com as quais Deus quer que sejamos pacientes e as ajudemos a se desenvolver, da mesma forma que Ele foi paciente conosco e nos ajudou a desenvolver o nosso potencial.

Nossa Busca Prioritária

O desenvolvimento do potencial pessoal precisa ser a busca prioritária de cada um de nós.

Todos nós temos um potencial que ainda não foi desenvolvido, mas só o veremos se manifestar quando crermos em Deus, tendo a convicção de que podemos fazer tudo aquilo que Ele, em Sua Palavra, afirmou que poderíamos. Somente quando tivermos a ousadia de dar um passo de fé, crendo que com Deus ao nosso lado nada é impossível,[1] é que Ele poderá fazer em nós a obra necessária para desenvolvermos nosso potencial.[2]

Eu acredito que ao ler este livro você terá inspiração divina. Mesmo quando ninguém mais no mundo acredita em nós, Deus acredita. Tendo essa certeza, seremos capazes de realizar qualquer obra da qual Ele nos incumbir. Entretanto, sem essa convicção, aquilo que Ele quer que realizemos não faz diferença: nunca teremos condições de fazê-lo, pois não está havendo uma concordância da nossa parte para com Ele.

E quando não concordamos com Deus, na realidade, estamos concordando com o diabo. No fundo, estamos admitindo que o diabo tem razão quando fala conosco por meio de pensamentos negativos ou dos comentários de alguém que diz que não temos valor e que nada podemos fazer.

É muito importante saber com quem estamos concordando. Jesus disse que se duas pessoas concordarem entre si a respeito de qualquer coisa, isso será realizado por seu Pai celeste.[3]

Quando passei por um momento difícil em minha vida, o Senhor me lembrou desse versículo e me falou que se eu não encontrasse ninguém que concordasse comigo, poderia concordar com o Espírito Santo.[4] Afinal, Ele está aqui na Terra comigo, pois mora dentro de mim. E a maneira pela qual concordamos com Ele é demonstrando nossa total convicção sobre a verdade que a Sua Palavra expressa em relação a determinada situação.

Dê uma Forma Definida ao Seu Potencial

O *Dicionário Houaiss da Língua Portuguesa*, de Antônio Houaiss, apresenta a seguinte definição de *potencial*: "existente apenas como possibilidade ou faculdade, não como realidade"[5]. Portanto, não temos como manifestar o potencial se ele não tiver uma forma definida. Assim como se faz com o concreto, precisamos colocá-lo dentro de um "molde" que lhe dê forma e o torne útil. E qual é o molde no qual devemos colocar nosso potencial? As decisões. Para desenvolver o potencial adequadamente, devemos ter um plano e orar com relação a ele; devemos ter um propósito e agir.

Creio que muitas pessoas estão vivendo infelizes porque não têm feito absolutamente nada para desenvolver seu potencial. Na verdade, muitas dessas pessoas nunca o desenvolveram porque a única coisa que de fato fazem é reclamar por não estarem fazendo nada!

Por isso, se desejamos que o nosso potencial venha a ser desenvolvido plenamente, não devemos ficar esperando até que tudo esteja perfeito para, só então, agir. Ao contrário: precisamos fazer alguma coisa **agora!** Comecemos fazendo o que estiver ao nosso alcance. Não podemos começar um processo pela etapa final. Devemos começar pela primeira etapa, e ninguém é exceção.

Muitos, contudo, querem começar o processo pela primeira etapa, queimar todas as etapas intermediárias e partir logo para a etapa final. Mas desse modo é impossível que dê certo.

Assim sendo, temos de dar uma forma definida ao nosso potencial, utilizando-o de modo prático. Afinal, nunca saberemos o que somos capazes de fazer se nunca tentarmos. Não devemos ter tanto medo de fracassarmos a ponto de nunca nos arriscarmos. Também não podemos cair no comodismo, achando que se não fizermos nada, estamos livres de todos os riscos. Agindo assim, poderemos até ter uma falsa sensação de segurança; todavia, nunca obteremos sucesso no desenvolvimento pleno de nosso potencial nem nos sentiremos realizados com o que estamos fazendo. Portanto, vamos pôr mãos à obra, fazendo aquilo que Deus está nos orientando a fazer, e logo descobriremos o que somos capazes de fazer ou não.

Muitos vivem frustrados por não saberem quais são os seus dons ou qual é a vocação de Deus para a sua vida. Porém, para descobrirmos qual é a nossa vocação, basta apenas começarmos a realizar atividades relacionadas a uma área pela qual temos interesse. Deus não vai permitir que passemos a vida toda fazendo algo que odiamos. Eu, por exemplo, embora tenha filhos e netos a quem amo e cuja companhia aprecie muito, descobri que minha vocação não é trabalhar com crianças. Mas há pessoas que gostam muito de fazê-lo, e Sandra é uma delas.

Sempre há alguém ungido por Deus para fazer o que é preciso em cada área. **O líder inteligente conhece as próprias limitações, por isso se cerca de pessoas que fazem muito bem aquilo que ele não consegue.**

Faça a Sua Semente Germinar e Frutificar

Creio que Deus planta sementes em nosso interior. Na Bíblia, o próprio Jesus é chamado de "semente".[6] Costumamos falar muito dos direitos, privilégios e vitórias que Cristo conquistou para nós, juntamente com outras bênçãos, como paz, justiça e alegria. Creio que quando recebemos Jesus como nosso Salvador, todas essas coisas entram em nosso espírito como uma semente (se você, leitor, ainda não recebeu Jesus e gostaria de fazê-lo, há uma oração no final deste livro que pode ajudá-lo nisso).

Deus não vai permitir que passemos a vida inteira fazendo algo de que não gostamos.

Uma das razões pelas quais muitos nunca veem manifestar-se em sua vida aquilo que a Bíblia diz que podemos ser é porque nunca agem no sentido de que a semente germine. Assim, a semente nunca brotará nem florescerá nem dará fruto, pois vai ficando ali, esquecida e abandonada.

Em minha vida, tenho tido muitas experiências de vitória. A minha história pessoal foi marcada por abusos. Tive de suportar anos de violência sexual, verbal e psicológica; passei por relacionamentos fracassados e sofri mágoas e dores emocionais antes de me casar com Dave. Quando comecei um relacionamento sério com o Senhor, eu estava arrasada. Certamente tudo o que li na Bíblia trouxe resultados práticos à minha vida. Mas nada teria acontecido se eu não tivesse permitido que a semente da Palavra se desenvolvesse em mim. Nada veio às minhas mãos já na forma de fruto maduro. Tive de ir trabalhando o meu potencial, aperfeiçoando-o, até transformá-lo em realidade. Ou seja, houve todo um processo de desenvolvimento dele.

A Necessidade do Desenvolvimento

Desenvolver, no Dicionário Houaiss da Língua Portuguesa, significa, dentre outras coisas, "tirar o que envolve ou cobre; desembrulhar; fazer crescer ou crescer, tornar(-se) maior, mais forte, mais volumoso; conduzir ou caminhar para um estágio mais avançado ou eficaz; fazer progredir ou progredir".[7]

O potencial que temos em nós é algo grandioso, mas não terá valor nenhum se não lhe dermos uma forma ou expressão definida para que nós mesmos e outros nos beneficiemos dele.

Em 1 Pedro 4.10, vemos que é preciso desenvolver e **exercer** nossos dons com o objetivo de abençoarmos uns aos outros. Aliás, é justamente para isso que Deus nos concede dons: para que possamos ser uma bênção para outros.

Muitas vezes alegamos que estamos nos sentindo solitários ou entediados, mas isso não é desculpa para o comodismo, pois sempre há alguém que precisa do que temos em nós. Basta irmos ao encontro dessas pessoas e começarmos a empregar os nossos dons em favor delas.

Um construtor pode ter muitos planos em seu escritório para uma nova empreitada, mas ninguém verá esses planos se tornarem realidade enquanto o construtor não os pegar e colocá-los em prática. O mesmo se aplica à igreja. Quantos de nós temos ótimas ideias e grandes planos, mas nunca os colocamos em prática? Muitos de nós temos grandes sonhos, mas não conseguimos fazer um esforço prático e dedicado para desenvolver nosso potencial e transformar esses sonhos em realidade em nossa vida.

Quais são os elos que fazem a ligação entre o desenvolvimento do potencial e a sua concretização? Na verdade, nada há de tão profundamente espiritual que ninguém possa compreender, mas sim algo bem simples; coisas rotineiras, como o tempo, a determinação e o trabalho árduo.

Ser determinado é uma atitude pessoal; ninguém pode sê-lo por nós. Precisamos, pessoalmente, ser determinados; do contrário, o diabo roubará de nós tudo o que temos. Entretanto, embora devamos ser determinados, não devemos chegar ao extremo de viver exclusivamente para o trabalho. Precisamos de equilíbrio nessa área, assim como em todas as outras da vida.

Mais à frente, descreverei o dia em que o Senhor disse ao meu marido, Dave, que era hora de começarmos o ministério na televisão, numa época em que estávamos começando a nos sentir acomodados com nosso programa de rádio.

Obviamente tínhamos o potencial para fazer isso, mas ele tinha de ser desenvolvido. E esse tipo de desenvolvimento não acontece se permanecermos sentados tranquilamente numa cadeira de balanço!

Costumo dizer: "Se você pretende andar com Deus, lembre-se de que não há aposentadoria!" Não importa nossa idade ou situação; transformar o potencial em realidade exige de nós investimento de tempo, determinação e disposição de trabalhar arduamente.

Sem Investimento não pode haver Retorno

Muitos só estão dispostos a investir em algo se o retorno daquele investimento for acontecer em curtíssimo prazo. A sua filosofia de vida é: "Se vou fazer um investimento agora, quero ter lucro **agora**. Quero retorno **agora**".

Pessoalmente, comecei meu ministério ensinando a Palavra de Deus a um grupo de vinte e cinco pessoas sentadas no chão de minha sala de estar. Investi cinco anos de minha vida instruindo-as. O retorno financeiro, quando havia, era pouco, e o reconhecimento também era mínimo. Só o que não faltava era muito trabalho árduo. Entretanto, o desenvolvimento que experimentei naqueles cinco anos foi fundamental para que o meu atual ministério de ensino viesse a existir.

Há pouco tempo, David, meu filho mais velho, que está começando a ensinar e a pregar, perguntou-me se eu tinha alguma anotação sobre determinado assunto. Na verdade, tenho três armários de arquivo com três gavetas grandes repletas de mensagens sobre os mais variados assuntos. Aqueles arquivos representam vinte e dois anos de trabalho árduo.

Com muita frequência as pessoas olham para o meu ministério, por exemplo, e demonstram que gostariam de ter alguma realização pessoal semelhante. Entretanto, dificilmente estariam dispostas a investir tempo e trabalho árduo, que são fatores indispensáveis para que um ministério assim possa se concretizar.

Nesta vida, quando "damos sorte", não reclamamos, mas quando temos de "dar duro", aí tudo se complica.

Estamos Repletos de Potencial

É absurda a quantidade de potencial que se desperdiça ou não se desenvolve neste mundo. Fomos criados para realizar algo grandioso – grandioso em seu próprio âmbito. Cada um de nós tem o potencial para tornar-se ótimo em alguma coisa: ótima esposa, ótima mãe, ótima costureira, ótimo marido, ótimo pai, ótimo executivo. Mas, seja qual for a nossa área de atuação, nossos sonhos, nossas ideias ou nossas visões devem ser grandes.

É verdade que as pequenas coisas são importantes, e nunca devemos desprezá-las.[8] Devemos, todavia, ter grandes ideias, sonhos e visões, porque servimos a um Deus grande. Prefiro ter um grande sonho realizado pela metade a ter um sonho pequeno e vê-lo realizado por inteiro.

Creio que quando Deus nos criou Ele formou e modelou cada pessoa, soprou o sopro de vida em nós[9] e pegou uma pequena porção de Si mesmo e colocou-a dentro de cada um de nós.[10] Alguns têm dons musicais; outros, o dom de pregar; outros, o de escrever. O problema ocorre quando tentamos usar o dom que Deus nos deu para imitar outros em vez de desenvolver nosso próprio potencial.

Cada um de nós é repleto de potencial. Temos uma parte da essência de Deus em nós. Nosso nascimento não foi "um acidente". Não temos de passar a vida inteira sendo preteridos. Nunca somos nem velhos demais nem jovens demais para sonhar. Temos sonhos e visões dados por Deus. Mas os sonhos e visões que Deus nos dá para o futuro são possibilidades, e não "certezas absolutas" (foi o que Deus me falou muito tempo atrás). Com Ele, nada é impossível, mas é necessário que cooperemos e tenhamos disposição, demonstrando-a por meio da determinação, da obediência e do trabalho árduo para desenvolver o potencial que Ele nos deu.

Tudo Começa com uma Semente

A manifestação de nossos sonhos e visões dados por Deus não acontece da noite para o dia. Ela vai crescendo a partir de uma semente plantada por Deus em nosso coração. Devemos adubar essa semente e cuidar dela todos os dias, até que, gradualmente, ela brote e venha a dar fruto em nossa vida.

É semelhante à semente que foi plantada no útero da mulher no momento da concepção. O bebê não aparece imediatamente; há um período de desenvolvimento que dura nove meses.

Normalmente vemos que há padrões na forma como Deus faz as coisas, e Deus usa o padrão da gestação como referencial em muitas áreas de nossa vida. Ele começa com uma semente, que Ele mesmo planta em nós, seja na forma de um pensamento, um sonho ou um desejo. Para que a semente cresça e se desenvolva, devemos nutri-la e cuidar dela, observando-a e protegendo-a atentamente, pois o diabo é especialista em roubar sementes. Então, se assim fizermos, um dia a semente germinará, florescerá e frutificará do modo como desejávamos.

Você precisa dedicar seu tempo e se esforçar para desenvolver o que Deus colocou em você para experimentar a alegria da realização.

Foi isso a que Jesus se referiu quando disse que o diabo veio para "roubar, matar e destruir".[11] Jesus também disse que Satanás é mentiroso; é o pai da mentira.[12] Assim, por meio do roubo e da mentira, ele impede a maior parte da raça humana de realizar muitas boas obras.

Eu mesma sou uma prova viva de que qualquer um pode atender ao chamado de Deus para a própria vida se assim o desejar. Pessoalmente, não possuo muitos dons e talentos. Mas tenho o dom da oratória, e o tenho usado para a glória de Deus. Como resultado, sinto a satisfação da realização, porque dediquei o tempo e o esforço necessários para desenvolver a semente que Deus depositou em mim.

Temos o potencial, mas nem todos têm disposição de trabalhar com dedicação. Quando presenciamos um pianista de vinte anos num concerto tocando lindamente, deduzimos imediatamente que ele passou anos praticando enquanto seus amigos brincavam e se divertiam, como a maioria dos jovens faz. Talvez esse jovem pianista tenha perdido muitos momentos de diversão, mas, em compensação, usou esse tempo para desenvolver seu potencial. Assim, desenvolveu algo que lhe trará satisfação pelo resto da vida.

Muitos nunca experimentarão esse tipo de satisfação porque não querem pagar o preço. Preferem usufruir um divertimento instantâneo.

O que me preocupa é o fato de que muitos gastam seu tempo satisfazendo seus desejos carnais e, em consequência, acabam tornando-se vazios por dentro.

Quando desenvolvermos plenamente o nosso potencial, então desfrutaremos das realizações. E o único modo de desenvolvê-lo é persistindo nele, recusando-nos a desistir e jamais abandonando nosso objetivo.

Continue Perseverando

> *E não nos cansemos de fazer o bem, porque a seu tempo ceifaremos, se não desfalecermos* (Gálatas 6.9).

Em certa ocasião, eu me encontrava frustrada porque parecia que uma semente de um sonho que tinha dentro de mim nunca frutificaria. Naquela época eu tinha um pequeno grupo de estudo bíblico e nada mais. Foi um período de grande desânimo para mim, mas parecia que em qualquer situação em que eu estivesse, Deus me fazia lembrar a passagem de Gálatas 6.9.

Esse versículo vinha nos cartões que recebia, estava no meu calendário, eu o tirava na "Caixinha de Promessas" e o pastor pregava sobre ele. Ou seja, parecia que eu o ouvia onde quer que estivesse.

Nessa época, tive meu primeiro contato com o ministério de um profeta que veio à nossa igreja. Em sua apresentação, ele me apontou entre os presentes e disse: "O Senhor lhe diz: 'E não se canse de fazer o bem, porque a seu tempo ceifará, se não desfalecer'".

Fiquei irada com Deus, pensando: *Não aguento mais ouvir este versículo! Já estou cansada, e não quero ceifar algo depois; quero ceifar agora!* Quando o culto terminou e já havia me acalmado um pouco, fui para o estacionamento, cujo chão era de brita, e comecei a chutar as pedrinhas. Finalmente, parei e disse: "Pois bem, Senhor, o que estás querendo me dizer?"

E Ele disse (não em voz audível, mas no meu coração): "Joyce, prossiga; vá em frente e chegará lá".

Mas se o destino é desconhecido, ninguém pode nos prometer que chegaremos lá em uma semana ou em um ano ou depois de contornar determinada montanha. Os israelitas peregrinaram no deserto, em volta do monte Seir, durante quarenta anos, quando poderiam ter completado a viagem em apenas onze dias.[13]

Talvez tenhamos de passar por uma luta ou provação difícil, ou, talvez, por dez ou vinte. Talvez tenhamos de suportar uma pessoa desagradável ou, talvez, lidar com três pessoas difíceis. Porém, não temos de passar por isso contando apenas com nossa própria força e habilidade. Deus nos dará Sua graça para nos ajudar a passar por essas situações. A graça de Deus consiste em habilidade e força para nos ajudar a fazer o que não conseguiríamos sem Ele, e Ele a concede livremente a todos os que recebem seu Filho, Jesus, no coração.[14]

Se estivermos realmente decididos a desenvolver o potencial que Deus colocou em nosso coração, precisamos ter em mente que não iremos desistir, não importa o que aconteça, até que em nós se manifeste aquilo que Deus nos concedeu.

Você já se convenceu de que sua vida nunca irá mudar?

Lembre-se de que o diabo lhe dirá isso, pois o desejo dele é que você desista de crescer e acredite que as circunstâncias negativas da sua vida jamais mudarão. Mas não se deixe enredar pela falta de confiança que as mentiras dele produzem. Há somente um tipo de pessoa a quem ele jamais poderá derrotar: aquela que não desiste nunca!

Corra para Vencer

> *Não sabeis vós que os que correm no estádio, todos, na verdade, correm, mas um só leva o prêmio? Correi de tal maneira que o alcanceis. Todo atleta em tudo se domina; aqueles, para alcançar uma coroa corruptível; nós, porém, a incorruptível* (1 Coríntios 9.24-25).

Com que atitude estamos participando da corrida? Precisamos correr com o objetivo de vencer! O diabo, porém, não quer que vençamos, pois sabe que se vencermos, poderemos transformar o mundo. Nossa vida será transformada e, consequentemente, muitas outras vidas também o serão. Se desenvolvermos plenamente o nosso potencial, o efeito positivo disso se fará sentir não somente em nossa vida, como também na de outros, os quais, por sua vez, também irão desenvolver seu potencial e influenciar outras vidas, e assim por diante, num processo interminável.

Nesse texto, o apóstolo Paulo menciona dois aspectos de uma corrida que nos incomodam. O primeiro é que os que correm para vencer "em tudo se dominam". Ou seja, não podem se dar ao luxo de fazer tudo o que querem. Em segundo lugar, Paulo diz que eles "se submetem a um treinamento rigoroso" (NVI), isto é, levam uma vida equilibrada. Sem exceção, todas as áreas da vida deles estão sob controle.

Para alguns de nós, o ato de levar uma vida equilibrada pode ter alguns significados bem simples: ter horário adequado para se deitar e para se levantar, para não ficar exausto no dia seguinte; fazer faxina na casa mesmo que esteja sem vontade, etc. Esses exemplos retratam coisas práticas do cotidiano, porém revelam quão pouco controle temos sobre a nossa própria vida.

Hoje, no Corpo de Cristo, há muitas pessoas que tentam expulsar demônios, mas nunca sequer conseguiram "enfrentar" uma pia cheia de louça suja!

Segundo a Bíblia, o líder tem de estar com a própria casa (ou vida) em ordem antes de tentar ajudar a colocar ordem na casa (ou na vida) de outros.[15]

Há muitas formas de alguém se preparar para tornar-se líder. Colocar a própria vida em ordem é uma delas. É algo que exige mudanças na conduta pessoal. Porém, com a ajuda de Deus, trabalho árduo e determinação, conseguiremos abandonar velhos hábitos que nos prejudicam e nos impedem de desenvolver novos hábitos – hábitos saudáveis que irão nos ajudar a progredir no desenvolvimento do nosso potencial e a alcançar nossos alvos.

O potencial é um tesouro de valor inestimável, assim como o ouro. Como veremos adiante, temos ouro escondido em nosso interior, mas teremos de cavar para retirá-lo.

2 Desenvolva seu potencial: Nunca se Inicia um Processo pela Etapa Final, Parte 2

Cada um de nós tem uma mina de ouro escondida dentro de si. Certo jovem descobriu um veio de ouro numa montanha. Ele tentou garimpar, mas fracassava repetidas vezes. Chegou a pensar em desistir, mas, em vez disso, foi à cidade e pediu a uma companhia mineradora que analisasse o caso. Depois de analisar a montanha e o veio de ouro, a mineradora quis comprá-lo. Ofereceram ao jovem uma grande soma em dinheiro vivo se ele o vendesse.

O jovem pensou a respeito e decidiu que em vez de vender o veio para a mineradora, ficaria com ele e aprenderia tudo o que pudesse sobre mineração. Durante o ano seguinte, ele estudou dia e noite. Leu todos os livros que encontrou sobre mineração, fez cursos sobre o assunto e conversou com todos que pudessem lhe dar informações a respeito. Durante todo aquele ano, não fez nada mais além de aprender sobre mineração. Deixou de lado tudo o mais em sua vida para se dedicar integralmente ao estudo da mineração de ouro.

No fim do ano, voltou para a montanha e começou a escavá-la. Era um trabalho extremamente pesado, mas no final ele obteve milhões e milhões de dólares.

Eis a lição: muitas pessoas (talvez a maioria) teriam olhado a mina e a montanha e, pensando no trabalho árduo que teriam para retirar o ouro, teriam aceitado de imediato o dinheiro fácil e rápido. Não iriam querer passar por tanto incômodo e enfrentar todos os aborrecimentos; não iriam querer abrir mão de um ano inteiro de sua vida para estudar o assunto quando poderiam estar fazendo algo mais agradável. Em vez disso, teriam aceitado o "lucro fácil", imediato.

Quantas pessoas nunca alcançam aquilo que poderiam por causa dessa mentalidade? Esse jovem poderia ter feito o mesmo também, mas, caso o fizesse, nunca teria aproveitado integralmente os benefícios daquele veio de ouro.

Isso significa algo para você? Isso o faz se sentir motivado? Isso o compele a se livrar de tudo que o impede de concentrar o seu foco no desenvolvimento de seu potencial? Assim como aquele jovem, talvez você tenha de fazer esforço; porém, se continuar concentrado no que deseja, no final irá achar o ouro dentro de você, que é o tesouro que lhe possibilitará desfrutar os benefícios de viver uma vida totalmente realizada.

Mantenha o Seu Foco Concentrado no Ponto Certo

> *Portanto, também nós, uma vez que estamos rodeados por tão grande nuvem de testemunhas, livremo-nos de tudo que nos atrapalha e do pecado que nos envolve, e corramos com perseverança a corrida que nos está proposta* (Hebreus 12:1, NVI).

Como vemos nesse versículo, se estivermos realmente dispostos a correr nossa corrida, devemos deixar de lado todo o peso e correr com paciência.

Já ouvi essa ideia resumida da seguinte forma: correr sem impedimentos significa despir-se para a competição.

Na época em que esse versículo foi escrito, o autor fez um paralelo que era muito mais bem compreendido naquela época do que hoje. No passado, os corredores faziam todo um condicionamento físico para a corrida, assim como fazemos hoje. Mas no momento da corrida, eles tiravam toda a roupa para que, quando estivessem correndo, não tivessem absolutamente nada que os atrapalhasse. Além disso, também untavam o corpo com um óleo fino.[1]

Do mesmo modo, precisamos estar ungidos com o Espírito Santo[2] se quisermos vencer a corrida. Temos também de remover qualquer obstáculo que nos atrapalhe na corrida, do início ao fim.

Numa corrida, podemos deparar com impedimentos de todo tipo. O excesso de compromissos pode nos impedir de desenvolver nosso potencial. Deixar que os outros nos controlem também é uma forma de impedir o desenvolvimento do nosso potencial. Se não soubermos a hora certa de dizer "não", isso também será um obstáculo para desenvolvermos nosso potencial. Se nos envolvermos além do razoável nos alvos e visão de outros ou nos deixarmos levar pelos seus problemas em vez de manter os olhos em nossos próprios alvos, também não conseguiremos realizar nosso potencial.

Percebi que o diabo é capaz de inventar mil maneiras, o tempo todo, de me emaranhar em algo que irá me distrair e me impedir de fazer o que devo fazer. Nesses momentos, essas "distrações" parecerão emergências, e terei a impressão de que preciso resolver todas pessoalmente porque sou a única capaz de fazê-lo.

Por isso, se temos a intenção de fazer aquilo para o que Deus nos chamou, devemos manter nosso foco concentrado no ponto certo, pois o mundo em que vivemos está cheio de distrações e obstáculos.

Quando vamos, por exemplo, ler a Bíblia, uma visita inesperada aparece. Quando começamos a orar, o telefone toca. E por aí vai: distração após distração. Porém, chega o momento em que teremos de aprender a dizer "não". Temos de ser determinados e decidir que nada vai nos impedir de cumprir o plano e propósito de Deus para nós.

Em certas ocasiões precisaremos sentir um pouco de ira santa e dizer ao mundo: "Não! Você não vai fazer mais isso comigo. Não vou viver neste redemoinho maluco sem conseguir sair. Sei o que preciso fazer, e irei fazê-lo. E se você não estiver gostando desta minha reação, vá se entender com Deus. Foi Ele mesmo que me deu essa visão, e não vou me frustrar a vida toda só para satisfazer você".

SEJA COMO A FORMIGA

Assim corro também eu, não sem meta (sem um alvo definido); assim luto [como um boxeador], não como desferindo golpes no ar. Mas esmurro o meu corpo [lido com ele de modo rígido, disciplino-o por meio das dificuldades] e o reduzo à escravidão, para que, tendo pregado a outros, não venha eu mesmo a ser desqualificado (1 Coríntios 9.26-27).

Paulo está dizendo aqui que, se quisermos vencer a corrida, devemos subjugar o corpo. A palavra *corpo*, aqui, se refere a todas as paixões carnais.

No versículo 27, Paulo está falando de autocontrole, abnegação, moderação do apetite e mortificação da carne. Está dizendo que esmurra o próprio corpo. Ou seja, ele não cede aos "bufetes" (bufês), mas dá "bofetes" em si mesmo.

A autodisciplina é a qualidade mais importante da nossa vida. E o que é autodisciplina? É nos mantermos na direção correta sem que outros nos obriguem a fazê-lo. Implica, por exemplo, levantar cedo porque sabemos que devemos. Afinal, como alguém pode ser um líder se nem consegue se levantar da cama pela manhã? Ou como poderemos liderar outros se não conseguimos manter limpa nossa própria casa?

Para realizar seus sonhos e visões, concentre-se em desenvolver seu potencial agora.

Preocupo-me ao ver, atualmente, tanta gente que almeja ocupar posições importantes mas não quer aceitar as responsabilidades e os deveres inerentes a essas posições.

Muitas pessoas passam a vida inteira frustradas porque nunca desenvolveram seu potencial. De fato, sem o desenvolvimento do potencial, os seus sonhos e visões jamais se tornarão realidade.

É quase inacreditável o número de pessoas frustradas na igreja. Contudo, nós, cristãos, devemos ser os seres humanos mais realizados da face da Terra. Devemos ser a luz do mundo; cartas vivas que todos podem ler.[3] Os descrentes deveriam olhar para nós e dizer: "É assim que se deve viver a vida!".

Devemos viver de um modo que os outros sintam um anseio ao olhar para nós: o anseio de ter uma vida semelhante à nossa. O problema é que, de alguma forma, nos transmitiram a ideia errônea de que tudo nesta vida pode ser obtido com facilidade. Acostumamo-nos tanto com máquinas de lavar, secadoras e lavadoras de pratos que pensamos que basta apenas apertar um botão e, automaticamente, obteremos aquilo de que precisamos. Mas até isso já estamos considerando trabalho pesado! Reclamamos de ter de fazer o "esforço" de pressionar um botão, ou ter de tirar a roupa da máquina de lavar antes de terminar de centrifugar para não amassá-la muito e facilitar o trabalho na hora de passá-la!

Em Provérbios 6.7-8, lemos a respeito da formiga que, não tendo chefe, nem oficial, nem comandante, no estio prepara o seu pão, na sega ajunta o seu mantimento. Precisamos ser como a formiga: autodisciplinados e motivados, fazendo o que é certo porque é certo, e não porque alguém pode estar nos observando ou nos obrigando.

Controle as Emoções

> *Melhor é o longânimo do que o herói da guerra, e o que domina o seu [próprio] espírito, do que o que toma uma cidade* (Provérbios 16.32).

Como vemos nessa passagem, quem se porta com autocontrole tem uma grande vantagem sobre os demais. Mas ninguém jamais poderá se tornar um líder se não conseguir controlar as próprias emoções, principalmente a ira.

A Bíblia fala muito sobre esse assunto. Por exemplo, no Antigo Testamento lemos: "O que presto se ira faz loucuras, e o homem de maus desígnios é odiado" (Provérbios 14.17). "A discrição do homem o torna longânimo, e sua glória é perdoar as injúrias" (Provérbios 19.11). "Não te apresses em irar-te, porque a ira se abriga no íntimo dos insensatos" (Eclesiastes 7.9).

No Novo Testamento, lemos em Tiago 1.19-20: "Sabeis estas cousas, meus amados irmãos. Todo homem, pois, seja pronto para ouvir [um ouvinte disposto], tardio para falar, tardio para se irar. Porque a ira do homem não produz a justiça de Deus [justiça que Deus deseja e exige]".

Em parte, ser justo, isto é, fazer aquilo que Deus espera que façamos, significa desenvolver nosso potencial. Entretanto, nunca seremos capazes de atingir esse objetivo se não controlarmos a nossa ira.

Moisés, por exemplo, devia tirar os israelitas do Egito e entrar com eles na Terra Prometida, mas Deus lhe negou o privilégio de entrar nela porque ele havia tido uma reação descontrolada, desobedecendo a Deus.[4]

Queremos ter grandes ministérios, mas nem sempre queremos agir sob as diretrizes do autocontrole. Ao contrário, preferimos deixar que nossa natureza carnal dite nossa vida. Porém, se desejamos nos tornar líderes algum dia, devemos ter domínio sobre nossas emoções. Isso não significa que devemos ser perfeitos ou que nunca cometeremos erros. Embora o Espírito Santo nos dê o poder de controlar as emoções, podemos perder a cabeça vez por outra. Mas, no momento em que isso acontecer, devemos imediatamente nos arrepender e confessar esse pecado dizendo a Deus: "Eu pequei, Senhor. Perdoa-me." E, depois, sigamos adiante.

Uma vida disciplinada e controlada, além de tempo, determinação e trabalho árduo, exige também abnegação. Para isso é necessário abandonarmos hábitos antigos. Mas o esforço vale a pena, pois grande é a recompensa.

Revista-se da nova Natureza

Quanto ao trato passado, vos despojeis [descarteis teu velho 'eu' do velho homem, que se corrompe segundo as concupiscências do engano (Efésios 4.22).

Mesmo quando achamos que somos capazes de dominar nossas emoções negativas, de repente algo acontece e elas explodem. Ninguém pode nos garantir que elas nunca mais se manifestarão. Podemos achar que finalmente encontramos a solução para esse problema e, portanto, nunca mais perderemos o controle. Mas essa ilusão dura apenas até o momento em que algo nos leva a ter outra vez a mesma explosão de ira, o que geralmente acontece quando menos esperamos.

Quando recebemos Jesus como nosso Salvador, recebemos também a natureza de Deus. A Bíblia descreve isso ao dizer que o "velho homem" morreu com Cristo, em Sua morte na cruz. Para Deus, aqueles que receberam Jesus como Salvador foram mortos com Jesus em virtude de sua fé nEle. Esses recebem uma nova natureza e são instruídos a decidir agir de acordo com ela.[5]

A "velha natureza" representa nosso modo anterior de agir; a "nova natureza" representa a nossa conduta atual, agora fortalecida com a ajuda do Espírito Santo. Ainda continuamos tendo o poder de escolha, pois a "velha natureza" não desaparece totalmente. Porém, temos à disposição uma escolha nova e muito melhor.

Imaginemos que eu tenha dois casacos em meu guarda-roupa: um é velho, fora de moda e surrado, e o outro é novo, está na moda e é maravilhoso. A decisão é minha: posso usar o velho e surrado, mas, se tenho a opção de usar o novo e maravilhoso, por que optaria pelo antigo?

Antes de aceitar Jesus como Salvador, não tínhamos opção, por assim dizer. Tínhamos somente uma natureza: egoísta e carnal. Mas, depois que o aceitamos, passamos a ter outra opção à disposição. O "velho homem" não morre, no entanto estamos mortos para ele. Nossos desejos passam por uma transformação; queremos agradar a Deus por meio de uma conduta que O honre. Para uma melhor compreensão desse assunto (velha natureza X nova natureza), recomendo a leitura do capítulo 6 de Romanos.

Outra coisa necessária para alcançarmos o desenvolvimento pleno do nosso potencial é a paciência.

Seja Paciente

> *Meus irmãos, tende por motivo de toda alegria o passardes por várias provações, sabendo que a provação da vossa fé, uma vez confirmada, produz perseverança. Ora, a perseverança deve ter ação completa, para que sejais [indivíduos] perfeitos e íntegros, em nada deficiente* (Tiago 1.2-4).

Por que ficamos com raiva? Geralmente é porque os outros não fazem o que queremos com a rapidez que desejamos. Mas se tivéssemos paciência, não ficaríamos chateados. Se não aprendermos a ter paciência, nunca alcançaremos a realização plena de nosso potencial.

Se temos falta de paciência, devemos permitir a Deus que a desenvolva em nós. Neste livro, um dos assuntos que abordamos é como os líderes se desenvolvem em meio às provações e amadurecem, e durante esse processo Deus vai moldando o caráter deles.

Tiago nos fala na Bíblia que devemos ter grande alegria quando passarmos por todo tipo de tentação e provação, sabendo que nossa fé, sendo testada, produzirá em nós a paciência.[6]

Descobri que antes de a tribulação produzir paciência, traz muitas outras coisas indesejadas. Mas essas coisas precisam ser tiradas de nós; caso contrário, iremos sair por aí usando máscaras, pois dentro de nós haverá todo tipo de lixo que nunca encaramos e do qual nunca nos livramos. O motivo pelo qual não lidamos devidamente com o lixo e não o retiramos é o fato de que, em vez de enfrentarmos e superarmos algumas dificuldades, preferimos achar um modo de fugir delas.

Em Isaías 43.2, o Senhor nos diz que estará conosco quando passarmos pelas águas e pelo fogo. Isso significa que haverá tribulações e provações das quais não poderemos fugir e dificuldades pelas quais teremos de passar.

A Bíblia fala de purificação, santificação, sacrifício e sofrimento. Essas palavras não são muito bem aceitas por nós, mas não importa: o fato é que elas estão na Bíblia, e se quisermos realizar nosso potencial, devemos estar preparados para passar por tais coisas.

Houve épocas em que tive de enfrentar a solidão e o trabalho árduo; momentos em que minha vontade era desistir e abandonar tudo. E Deus continuou colocando pessoas em meu caminho com as quais eu não queria lidar, mas Ele as colocou ali porque sabia que eu precisava delas. Elas eram o "esmeril" que servia para me lapidar.

Você sente que Deus colocou alguém ou algo em sua vida que é como um esmeril para você? Em caso afirmativo, algum dia você irá aprender que a situação ou pessoa que você considerava seu pior inimigo acabou sendo seu melhor amigo, simplesmente porque foi justamente aquela pessoa ou situação que Deus usou para mudar você.

Deus tem de nos transformar para poder nos usar. É preciso que nos tornemos semelhantes a Cristo no caráter, seguindo o seu exemplo e aprendendo a agir como Ele.

Eu mesma resisti ao processo de mudança durante muito tempo, mas por fim percebi que se continuasse assim Deus não iria agir em minha vida. O que Deus esperava de mim não eram justificativas para não mudar. Ele simplesmente queria me ouvir dizer: "Sim, Senhor, seja feita a Tua vontade".

Logo aprendi que não adiantava fugir de uma pessoa ou situação difícil, pois na esquina seguinte encontraria outras duas. Espero que o leitor aprenda essa lição mais depressa do que eu. Se o fizer, será poupado de muito sofrimento. Quando lutamos contra Deus, sempre perdemos.

Passar por dificuldades em vez de evitá-las vai lhe poupar tempo e desgaste.

Podemos muito bem lidar tranquilamente com as pessoas e as circunstâncias que Deus coloca em nossa vida. Queremos amar as pessoas difíceis, mas ninguém quer conviver com elas. Mas essa convivência também faz parte da nossa preparação para a liderança e tem um propósito.

Faça o Melhor Que Puder da Vida

Não abandoneis, portanto, a vossa confiança; ela tem grande galardão. Com efeito, tendes necessidade de perseverança, para que, havendo feito a vontade de Deus, alcanceis [plenamente] a promessa (Hebreus 10.35-36).

Com quem temos de ter paciência? Primeiramente, com nós mesmos, pois às vezes somos lentos em aprender. Também precisamos ser pacientes em relação a Deus, pois o ritmo de ação dEle muitas vezes é diferente do nosso. Além disso, temos de ser pacientes com os outros, pois não é culpa deles se estamos em pontos diferentes na trajetória da vida.

Às vezes, quando o nosso sonho não se realiza, ficamos com raiva de tudo e de todos; porém temos de ser pacientes com a vida e aprender a aceitar cada dia como ele é, aproveitando ao máximo o que ele oferece.

Esta é uma das características do líder: a capacidade de aceitar a vida como ela é e tirar o máximo proveito dela.

Temos de fazer isso porque haverá dias difíceis, nos quais colheremos apenas limões. Mas, se formos sábios, pegaremos os limões e faremos uma gostosa limonada.

Equilíbrio entre Trabalho e Lazer

> *Mas ele lhes disse: Meu Pai trabalha até agora, [ele nunca para de trabalhar; continua trabalhando] e eu trabalho [fazendo a obra divina] também* (João 5.7).

Jesus disse aqui que tanto Ele quanto o seu Pai operavam e continuam operando. Mais à frente, em João 9.4, Ele diz a seus discípulos: "É necessário que façamos as obras daquele que me enviou, enquanto é dia; noite vem, quando ninguém pode trabalhar".

Se nós, cristãos, realmente cremos que Jesus está voltando, então por que queremos passar três quartos do nosso tempo nos divertindo? "Mas, Joyce", alguém poderia dizer, "você é contra o lazer?"

Não; é claro que sou a favor dele. Acredito que devemos dar boas risadas, nos divertir, descansar e levar uma vida equilibrada. Na realidade, prego sobre tudo isso com muita frequência, principalmente para pastores que têm dificuldade de levar uma vida equilibrada. Assim, não estou dizendo que temos de ser viciados em trabalho, mas sim que às vezes perdemos o equilíbrio indo para um ou outro extremo.

Como, então, podemos achar o ponto de equilíbrio entre os dois extremos? Bem, para tudo na vida precisamos de sabedoria.

Oportunidades Iguais

> *Então, o reino dos céus será semelhante a dez virgens que, tomando as suas lâmpadas, saíram a encontrar-se com o noivo. Cinco dentre elas eram néscias (descuidadas, sem preparo), e cinco, prudentes (racionais, inteligentes e prudentes). As néscias, ao tomarem as suas lâmpadas, não levaram azeite [extra] consigo; no entanto, as prudentes, além das lâmpadas, levaram azeite nas vasilhas. E, tardando o noivo, foram todas tomadas de sono e adormeceram. Mas, à meia-noite, ouviu-se um grito: Eis o noivo! Saí ao seu encontro! Então, se*

> *levantaram todas aquelas virgens e prepararam as suas lâmpadas. E as néscias disseram às prudentes: Dai-nos do vosso azeite, porque as nossas lâmpadas estão se apagando* (Mateus 25.1-8).

As dez virgens tiveram exatamente a mesma oportunidade. Mas apenas cinco levaram mais azeite consigo, enquanto as outras cinco não o fizeram.

Os preguiçosos nunca fazem nada extra. Podem até cumprir as obrigações, fazendo aquilo que "dá para o gasto", mas nunca vão além das exigências mínimas da vida.

Quando o noivo demorou mais do que o esperado, todas as virgens dormiram. Mas, à meia-noite, ouviu-se um grito de alerta: o noivo estava vindo. Todas, então, começaram a preparar suas lâmpadas para encontrá-lo. Mas as cinco virgens tolas, imprevidentes, não tinham óleo suficiente, então pediram às cinco virgens prudentes: "Dai-nos do vosso azeite".

Isso sempre acontece. Os tolos estão sempre querendo aquilo pelo qual os sábios trabalham tanto para conseguir. E, geralmente, quando não conseguem, são tomados por um sentimento de autopiedade.

Durante anos fui dominada pela autopiedade por muitos motivos: tinha sofrido abusos quando criança; não tive tudo o que quis; não consegui ir para a faculdade, e assim por diante. Finalmente, Deus cuidou deste aspecto da minha vida dizendo-me: "Joyce, você pode ou continuar com a sua autopiedade ou receber o meu poder, mas não pode ter ambos ao mesmo tempo".

Cinco das virgens em Mateus capítulo 25 ficaram se lamentando, cheias de autopiedade, e foram deixadas para trás porque não mantiveram as lâmpadas cheias de azeite. As dez virgens tiveram a mesma oportunidade, mas, quando o noivo chegou, as cinco que não tinham mais azeite perderam a oportunidade de ir com ele porque estavam tentando arrumar mais azeite para as lâmpadas.

Deus dá oportunidades iguais a todos. Não Lhe importa que tipo de vida tivemos, quem foram nossos pais ou família, qual é nossa cor ou sexo, qual o nosso grau de escolaridade, quais habilidades possuímos. Para Ele, nenhuma dessas coisas faz diferença alguma. Qualquer pessoa que desejar seguir os Seus preceitos e obedecer-Lhe pode ser abençoada e usada por Ele.

Deus colocou o mesmo nível de potencial em todos, sem exceção. Se permitirmos que Deus nos ajude a desenvolver esse potencial, podemos nos sair tão bem no que fizermos quanto qualquer outra pessoa naquilo que faz.

Todos nós podemos sonhar. Deus dá oportunidades iguais a cada um de nós. Podemos ter esperança. Lembremo-nos de que servimos a um Deus que nos diz que, estando com Ele, tudo é possível. Todo dia podemos acordar transbordantes de esperança de que naquele dia tudo será melhor. Podemos afirmar: "Vou mudar; minha vida vai melhorar e minhas finanças vão se organizar".

Seja paciente consigo mesmo. Continue perseverando e crendo que você está mudando dia após dia. Nunca se contente em ser menos do que pode ser.

Seja Tudo o que Pode Ser

> *Pois será como um homem que, ausentando-se do país, chamou os seus servos e lhes confiou os seus bens. A um deu cinco talentos [provavelmente, cerca de 5.000 dólares], a outro, dois e a outro, um, a cada um segundo a sua própria capacidade; e, então, partiu* (Mateus 25.14-15).

Nos versículos 14 a 19 do mesmo capítulo da história das dez virgens, Jesus contou a história de um homem que iria fazer uma longa viagem. Antes de partir, chamou seus servos e lhes entregou, conforme a capacidade de cada um, quantias diferentes em dinheiro para que administrassem.

Nem todos têm as mesmas habilidades e talentos. Não podemos todos fazer as mesmas coisas, mas podemos ser quem Deus deseja que sejamos individualmente. Não posso ser quem você é, e você não pode ser quem eu sou, mas cada um de nós pode ser como Deus quer que sejamos.

Quando Deus deu a Moisés líderes para ajudá-lo na tarefa de governar os israelitas, alguns foram incumbidos de liderar grupos de mil homens; outros, de cem; outros, de cinquenta e outros, de dez.[7]

Nem todo mundo é ungido ou cheio da força interior do Espírito Santo para liderar milhares. Mas, independentemente do "nível" da unção de cada um, se agirmos conforme a unção que recebemos, encontraremos realização pessoal. E enquanto cada um de nós sentir essa realização e satisfação pessoal, sabendo em seu coração que está fazendo aquilo para que Deus o ungiu e quer que faça, não irá se comparar com outros nem competir com ninguém.

Seja qual for o nosso chamado, que o cumpramos com excelência. Que façamos tudo da melhor maneira que conseguirmos. Quem for chamado para liderar cinquenta, seja, então, um líder exemplar de cinquenta. Não tente liderar mil, pois, se tentar, acabará fazendo papel de tolo. Da mesma forma, quem for chamado para liderar mil não continue a liderar apenas cinquenta, ignorando seu verdadeiro chamado só porque não quer enfrentar um trabalho mais pesado e assumir uma responsabilidade maior. Se assim o fizer, nunca se sentirá realizado ou satisfeito.

Eu, por exemplo, se tivesse insistido em continuar com aquele pequeno ministério na cidade de Fenton, no Estado do Missouri, não me sentiria realizada ou satisfeita. Sim, um ministério grande como o meu envolve muita responsabilidade e trabalho. Há também muita responsabilidade financeira.

Falar para milhares de pessoas na televisão diariamente é uma responsabilidade imensa. Sei que nem sempre falo tudo da melhor forma. Tenho de ter a certeza de que estou "manejando bem a palavra da verdade"[8] diante de todos os que me assistem, como a Bíblia diz que devemos fazer, não lhes ensinando o que é errado ou inconsistente. Por ser uma responsabilidade enorme, tenho de confiar bastante em Deus. Mas me sentiria péssima se me recusasse a fazê-lo por desejar algo mais fácil. Poderia até ser mais fácil para minha carne, mas seria terrível para meu o espírito ou meu coração. Eu me sentiria doente por dentro o tempo todo.

Há muitos que estão doentes por dentro porque não se sentem realizados. Não estão sendo tudo que poderiam ser e não estão fazendo tudo que sabem que deveriam estar fazendo. Estão deixando o diabo – e/ou outras pessoas – convencê-las a desistir do chamado e da bênção de Deus.

Foi isso que aconteceu com os servos na passagem de Mateus 25. O homem que iria sair de viagem entregou talentos a três de seus servos antes de partir. Enquanto ele estava fora, um investiu o que recebeu e teve retorno com juros. Assim, quando o homem voltou, viu o que o servo tinha feito com o talento e disse: "Muito bem, servo bom e fiel; foste fiel no pouco, sobre o muito te colocarei".

O segundo servo fez o mesmo, com resultado semelhante, e seu patrão também o elogiou. O terceiro homem, porém, com medo, decidiu enterrar o seu talento. Quando o patrão voltou de viagem e viu o que o servo tinha feito, ficou tão descontente com aquele servo que lhe tirou o talento e o deu ao servo que tinha dez talentos.[9]

Muitos agem como o terceiro servo. Escondem seu talento porque sentem medo: medo da responsabilidade, medo do julgamento, medo do que os outros irão pensar deles. Têm medo de enfrentar o desconhecido, medo da opinião alheia, medo de serem mal entendidos. E têm também medo do sacrifício e do trabalho relacionados à sua missão.

Meu desejo é que cada um de nós não tenha medo de investir os talentos que Deus nos deu, para a glória dEle. Que ninguém venha a se sentir infeliz, frustrado e insatisfeito por estar deixando de desenvolver aquilo que Deus lhe confiou. Espero que, pelo poder do Espírito Santo, eu possa, por meio destas palavras, acender agora uma chama em seu coração para que você se posicione firmemente contra o nosso inimigo, Satanás, e esteja determinado a perseverar no cumprimento da soberana vocação de Deus em Jesus Cristo,[10] sempre dedicando-se à sua obra, sabendo que o seu trabalho não é em vão.[11]

3

A Estabilidade Produz Capacidade – Parte 1

Nos capítulos 1 e 2, vimos que a nossa principal prioridade é o desenvolvimento de nosso potencial. Não usamos todo o potencial que temos. Algo que existe como possibilidade não se transforma, necessariamente, em realidade. Contudo, isso pode ocorrer se adicionarmos outros ingredientes.

Comparo o potencial a uma caixa de mistura pronta para bolo. Por si só, o fato de eu ter no armário da cozinha o produto para fazer um bolo não significa que o bolo será realmente feito. Precisarei ter certo trabalho para que o bolo em potencial em meu armário venha a se tornar um bolo real na mesa.

Cada um de nós tem potencial porque Deus compartilha a sua própria essência conosco, colocando dons e talentos em nós. Mas, assim como a mistura para bolo, precisamos pegar esses dons e talentos e trabalhá-los para que se desenvolvam.

Dave e eu costumamos tirar muitas fotos, mas quase nunca as mandamos revelar. Às vezes chegamos a acumular inúmeros rolos de filme em casa, e já nem conseguimos mais nos lembrar quais fotos há neles; então, qual a utilidade deles para nós? Se não os revelarmos, eles apenas representam um desperdício de dinheiro e tempo.

Há tanto potencial desperdiçado na igreja atual porque as pessoas não estão desenvolvendo o que Deus lhes deu. Por isso, insisto em que você pegue todos os dons e talentos que recebeu e desenvolva-os. Se o fizer, poderá mudar sua vida e fazer diferença na vida de outros.

Também vimos, nos Capítulos 1 e 2, que o elo que une o potencial existente à transformação dele em realidade dele é o **esforço**. Eclesiastes 5.3 diz: "Porque dos muitos trabalhos [esforços] vêm os sonhos".

Creio que sou um exemplo clássico do que Deus pode fazer com alguém que, humanamente, não parece ter muito o que aproveitar, mas que está disposto a se esforçar para desenvolver seu potencial. Não estou me depreciando, mas, na verdade, como mencionei anteriormente, não tenho muitos talentos e dons. Não sou criativa, não tenho talento artístico nem aptidão musical. Mas tenho a capacidade de falar em público. Tenho o dom da comunicação verbal e escrita. Então tenho usado esses dons desenvolvendo-os na obra de Deus. Estou fazendo o que Deus colocou em meu coração.

Para permanecer estável, simplesmente continue fazendo a obra para a qual Deus o chamou.

Algumas vezes Dave e eu conversamos sobre as nossas visões para o futuro do Ministério *Vida na Palavra* e também para a nossa vida pessoal. Sentimos que Deus deseja que continuemos a fazer o que estamos fazendo, realizando mais do que estamos realizando, fazendo-o bem e com excelência.

Tenho muitos alvos e ideias relacionados à disseminação do Evangelho de forma mais eficaz, mas não faço nada que exceda os limites dos meus dons e vocação. Se o fizesse, sei que só teria frustrações.

Deus fala comigo com regularidade. Ele me fala, tanto ao coração quanto por meio da Sua Palavra, sobre muitas coisas. Mas, às vezes, passa-se muito tempo sem que eu receba uma orientação direta dEle dizendo "faça isto" ou "faça aquilo" com relação ao meu ministério.

Mas isso não me incomoda, pois sei que estou realizando a vontade dEle. E se Ele quiser que eu continue até que Jesus volte,[1] então assim será. Luto constantemente para manter minha estabilidade, e essa estabilidade consiste em continuar realizando a obra que Deus me chamou para fazer.

Como veremos a seguir, para alcançarmos esse ponto em algo para o qual fomos chamados, é necessário que passemos por um processo de testes que molda o caráter e desenvolve a estabilidade.

Todos podem adquirir estabilidade; ela não é exclusividade dos líderes. **Não somente para um bom líder, mas para qualquer pessoa, é indispensável que a estabilidade seja desenvolvida, pois Deus quer usar nossa vida de maneiras tão incríveis que jamais poderíamos imaginar.**

Demonstre Estabilidade

> *Pela recordação que guardo de tua fé sem fingimento (a entrega de toda tua personalidade a Deus, em Jesus Cristo, com absoluta confiança em seu poder, sabedoria e bondade), a mesma [fé] que, primeiramente, habitou em [no coração de] tua avó Lóide e em tua mãe Eunice, e estou [plenamente] certo de que [habita] também em ti. Por esta razão, pois, te admoesto que reavives [reacende as brasas, reaviva a chama e a mantém acesa] o [gracioso] dom de Deus [essa chama interior] que há em ti pela imposição das minhas mãos [e das dos presbíteros que estavam em sua ordenação]. Porque Deus não nos tem dado espírito de covardia (de medo servil, que aprisiona), mas [tem nos dado espírito] de poder, de amor e de moderação* (2 Timóteo 1.5-7).

Pressinto que nestes últimos dias[2] haverá uma ressurreição de um ensinamento que há tempos não tem sido muito bem aceito, mas que, mesmo assim, todos precisamos ouvir. Creio que teremos de ser lembrados (como Paulo o faz, no texto acima, com seu jovem discípulo Timóteo) da necessidade de estarmos dispostos a passar por sacrifícios e sofrimentos para atender ao chamado de Deus para a nossa vida. Nem tudo aquilo que teremos de realizar na obra de Deus será sempre agradável para nós.

Há um tipo de sofrimento que a Bíblia nos ensina que é legítimo. Obviamente não estamos falando de pobreza, de doença ou de desastres pessoais. Mas se nós, cristãos, vamos fazer aquilo para o que Deus nos chamou, teremos de passar por sofrimentos pessoais para fazê-lo.

Timóteo era um jovem pastor que estava com vontade de desistir. A chama que ele tinha dentro de si estava diminuindo. Então o apóstolo Paulo escreveu-lhe para encorajá-lo e também alertá-lo em relação à atitude que ele estava permitindo que o dominasse.

Havia muita coisa acontecendo na igreja naqueles dias. A perseguição era intensa. E Timóteo estava sentindo um certo medo que começava a dominá-lo.

Todos nós passamos por esses períodos de frustração e medo, tanto na vida pessoal como no ministério. Enfrentamos épocas em que parece que tudo está desmoronando sobre nós. Às vezes temos a impressão de que não conseguiremos continuar.

O diabo já lhe falou em sua mente que você não conseguirá mais levar adiante o que está fazendo?

Bem, quero que saiba que ouço isso também, e com uma frequência razoável, principalmente quando estou viajando de cidade em cidade, "morando" em hotéis, ficando acordada até tarde ministrando ou preparando-me para o dia seguinte. Às vezes, quando acordo pela manhã, estou tão cansada por causa das muitas pregações e estudos que ouço o diabo dizendo em minha mente: "Você não consegue mais fazer isso. Você não vai aguentar mais continuar".

Fiquei muito feliz quando descobri que tais pensamentos vêm do diabo, pois durante muito tempo achei que eram meus. Mas agora sei que é o diabo quem o faz, e que, como vimos anteriormente, *ele é mentiroso; é o pai da mentira*, e, portanto, posso dizer-lhe: **Satanás, você é um mentiroso. Posso continuar, sim, a fazer a obra de Deus porque Ele é a minha força.**

Assim, depois que retorno para casa e descanso um pouco, sinto-me pronta para sair novamente e fazer tudo de novo.

Timóteo se encontrava na situação em que às vezes me encontro. Sentia-se exausto e estava prestes a desistir. Então Paulo teve de escrever essa passagem, em 2 Timóteo 1.5-7, para lembrá-lo da fé que ele herdara da avó, Lóide, e da mãe, Eunice. Paulo roga a Timóteo que *reavive [reacenda as brasas, reavive a chama e a mantenha acesa] o [gracioso] dom de Deus [a chama interior]* que há nele. Ele diz, ainda, no versículo 7, que Deus não dera a Timóteo *espírito de covardia, mas de poder, amor e moderação*.

Mas o que Paulo estava realmente querendo transmitir ao jovem Timóteo? Bem, o que ele de fato estava dizendo era: "Timóteo, levante a cabeça! Não se renda aos sentimentos negativos! Talvez você queira desistir, mas sei que você pode recuperar a sua **estabilidade**. É isso que quero ver em você".

Se quisermos que nosso potencial seja plenamente liberado, precisamos demonstrar que temos estabilidade.

A Estabilidade Advém da Obediência

O *Dicionário Houaiss da Língua Portuguesa* define assim a palavra *estabilidade*: "1. firmeza, solidez, imobilidade; 2. condição do que se mantém constante, invariável; 3. estado de equilíbrio, de imperturbabilidade".

Quando temos estabilidade, fazemos o que é certo independentemente de estarmos nos sentindo bem ou não. Oramos quando queremos e quando não queremos; damos quando queremos e quando não queremos dar; abrimos mão do que queremos abrir e do que não queremos abrir, desde que Deus nos mande fazê-lo.

Se nós, povo de Deus, quisermos ter tal estabilidade, teremos de ser obedientes quando estivermos dispostos a ser e quando não o estivermos.

Não me importa qual seja a decisão dos outros; quanto a mim, já decidi: procurarei manter minha estabilidade. Farei o que creio que Deus me ordenou, falando ao meu coração e por meio da sua Palavra, não importa o que aconteça.

Já vimos que a Bíblia nos fala que Deus não nos deu espírito de covardia, mas de poder e de amor; e deu-nos uma mente sã e equilibrada. Gosto muito do modo como a versão da Bíblia ampliada em inglês (*The Amplified Bible*) traduz esse versículo. Ela enfatiza algo que eu não conhecia de outras fontes, dizendo que o Espírito de Deus que há em mim é um espírito de disciplina e domínio próprio.

Pare com o "Ioiô Emocional"

Mas o fruto do Espírito [Santo, que é a obra que sua presença em nós realiza] é: amor, alegria (contentamento), paz, longanimidade (paciência, um temperamento equilibrado), benignidade, bondade, fidelidade, mansidão (humildade, brandura), domínio próprio (autocontrole). Contra estas coisas não há lei (Gálatas 5.22-23).

Segundo esse texto, domínio próprio é fruto do Espírito Santo. Se quisermos ser líderes, devemos ter autocontrole. Também devemos ser dignos de confiança. Precisamos ser confiáveis para Deus. A confiança é decorrência da estabilidade. Algo que me irrita muito é ter, em meu quadro de funcionários ou em minha equipe de ministério, pessoas que vivem tendo altos e baixos emocionais, pois nunca sei como reagirão. Eu os chamo de "funcionários de alto custo de manutenção". Eles me irritam porque tenho de acompanhá-los pessoalmente o tempo todo.

A confiança é decorrência da estabilidade.

E esse acompanhamento constante que temos de fazer com relação a esse tipo de pessoa só é necessário porque elas se deixam levar pelas emoções em vez de seguir a direção do Espírito Santo que habita nelas. Mas se não aprenderem a ouvir a voz do Espírito Santo por meio do testemunho interior dEle em nós e da Palavra e obediência a ela, nunca se tornarão como Deus quer que sejam.

Os líderes devem ter autocontrole e autodisciplina. Têm de ser capazes de reconhecer quando estão indo na direção errada e fazer as correções necessárias no trajeto sem precisar de que outros as façam por eles.

Esse tipo de estabilidade emocional, de autocontrole e de domínio próprio não se aplica somente aos líderes; é algo que todos os cristãos precisam desenvolver cada dia mais em sua vida.

Lembro-me da época em que eu era o que chamo de "cristão ioiô". Estava sempre ou "em alta" ou "em baixa" emocionalmente. Se Dave fizesse aquilo de que eu gostava, eu ficava feliz. Se não o fizesse, eu ficava furiosa.

Mas há tempos já amadureci. Dave nem sempre faz as coisas de que gosto, mas agora não fico mais chateada como naquela época, pois aprendi a exercer o domínio próprio.

Você talvez tenha um casamento maravilhoso, como eu e Dave temos agora (depois que passei por grandes mudanças com a ajuda do Espírito Santo), mas você nunca terá um cônjuge que sempre fará o que você quer, o tempo todo. Se você for do tipo que fica feliz toda vez que seu cônjuge faz aquilo de que você gosta e triste toda vez que ele faz algo de que não gosta, então será como eu fui: cheia de altos e baixos emocionais.

Deus, porém, não deseja que vivamos nessa instabilidade emocional, e sim que sejamos estáveis.

Espero que cada leitor deseje profundamente ter estabilidade porque, se assim for, este livro poderá ajudá-lo.

CONCENTRE-SE NAQUILO EM QUE CRÊ

Se quisermos desenvolver estabilidade em nossa vida, vez por outra iremos passar por sofrimentos pessoais, pois mesmo a contragosto teremos de optar por fazer o que é certo.

Aquilo de que os crentes mais me falam é o modo como se sentem:

"Sinto que ninguém me ama."

"Sinto que meu cônjuge não me trata como deveria."

"Sinto que nunca terei sucesso nem felicidade em minha vida."

"Sinto... Sinto... Não sinto..." e assim por diante, sem parar.

Parece que estamos apenas *sentindo* ou *não sentindo* o tempo todo, como se os sentimentos fossem a razão de ser da nossa vida. Porém, como cristãos, em vez de nos concentrarmos no que **sentimos**, temos de nos concentrar naquilo em que **cremos**.

Sinceramente, nem sempre me sinto ungida, mas creio que sou. Nem sempre tenho vontade de pregar e ensinar, mas levanto-me e o faço. E por quê? Porque é minha responsabilidade. Sou líder. Há pessoas que dependem de mim.

Como poderemos ser líderes se nos deixarmos guiar pelos nossos sentimentos? Temos de andar de acordo com o que cremos que é correto. Se formos ficar esperando sentir vontade de fazer o que é certo, talvez nunca venhamos a fazer coisa alguma.

Se quisermos ser líderes, não podemos agir conforme os sentimentos; temos de simplesmente fazer o que é certo.

Somos humanos (carne) e precisamos aprender a discernir as coisas da alma e as do espírito.[4] Temos de distinguir se o que está nos impulsionando é a alma (nossa mente, nossa vontade e nossas emoções) ou se é o Espírito Santo. Se for a alma, então temos de ter força e determinação para dizer "não" e optar por seguir a direção do Espírito.

Na Bíblia, esse é o sentido de *estabilidade*: a capacidade de exercer a autodisciplina e o autocontrole.

Administre as Emoções

Quando analisamos as qualificações necessárias para o exercício da liderança, a frequência com que encontramos referências à autodisciplina e ao controle emocional é impressionante. Na verdade, o assunto é tão importante que escrevi um livro inteiro sobre ele, intitulado *Managing Your Emotions*[5] (Administrando Suas Emoções).

Nesse livro explico que como as nossas emoções nos acompanharão durante a vida inteira, devemos aprender a controlá-las ao invés de deixá-las nos controlar.

Sempre desejamos que as coisas desagradáveis ou problemáticas desapareçam. Se algo nos incomoda ou nos causa problemas, pedimos a alguém que ore por nós para sermos libertos daquilo e termos paz.

Deus, entretanto, deseja que amadureçamos e compreendamos que há certas coisas nesta vida que precisamos aprender a controlar sozinhos. As emoções são uma delas.

Por exemplo, o fato de eu sentir vontade de dar um soco em alguém não me dá o direito de perder o controle e fazê-lo. Não posso fazer tudo o que me der vontade.

Há algum tempo, eu disse a meu marido: "Dave, sabe o que gostaria de fazer? Gostaria de fugir de casa".

Naquela época, sentia que tudo na minha vida estava me soterrando. Havia problemas no escritório, problemas em casa, problemas em todo lugar para onde eu olhasse. Então pensei: **Quero sair daqui! Não quero que ninguém fale comigo. Quero ir para um lugar onde ninguém me conheça ou me reconheça. Só quero que todo mundo me deixe em paz. Como eu gostaria de fugir de casa!**

Mas eu sabia que não faria isso porque não podia. **Sou líder, e os líderes não fogem das coisas que os perturbam. Ao contrário, eles ficam e as resolvem.**

Se queremos ser líderes, devemos entender que não poderemos fazer ou dizer tudo o que pensamos ou sentimos.

Também no casamento essa é uma verdade fundamental. Meu marido, Dave, e eu somos uma equipe; juntos, lideramos um lar e um ministério. Embora tenhamos personalidades completamente diferentes, temos de conviver um com o outro em paz e andar mutuamente em amor, dando um bom exemplo. Acho que nos damos muito bem, considerando todo o tempo que passamos juntos e todas as decisões que temos de tomar em conjunto.

Nosso casamento não segue a rotina comum de um casal que passa quinze minutos juntos todas as manhãs, depois cada um pega seu carro e sai para o trabalho, e, depois do expediente, voltam para casa e passam meia hora juntos antes de irem se deitar... E, no dia seguinte, acordam e fazem tudo outra vez. Não. Nós ficamos juntos o tempo todo, constantemente, dia e noite. Quando temos esse tipo de convivência contínua com o cônjuge, é melhor termos um relacionamento em que nos damos muito bem!

Para falar a verdade, por mais que ame Dave, pelo menos umas quinze vezes por semana eu tenho de me segurar e ficar de boca fechada, embora, na realidade, **sinta** vontade de dizer algo que sei que causaria problemas. Mas o Espírito Santo me orienta nessas ocasiões, e sei que se disser algo para Dave naquele momento, iremos nos desentender. Então exerço o domínio próprio e fico calada. E tenho certeza de que muitas vezes Dave faz o mesmo com relação a mim.

Ambos aprendemos que, do mesmo modo como não podemos falar ou fazer tudo o que queremos para termos um casamento bem-sucedido, o mesmo princípio se aplica ao nosso exercício da liderança na obra de Deus.

Se quisermos ser líderes, não podemos dizer sempre o que quisermos, fazer tudo o que quisermos, ir sempre aonde quisermos, comer tudo o que quisermos, ficar acordados até a hora que quisermos ou nos levantar somente na hora em que quisermos.

Teremos de exercer o autocontrole.

Precisaremos dizer aos nossos próprios desejos carnais: "Vocês vão se adequar ao que é correto, gostando ou não!"

O chamado do líder é superior a tudo o mais. É algo muito mais importante do que satisfazer os próprios desejos; muito mais importante do que se sentir bem todo o tempo.

Para sermos capazes de obedecer ao Espírito ao invés de ceder aos desejos da carne, temos de realmente **querer** ser líderes.

O Desejo de Ser Líder é Positivo

> *Fiel é a palavra: se alguém aspira [ansiosamente] ao episcopado (superintendência, supervisão), excelente obra almeja* (1 Timóteo 3.1).

Almejar a liderança é algo bom. Não há problema nenhum em querer ser líder. Mas, de acordo com o texto a seguir, quem quer ser líder na obra de Deus precisa atender a determinadas exigências bíblicas. Vamos analisar algumas delas para o exercício da liderança espiritual.

Ser Irrepreensível

> *É necessário, portanto, que o bispo (superintendente, supervisor) seja irrepreensível, esposo de uma só mulher, temperante, sóbrio, modesto, hospitaleiro [demonstrando amor e sendo amigo dos crentes, principalmente dos estrangeiros ou estranhos] e apto para ensinar* (1 Timóteo 3.2).

Um líder espiritual não pode dar margem a acusações. Deve ser irrepreensível, isto é, precisa ter uma conduta tão correta que os outros não consigam encontrar nenhum motivo para acusá-lo de erros nem apresentar acusação alguma contra ele.

Dave e eu não poderíamos ocupar a posição de líderes espirituais, ensinando outras pessoas como viver corretamente, se tivéssemos uma conduta de ímpios. Se quisermos ser líderes, temos de ser exemplos para os outros. Não podemos ensinar às pessoas algo que nós mesmos não fazemos.

Era exatamente isso o que os fariseus faziam, por isso Jesus os chamou de hipócritas. Eles ensinavam aos outros o que deviam fazer, mas eles mesmos não o faziam.[6] Um líder deve ser ponderado, moderado, controlado e **sensato**. Considero essa última exigência muito importante. Porém, o grande problema de muitos, inclusive de alguns na própria igreja, é que são bastante tolos. Às vezes parece que quando certas pessoas se convertem e são cheias do Espírito Santo e recebem o poder de Deus que as capacita a fazer a vontade dele, algumas delas pensam que devem jogar a sensatez pela janela. Mas é justamente o contrário! Se alguém vai desenvolver um ministério, deve ter muita sensatez, como nos adverte Provérbios 24.3-4: *Com sabedoria [sensatez] edifica-se a casa, e com inteligência ela se firma; pelo conhecimento se encherão as câmaras de toda sorte de bens, preciosos e deleitáveis.*

Em 1 Timóteo 3.2, podemos observar que um líder deve ter uma conduta adequada e digna, levando uma vida disciplinada e organizada. Note-se que novamente surge a palavra **disciplina**.

Devemos ser hospitaleiros e gentis, principalmente com os forasteiros ou com os estrangeiros. Em qualquer tipo de encontro social – por exemplo, uma festa, um culto ou qualquer outra atividade –, devemos agir de forma que as pessoas de fora da família e do círculo de amizades se sintam à vontade e aceitas.

Por fim, esse versículo nos fala que o líder deve ser capacitado e qualificado para ensinar. Isso inclui o ensino por meio do próprio exemplo de vida. A sociedade quer ver cristãos que levem uma vida honesta e transparente. Ela deseja poder confiar em alguém, e é nosso dever transmitir aos outros os princípios de uma vida piedosa.[7] A nossa casa deve ser o primeiro lugar onde devemos pôr isso em prática.

Cuidar do Próprio Lar

> *... Não dado ao vinho, não violento, porém cordato, inimigo de contendas, não avarento [ávido por obter riquezas, mesmo que seja por meios questionáveis]; e que governe bem a própria casa, criando os filhos sob disciplina, com todo o respeito (pois, se alguém não sabe governar a própria casa, como cuidará da igreja de Deus?)* (1 Timóteo 3.3-5).

Eis aí um grande desafio! Fazer nossos filhos agirem sempre de forma respeitosa é um trabalho de tempo integral, ao qual temos de nos dedicar com afinco. Precisamos dizer continuamente: "Não vou tolerar nenhuma atitude ou comportamento de desrespeito. Você vai ter de respeitar os outros".

Naturalmente é muito mais fácil deixarmos os filhos fazer o que quiserem, sem corrigi-los, do que ter todo o trabalho necessário para discipliná-los.

Quando Dave deixava nossos filhos de castigo proibindo-os de sair durante duas semanas, eu sentia que ele estava castigando a mim, e não a eles. Eu dizia: "Será que não podíamos só tirar a mesada deles ou algo assim? Se eles ficarem de castigo em casa durante duas semanas, você vai poder sair para o trabalho, mas eu terei de ficar aqui com eles".

Para criar bem nossos filhos, às vezes temos de nos sacrificar. Temos de passar por dificuldades pelas quais preferiríamos não passar. Creio que atualmente os filhos têm tantos problemas porque nós, os pais, sempre estamos ocupados demais e não queremos reservar o tempo necessário para discipliná-los corretamente, pois é algo muito trabalhoso.

Paulo diz que se alguém não sabe governar a própria casa como será capaz de cuidar da Igreja? Contudo, quando Paulo fala de *governar* a casa, ele não está dizendo que devemos ser pais autoritários, ditatoriais, que governam o lar com mão de ferro. O líder bem-sucedido é aquele que tem capacidade para liderar, guiar e cuidar da sua casa com sabedoria, amor e compreensão divinos.

Ser Aprovado por Deus

> *Não seja neófito, para não suceder [que desenvolva uma disposição mental que o cegue e o torne tolo,] que se ensoberbeça [se torne cego pela arrogância] e incorra na condenação do diabo. Pelo contrário, é necessário que ele tenha bom testemunho dos de fora [da igreja], a fim de não cair no opróbrio e no laço do diabo. Semelhantemente, quanto a diáconos, é necessário que sejam respeitáveis, de uma só palavra, não inclinados a muito vinho, não cobiçosos de sórdida ganância [ávidos por riquezas e lançando mão de métodos desonestos para obtê-las], conservando o mistério da fé [a verdade de Cristo não revelada aos descrentes] com a consciência limpa. Também sejam estes primeiramente experimentados; e, se se mostrarem irrepreensíveis, exerçam o diaconato* (1 Timóteo 3.6-10).

Aqui, Paulo nos alerta que não devemos ser precipitados ao colocar alguém em um cargo de liderança. A pessoa precisa, antes, estar preparada. Essa preparação inclui a aprovação em determinados testes e a superação de algumas situações difíceis e árduas. Os momentos de dificuldade nos transformam, aperfeiçoam nosso caráter e nos amadurecem. Eles nos forçam a confiar em Deus, e não em nós mesmos ou em outras pessoas e coisas. Sem preparação, nos encheremos de orgulho, o que resultará em situações desastrosas.[8]

Paulo enfatiza isso no texto acima. Ele diz que os que almejam posição de liderança devem ser provados antes de assumir responsabilidades na igreja. Se forem aprovados, então poderão servir na liderança do povo, cumprindo, assim, a vocação de Deus para a vida deles.

Se você está frustrado neste momento por causa de um chamado de Deus que ainda não se cumpriu em sua vida, vou lhe dizer onde você se encontra: no campo de provas. O modo como Deus irá usá-lo depois depende de como você irá se portar para ser aprovado no teste que está enfrentando agora.

Mais adiante, vamos considerar em detalhes alguns dos testes pelos quais temos de passar para que Deus aperfeiçoe nosso caráter. Um deles é o teste da estabilidade, pelo qual não é fácil passar.

Para sermos estáveis, temos de decidir que iremos sempre fazer o que é certo, não importando se estamos dispostos a fazê-lo ou não.

Vamos ter de ler a Bíblia e obedecer às suas instruções, quer gostemos ou não, quer queiramos ou não, quer tenhamos vontade ou não.

Se quisermos permanecer no fluir do Espírito Santo, temos de fazer o que Ele nos ordena quando fala conosco em nosso coração ou por intermédio de sua Palavra. Não somos membros de um conselho que delibera e vota quanto a fazer ou não o que a Palavra diz; temos tão-somente de obedecer a ela.

4 A Estabilidade Produz Capacidade – Parte 2

Porque o Senhor Deus me ajudou, pelo que não me senti envergonhado; por isso, fiz o meu rosto como um seixo e sei que não serei envergonhado (Isaías 50.7).

Vimos que devemos ser pessoas em quem Deus possa confiar. Se não formos estáveis, não poderemos gozar da confiança de Deus ou de qualquer outra pessoa.

Em nosso ministério, quero que aqueles que trabalham comigo sejam pessoas nas quais eu possa confiar, pois irão fazer o que se espera delas. Como já foram provadas e aprovadas, sei como irão agir em determinada situação.

Por exemplo, uma vez tinha o compromisso de fazer uma reunião em certa cidade. Como o voo foi cancelado, eu e minha equipe tivemos de ir de carro, e precisávamos chegar à cidade duas horas antes do início da reunião. Tínhamos muitas coisas para preparar, como montar os equipamentos e passar o som.

Mesmo em meio a toda aquela agitação, não ouvi uma só palavra de reclamação de minha equipe. Não vi nenhum traço de má vontade sequer. Na verdade, ríamos e nos divertíamos. Isso só foi possível porque a equipe era composta por pessoas estáveis, por isso sabiam o que fazer e como fazê-lo de bom humor.

Fico muito feliz por Deus ter me dado funcionários, colegas, amigos, família e um marido estáveis. A estabilidade é, provavelmente, a característica predominante da vida de Dave. Durante os anos do início de nosso casamento e ministério, quando eu tinha altos e baixos emocionais, gritando com Dave e com nossos filhos e ficando extremamente irritada com as contas a pagar e o dinheiro insuficiente, Dave estava sempre com os pés no chão, firme, estável como uma rocha.

Na verdade, Dave era tão estável que eu ficava irritada com ele e reclamava: "Você é insensível. Não tem emoções. Se sentir uma emoção, nem vai ser capaz de reconhecer o que está sentindo!".

Quando somos instáveis e incoerentes, a estabilidade das pessoas com quem convivemos nos irrita. No fundo, gostaríamos que também ficassem irritadas quando estamos irritados. Isso acontece porque o próprio fato de elas serem estáveis nos mostra que nós não o somos.

Naquela época, eu ficava à mesa da cozinha contando o dinheiro e somando as contas que tínhamos de pagar. Como o valor das contas era sempre maior do que o dinheiro disponível, eu ficava transtornada.

Dave, porém, ficava na sala de estar, com nossos filhos, vendo televisão e brincando com eles. Eu ficava com tanta raiva dele que dizia:

— Por que você não vem aqui e faz alguma coisa?

— O que você quer que eu faça?, perguntava ele. Você já me disse quanto dinheiro temos e qual é a soma das contas a pagar. Você largou o emprego para se preparar para o ministério porque foi isso que Deus lhe disse para fazer. Temos o compromisso de fazer a vontade dEle e confiar nEle. Nós damos o dízimo, e Ele nos sustenta. Todos os meses Ele nos dá tudo de que precisamos para viver. Por isso, não vejo por que precisaríamos discutir isso de novo.

E concluía dizendo:

— Joyce, do mesmo modo como você quer que eu vá aí e fique irritado junto com você, você pode vir aqui, ficar com a gente e se divertir também, se quiser. Mas se você preferir ficar aí se sentindo péssima, é problema seu. Não posso fazer nada para você se sentir bem, mas também não vou deixar que você me faça me sentir mal.

Ainda me recordo da ira que sentia. Ela vinha sobre mim tão violentamente que eu queria **fazer algo**. Mas só o que eu conseguia fazer era me encher de fúria.

Se quisermos ser líderes, esse tipo de coisa precisa morrer. Temos de parar de andar em círculos o tempo todo. Temos de resolver não mais passar pelas mesmas provas e ser reprovados todas as vezes. Mas não importa quantas vezes sejamos reprovados, pois Deus nunca irá nos reprovar definitivamente em sua escola. Só teremos de ficar "em recuperação" até aprendermos e sermos aprovados.

Quando Deus me vocacionou, disse-me: "Joyce, eu a amo. Dei-lhe determinados dons. Tenho em mente grandes planos para a sua vida. Mas para eles se cumprirem, você tem de se tornar emocionalmente estável".

Deus não quer que mudemos todas as vezes que as circunstâncias mudam. Ao contrário, Ele quer que sejamos sempre os mesmos, assim como Ele é.

A ESTABILIDADE É IMUTÁVEL

> *Jesus Cristo (o Messias), ontem e hoje, é o mesmo e o será para (todo o) sempre* (Hebreus 13.8).

Qual é o aspecto da vida de Jesus que mais toca o nosso coração? Há muitas respostas para essa pergunta, é claro. Por exemplo, o fato de que ele morreu na cruz, para que não fôssemos condenados por nossos pecados, e ressuscitou no terceiro dia.[1] Mas, em nosso relacionamento diário com Ele, uma das coisas mais preciosas para nós é a certeza que podemos ter de que Ele nunca irá mudar.

Amamos Jesus e somos capazes de confiar nEle porque Ele nunca muda. Ele disse em sua Palavra: "Serei, ontem e hoje, o mesmo, e o serei para sempre".[2] Se há algo acerca de que podemos ter certeza absoluta é o fato de que Jesus nunca muda. Ele pode mudar seja o que for que precise ser mudado em nós, mas Ele próprio permanece sempre o mesmo.

Esse é o tipo de amigo que quero ao meu lado, o tipo de funcionário que quero ter, o tipo de pessoa e de líder que quero ser. Quero ter essa estabilidade em minha vida para que os outros saibam que podem contar comigo.

Houve uma época em minha vida em que minhas emoções prevaleciam sobre a razão. Não conseguia controlá-las; elas é que me controlavam. Infelizmente, naquela época eu não sabia o que sei agora.

Além de os outros não poderem contar comigo, havia dias em que minhas emoções tinham tal controle sobre mim que nem eu mesma podia contar comigo.

Eu nunca sabia como iria reagir. Ao acordar, ficava tentando imaginar o que iria fazer naquele dia, como seria meu comportamento...

Mas Jesus não é assim. Podemos dizer que a maturidade emocional é uma de suas características. E parte dessa maturidade é o fato de que Ele é sempre o mesmo: estável, imutável, fidedigno, confiável. É esse tipo de maturidade emocional que deve ser o nosso alvo.

Ser emocionalmente maduro significa tomar decisões baseadas na direção do Espírito Santo, não em nossos sentimentos. Mas isso não acontece naturalmente.

O simples fato de saber essas coisas não faz com que tenhamos controle sobre nossas emoções. Mas temos um Deus que é poderoso. Quando chegarmos a um ponto em que realmente queiramos parar de ceder às emoções, poderemos confiar nEle para nos ajudar a amadurecer e ser emocionalmente estáveis assim como Seu próprio Filho Jesus.

Isso não significa que ficaremos insensíveis. Deus nos deu as emoções para podermos apreciar a vida. Sem sentimentos, a vida seria terrivelmente monótona. Ter estabilidade emocional significa simplesmente levarmos uma vida emocionalmente equilibrada. Como crentes em Jesus, isso é algo que ele nos concede por direito, tornando-se parte de nossa herança espiritual quando lhe entregamos nossa vida.[3]

Devemos tomar decisões baseando-nos na direção do Espírito Santo, não em sentimentos.

Assim, da próxima vez que suas emoções se acentuarem demais, eu o estimulo a encará-las e dizer-lhes: **Não! Vocês já me dominaram por tempo demais. Agora eu é que estou assumindo o comando, e vou controlar vocês com toda a força e o poder do Espírito Santo.**

Deus é Constantemente Bom

Toda boa dádiva e todo dom perfeito (pleno, amplo, integral) são lá do alto, descendo do Pai das luzes [que as dá], em quem [em cujo brilho] não pode existir variação ou sombra de mudança [como num eclipse] (Tiago 1.17).

O que Tiago está dizendo nesse versículo? Está dizendo que Deus é bom; ponto final. Ele não é bom de vez em quando; Ele é sempre bom. Ele não é bom sob certas condições; Ele simplesmente é bom.

Tiago também está dizendo que Deus é imutável. Em Deus não há mudança nem variação. Vimos que seu Filho, Jesus, nunca muda. Em João 10.30, vemos que Jesus e Deus são um só. Se Jesus nunca muda, Deus nunca muda; seja como o Deus Pai, o seu Filho Jesus ou o Espírito Santo. Ele é sempre o mesmo.

Deus é sempre o mesmo – sempre bom. Mesmo se estivermos passando por dificuldades, Deus continua sendo bom. Se algo de ruim nos acontece, mesmo assim ele continua sendo bom. Sendo um Deus bom, Ele quer fazer coisas boas para nós. Ele não faz o bem para nós porque somos bons e merecedores; Ele o faz porque Ele é bom.

O mundo ainda precisa aprender essa verdade. Certas pessoas na igreja também.

A Estabilidade é Alcançada de Modo Progressivo

Ainda: No princípio, Senhor, lançaste os fundamentos da terra, e os céus são obra das tuas mãos; eles perecerão; tu, porém, permaneces; sim, todos eles envelhecerão qual veste; também, qual manto [jogado sobre a pessoa], os enrolarás, e, como vestes, serão igualmente mudados; tu, porém, és o mesmo, e os teus anos jamais terão fim (Hebreus 1.10-12).

Como é reconfortante saber que mesmo que tudo o mais no mundo mude, Deus sempre permanecerá o mesmo. Afinal, como poderíamos depositar nossa confiança em Deus, que é o que Ele espera de nós, se não crêssemos que Ele é sempre fiel e que, de alguma forma, sempre supre nossas necessidades, quaisquer que sejam?

Deus **sempre** nos ama incondicionalmente. Ele não nos ama se formos bons e deixa de nos amar se formos maus. Ele sempre nos ama. Ele é sempre bondoso; sempre tardio em se irar; sempre cheio de graça e misericórdia; sempre pronto a perdoar. O que aconteceria em nossa vida e na vida das pessoas ao nosso redor se fôssemos como Deus nesse aspecto? O que aconteceria se fôssemos sempre amorosos, sempre tardios em nos irar, sempre cheios de graça e misericórdia e sempre prontos a perdoar? O que aconteceria se, como Deus, fôssemos sempre construtivos, pacíficos e generosos?

Não devemos ter altos e baixos emocionais, como se nossas emoções fossem um ioiô. Ao contrário, devemos ser estáveis. Nosso problema, porém, é que estamos sempre mudando.

Meu marido, Dave Meyer, e eu estamos casados há mais de trinta anos, e toda manhã ele se levanta de bom humor. Além disso, começa a cantar menos de cinco minutos depois de se levantar.

No início eu era o oposto dele. Queria que ele ficasse quieto para que eu pudesse pensar. Queria entender os meus problemas primeiro. Graças a Deus eu mudei.

No início do nosso casamento, eu ainda sofria as sequelas de todos os abusos que sofrera no passado. Como eu nunca havia conhecido nenhum tipo de estabilidade, nem fazia ideia do que fosse.

Talvez você tenha sido criado por pessoas emocionalmente instáveis. Se for o seu caso, como foi o meu, você precisa entender que essa vida emocional inconstante que até agora vem tendo não é a regra. Não é esse tipo de vida que Deus quer para você.

Deus quer que você chegue a um estado emocional de estabilidade. Você nunca será capaz de aproveitar a vida como deveria enquanto não se tornar estável.

Dave me diz que ele se lembra de como eu era antes de começar a me tornar emocionalmente estável. Ele diz: "Ainda me lembro daquele tempo em que, quando eu estava no carro, voltando do trabalho à noite, pensava com meus botões: **Como será que a Joyce vai estar hoje?"**

Talvez você esteja na situação de Dave. Talvez esteja casado com alguém instável. Se for o caso, você sabe que tais pessoas são de difícil convivência. É muito difícil manter um relacionamento no qual as pessoas são tão instáveis que ninguém pode contar com elas ou mesmo saber como se comportarão no momento seguinte.

Não estou dizendo que nunca temos dias ruins. Não acho que todos podem ser como Dave. Mas ele continua sendo um exemplo para mim, e só pelo fato de viver e aprender com ele, já fiz uma longa jornada de progresso. Creio que agora sou estável 99% do tempo. Ainda sou um pouco mais temperamental do que ele; então, se fico com raiva, às vezes levo um pouco mais de tempo do que ele para me acalmar. Mas agora, me acalmo em dois ou três minutos, enquanto que, naquela época, levava de duas a três semanas! Por isso, agradeço a Deus pelo progresso que tive.

Sei que, assim como eu mudei, todos podem mudar, pois o meu caso de instabilidade emocional era muito grave. Mas continuei progredindo, até me tornar estável. E isso é o que Deus deseja para cada um de nós: estabilidade. Ele não espera que nos tornemos perfeitos da noite para o dia, mas quer nos ajudar a sermos mais semelhantes a Ele dia após dia.

O Senhor é Uma Rocha

> *Eis a Rocha! [Deus] Suas obras são perfeitas, porque todos os seus caminhos são juízo; Deus é fidelidade, e não há nele injustiça; é justo e reto* (Deuteronômio 32.4).

No Antigo Testamento, vemos que não foi da noite para o dia que Moisés se tornou o líder que Deus usou para tirar os israelitas do cativeiro. Iremos falar sobre ele mais à frente, a respeito de sua posição de liderança. Nesse versículo, ele está falando aos israelitas sobre o Senhor. Está lhes dizendo o que aprendeu sobre como Deus realmente é.

Ele diz ao povo que Deus é uma Rocha; que Ele é imutável, constante (ou estável); que Ele é grande e firme; que Ele é fiel e justo; perfeito e reto em todos os seus atos.

Segundo o *Jamieson, Fausset and Brown Commentary* (Comentário Bíblico de Jamieson, Fausset e Brown), a palavra "rocha", na Bíblia, **indica expressão de poder e estabilidade. O emprego dela nesta passagem serve para enfatizar que Deus é fiel à sua aliança com seus antepassados e com eles [israelitas]. Nada do que ele prometeu havia deixado de se cumprir [...] a metáfora da 'rocha' como refúgio ou para representar a fidelidade e estabilidade divina do propósito ocorre mais de uma vez neste cântico** [O capítulo 32 de Deuteronômio é conhecido com "O Cântico de Moisés"] **e frequentemente em outras partes das Escrituras".**[4]

Deus é chamado de Rocha nesse texto e em outros da Bíblia porque ele é sólido e estável. Ele nunca é movido pelas coisas que nos movem. Parece que a carne tem a tendência "natural" de ter altos e baixos emocionais; de ser movida pelas circunstâncias e sentimentos. Mas o Senhor não; Ele não é movido pelas circunstâncias. Para nos tornarmos líderes fortes, devemos seguir Seu exemplo.

A Rocha é o Nosso Exemplo

> *Porque o meu povo é gente falta de conselhos, e neles não há entendimento. Tomara fossem eles sábios! Então, entenderiam isto e atentariam para o seu fim. Como poderia um só perseguir mil, e dois fazerem fugir dez mil, se a sua Rocha lhos não vendera, e o Senhor lhos não entregara? Porque a rocha deles não é como a nossa Rocha; e os próprios inimigos o atestam* (Deuteronômio 32.28-31).

Quando leio este último versículo fico animada. Vem-me a mente um comercial de televisão de uma companhia de seguros [dos EUA] no qual aparece a imagem de uma grande rocha e ouve-se uma voz ao fundo dizer: "Adquira este seguro e leve um pedaço da rocha".

Por mais que eu creia que fazermos um seguro é uma atitude sábia, posso afirmar que a rocha daquele comercial não é como a nossa Rocha. A rocha temporal que o mundo oferece não se compara à Rocha Eterna.

Nossa Rocha é um lugar de refúgio. Ele (Deus, nossa Rocha) é estável, longânimo, fiel, seguro, sempre presente, sempre o mesmo, sempre bom e amoroso, sempre terno e misericordioso. Nunca nos deixa nem se esquece de nós. E devemos ser moldados e transformados à Sua imagem.[5] Ele é a nossa Rocha, mas deve ser também o nosso exemplo. Devemos ser como Ele é.

A Rocha da Fé – Um Alicerce Sólido

> *Indo Jesus para os lados de Cesaréia de Filipe, perguntou a seus discípulos: Quem diz o povo ser o Filho do Homem? E eles responderam: Uns dizem: João Batista; outros: Elias; e outros: Jeremias ou algum dos profetas. Mas vós, continuou ele, quem dizeis que eu sou? Respondendo Simão Pedro, disse: Tu és o Cristo, o Filho do Deus vivo. Então, Jesus lhe afirmou: Bem-aventurado (feliz, afortunado, a ser invejado) és, Simão Barjonas, porque não foi carne e sangue que to revelaram, mas meu Pai, que está nos céus. Também eu te digo que tu és Pedro [em grego, Petros – um grande pedaço de rocha], e sobre esta pedra [em grego, petra – uma enorme rocha, como Gibraltar] edificarei a minha igreja, e as portas do inferno (os poderes das regiões infernais) não prevalecerão contra ela [nem serão mais fortes do que ela, nem resistirão a ela]* (Mateus 16.13-18).

Quando Pedro disse que Jesus era o Cristo, o Filho do Deus vivo, estava fazendo uma declaração de fé. Ao fazê-la, Pedro demonstrava a sua fé.

Não creio que Pedro tenha feito essa afirmação de modo casual ou com indiferença. Creio que ele a fez com uma certeza que impressionou Jesus, porque Ele imediatamente voltou-se para Pedro e o chamou de "bem-aventurado". Depois continuou dizendo que sobre aquela rocha, um alicerce sólido de fé, Ele iria edificar Sua igreja.

O que Jesus estava dizendo a Pedro era: "Se você preservar a sua fé, ela será como uma rocha em sua vida sobre a qual poderei edificar o meu reino em você. Seu potencial será desenvolvido a tal ponto que nem mesmo as portas do inferno prevalecerão contra você".

Mas essa promessa não era somente para Pedro. O que Jesus disse a ele serve para todos nós, cristãos. O problema é que nem sempre temos fé. Às vezes cremos; outras, duvidamos.

De Fé em Fé

> *Eis a Rocha! Suas obras são perfeitas, porque todos os seus caminhos são juízo; Deus é fidelidade, e não há nele injustiça; é justo e reto. Isto que a justiça de Deus se revela no evangelho, de fé em fé, como está escrito: O justo viverá por fé* (Romanos 1.17).

Há muito tenho o alvo de aprender a viver de fé em fé. Muitos anos atrás, o Senhor me revelou um círculo vicioso relativo à minha fé: "Joyce, você passa da fé para a dúvida e, depois, para a descrença. Então, volta à fé, e, de novo, passa à dúvida e à descrença".

O problema com a igreja atualmente é que temos muita contradição e pouca estabilidade. A contradição torna-se evidente naquilo que dizemos, como vemos em Tiago 3.10: "De uma só boca procede bênção e maldição. Meus irmãos, não é conveniente que essas coisas sejam assim".

Algum tempo atrás, Deus falou comigo sobre uma pessoa a quem eu estava ajudando espiritualmente e com quem eu passava um bom tempo. Essa pessoa tinha muitos problemas em sua vida. Ficava bem durante um tempo, e dizia coisas como: "Oh, louvado seja Deus, creio que Ele vai me curar. Deus vai cuidar de mim. Ele vai suprir todas as minhas necessidades".

Ela permanecia assim durante um ou dois dias. Mas depois ficava desencorajada, deprimida, muito crítica e pessimista, e começava a dizer coisas como: "Nada de bom vai acontecer comigo. Todo mundo é abençoado, menos eu. Ninguém da minha família é crente, mas todos são mais abençoados do que eu". E assim por diante, nesse fluxo negativo.

Eu sempre orava com ela e a animava, mas alguns dias mais tarde ela caía novamente.

Ela era como muitos de nós às vezes somos: como um pneu furado. Podemos ser cheios novamente e rodar por algum tempo, mas logo notaremos que estamos vazios novamente.

Certa vez Deus falou claramente ao meu coração: "O que você está vendo nessa pessoa é exatamente o motivo pelo qual meu povo acaba esgotando sua energia por completo. Eles alternam o que é positivo com que é negativo. Durante um tempo se enchem do que é positivo, que é o meu poder. Mas depois começam a substituí-lo pelas emoções negativas, que ocupam o lugar do poder, e assim voltam à estaca zero".

Não sei quanto aos outros, mas eu não quero ficar sempre voltando à estaca zero. Não quero fazer declarações positivas durante dois ou três dias e declarações negativas durante os dois ou três dias seguintes, voltando, assim, à estaca zero novamente.

Creio que esse é o motivo pelo qual, às vezes, as pessoas no corpo de Cristo ficam confusas. Elas pensam: "Não entendo. Tento fazer tudo que é certo, mas parece que nada produz resultados positivos". A razão é que as suas declarações negativas anulam as suas ações positivas.

Não estou dizendo que nunca sinto emoções negativas e que nunca reclamo, mas quando percebo que isso começa a acontecer, paro imediatamente. Não me permito continuar assim por muito tempo como acontecia anteriormente. Ninguém pode dizer que isso nunca lhe acontece. Mas precisamos nos tornar cada vez mais estáveis se quisermos que Deus confie a nós a liderança. Precisamos ser fidedignos, confiáveis, para que os outros saibam que podem confiar em nós e contar conosco, e para que Deus veja isso também.

A Estabilidade na Fé e na Confiança

> *Confiai nele, ó povo, em todo tempo; derramai perante ele o vosso coração; Deus é o nosso refúgio* (Salmo 62.8).

Não devemos ter fé e confiar em Deus somente de vez em quando ou ocasionalmente ou periodicamente, mas **em todo o tempo**. Devemos aprender a viver de fé em fé, confiando no Senhor quando as coisas estão bem e quando não estão.

É fácil confiar em Deus quando as coisas estão bem, mas quando se complicam e temos de tomar a decisão de confiar em Deus nas adversidades, é aí que aperfeiçoamos o nosso caráter. E quanto mais aperfeiçoado o caráter vai sendo, mais capacidade se produz em nós. Por isso é que digo que a **estabilidade produz capacidade**.

Quanto mais estáveis ficarmos, mais capacidade será produzida, porque o potencial em nós agora possui caráter para sustentá-lo.

Muitos têm certos dons, mas não podem exercê-los, pois o seu caráter subdesenvolvido não comporta os dons que têm. Os dons são **dados**, mas o caráter é **desenvolvido**.

Sempre tive facilidade para me comunicar oralmente. Até na escola eu conseguia falar o suficiente para os professores acharem que eu sabia tudo sobre tudo o que estava sendo ensinado, quando na verdade não sabia praticamente nada.

Sempre fui uma boa comunicadora; sempre consegui convencer as pessoas. Mas, para Deus permitir que eu subisse num púlpito para pregar a milhões de pessoas todos os dias, só os meus dons não bastavam. Eu precisava também ter um caráter bem desenvolvido para que Deus pudesse confiar no que eu iria dizer. Do contrário, Ele não me permitiria ensinar a tantas pessoas, pois talvez eu dissesse uma coisa num dia e outra no dia seguinte.

É disciplinando as nossas emoções, o nosso estado de espírito e a nossa boca que nos tornamos estáveis o suficiente para permanecermos em paz, não importando as situações e circunstâncias, para que sejamos capazes de andar no fruto do Espírito – não importa se o **queremos** ou não.

Quanto mais estáveis nos tornamos, mais capacidade será produzida em nós e por meio de nós.

Em Todo o Tempo

> *Bendirei o Senhor em todo o tempo, o seu louvor estará sempre nos meus lábios* (Salmo34.1).

Note que o salmista diz que bendirá o Senhor **em todo o tempo**.

Além de louvar ao Senhor, como dizem as Escrituras, há também vários outros textos na Bíblia que nos falam de algumas coisas que devemos fazer **em todo o tempo**, como resistir ao diabo **todo o tempo**,[6] crer em Deus **todo o tempo**,[7] amar ao próximo **todo o tempo**[8], e não somente quando nos for conveniente ou quando tivermos vontade de fazê-lo.

Os dons são dados, mas o caráter é desenvolvido. Devemos desenvolver nosso caráter para que Deus confie no modo como usaremos nossos dons.

Uma de minhas coisas preferidas quando termino uma conferência é ir para um restaurante, sentar-me e saborear uma deliciosa refeição. Trabalho muito, e essa é a forma pela qual consigo relaxar. Certa vez, ligamos para um restaurante para fazer uma reserva para quinze pessoas. Pelo que entendemos, eles tinham feito a nossa reserva. Porém, ao chegarmos, o lugar estava lotado, e, quando entramos, nos disseram: "Não fazemos reservas".

Senti a irritação tomando conta de mim e pensei: **Ora, por que não nos disseram isso por telefone?** Então disse a mim mesma: **Joyce, você acabou de pregar numa conferência; seja gentil.**

É impressionante como, certas vezes, quando falamos sobre algo em que cremos, Satanás se aproxima para nos testar.

Esperamos durante quarenta e cinco minutos até liberarem uma mesa. Eles nos deram uma mesa comprida e grande, e a garçonete anotou nosso pedido de bebidas. Logo voltou, trazendo uma grande bandeja com todas as bebidas. Mas o local estava tão lotado que, quando ela tentava passar entre a parede e a nossa mesa, a ponta da bandeja bateu num canto e ela derrubou todas as bebidas em cima do meu marido.

Dave estava usando seu melhor terno e ficou totalmente ensopado de água, chá gelado e refrigerante. Naquele momento, poderíamos ter-nos levantado e explodido: "Qual o problema com você? Não sabe fazer seu trabalho direito? Olhe o que fez com nossas roupas! Nunca mais vamos voltar aqui!" Dave, no entanto, foi muito gentil com a garçonete depois do incidente. Ele lhe disse: "Não se preocupe. Você não fez de propósito. Eu compreendo. Também já trabalhei num restaurante, e uma vez derrubei cerveja dentro do carro de um cliente. Ele estava usando um belo terno e estava passeando com a namorada. Sei como se sente. Fique tranquila".

Então ele foi até o gerente e disse: "Não quero que ela tenha problemas por causa do que aconteceu. O lugar está totalmente lotado. Ela está fazendo um bom trabalho; está fazendo o melhor que pode. Não teve culpa nenhuma".

Dave fez tudo que pôde para ser gentil.

Logo a garçonete voltou com uma segunda bandeja de bebidas, e percebemos que havia chorado. Ela nos disse: "Sinto-me péssima. Esta é minha primeira semana aqui, e é a primeira mesa grande a que atendo. Sinto-me muito mal por ter derramado as bebidas em vocês". Então ela se curvou um pouco por sobre a mesa e olhou bem para mim dizendo: "Acho que estou um pouco nervosa porque a senhora está aqui. Eu a vejo na televisão todos os dias".

No meu coração comecei a dizer: **Oh, obrigada, Senhor; obrigada, obrigada, obrigada por não termos reagido mal a tudo isso!**

Qual teria sido o impacto nela, qual a mensagem que teria chegado a ela sobre Deus, sobre líderes, sobre os tele-evangelistas se me ouvisse pregar na televisão todos os dias e depois visse Dave e eu explodirmos e termos um acesso de raiva por causa das bebidas derramadas nele?

Tive vontade de ter um acesso de raiva? Sim. A Bíblia não diz que o pecado morre. O que ela diz é que, já que Cristo morreu por nossos pecados, devemos nos considerar mortos para o pecado.[9] Se formos esperar o pecado morrer, podemos "esperar sentados": não vai acontecer. Quando digo "esperar o pecado morrer", quero dizer esperar não sermos tentados pelo pecado. A Bíblia diz que sempre seremos tentados, mas Jesus ensinou os seus discípulos a orar para que não caíssem em tentação quando ela surgisse.[10]

A carne não morre; nós é que temos de fazê-la morrer, como lemos em Colossenses 3.5: *Fazei, pois, morrer (fazer perecer, anular o poder) a vossa natureza terrena [os impulsos animais e todas as coisas mundanas que alimentam o pecado]...* É não cedendo ao pecado que fazemos com que ele morra.

Quando pecamos, não perdemos o potencial que já desenvolvemos, mas retardamos o progresso; tanto o nosso como o daqueles ao nosso redor.

Na situação do restaurante, que confusão teria sido se tivéssemos dado lugar à carne em vez de permanecermos estáveis... Os outros teriam dito: "Se os cristãos são assim, não quero ter nenhum envolvimento com o cristianismo. Se é assim que eles agem, não quero fazer parte disso. Já tenho problemas demais. Se for para agir assim, prefiro continuar sendo um não cristão".

Por isso é que Deus desenvolve nosso caráter antes de nos permitir envolver-nos com as pessoas, pois, se não tivermos estabilidade, iremos passar-lhes uma péssima impressão sobre Deus, e não o contrário.

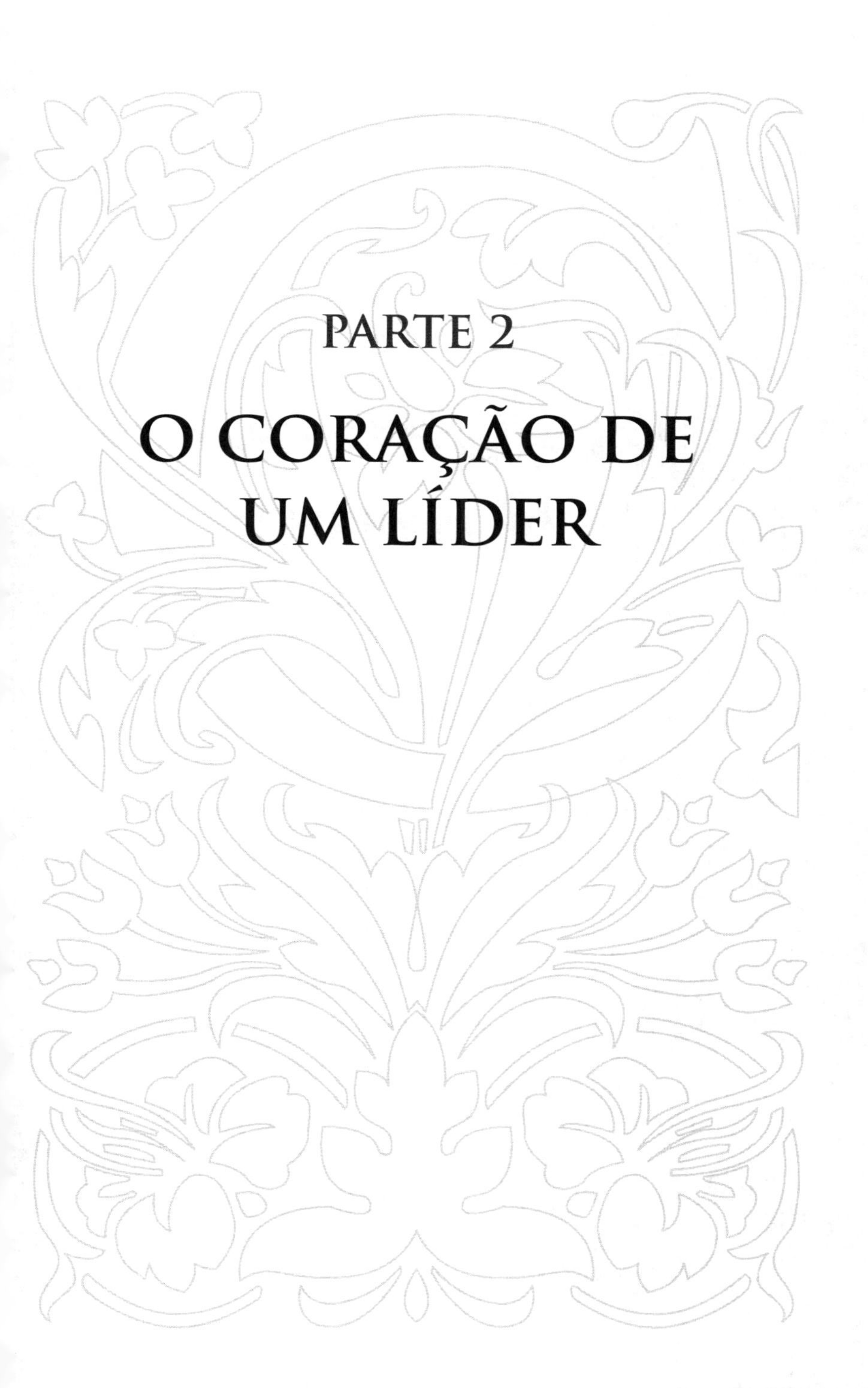

PARTE 2

O CORAÇÃO DE UM LÍDER

5 As Condições Negativas do Coração – Parte 1

Não seja o adorno da esposa o que é [meramente] exterior, como frisado [elaborado] de cabelos, adereços de ouro, aparato de vestuário; seja, porém, o homem interior do coração, unido ao incorruptível trajo de um espírito manso e tranquilo, que é [que não é ansioso, mas] de grande valor diante de Deus (1 Pedro 3.3-4).

Uma das coisas mais importantes para Deus é o coração do líder, o que a Bíblia chama de o *homem interior.*[1] Quando olhamos uns para os outros, o que vemos não corresponde necessariamente ao modo como as coisas realmente são. Podemos falar e agir como se tudo estivesse maravilhoso, mas por dentro talvez estejamos feridos, e tudo em nossa vida pode estar destruído, e nós, infelizes.

Creio que Deus está mais preocupado com nosso coração do que com o que aparentamos ser, pois se nosso coração for reto, nossa aparência exterior acabará representando corretamente a nossa realidade interior. Mas se fizermos coisas certas, porém com um mau coração, o que fizermos não terá valor para Deus.

Uma das coisas que mais mudaram minha vida como líder no Corpo de Cristo foi quando Deus me ensinou sobre a vida interior, o homem interior. O que se passa dentro de nós? Que tipo de coração temos? Como realmente somos por dentro? Como é a nossa mentalidade? Que tipo de atitude temos? O que se passa conosco nos bastidores? **Se quisermos ser bons líderes, temos de avaliar com mais profundidade aquelas coisas que ninguém mais, além de nós mesmos e Deus, sabe sobre nós mesmos.**

Muitos anos atrás, Deus começou a tratar comigo em relação à importância da vida interior. Leva algum tempo para entendermos essa importância, pois damos muito valor às aparências. Passamos a vida tentando nos equiparar aos outros na aparência externa, esquecendo-nos de que há todo um outro lado em nós que não pode ser visto, mas trata-se de um lado que Deus vê e com o qual está em contato direto. Enquanto o mundo está ocupado tentando conquistar "o espaço sideral", devemos lutar para conquistar o "espaço interior".

Enquanto o mundo está ocupado tentando conquistar o "espaço sideral", devemos nos empenhar na conquista do "espaço interior".

Quando Deus começou a tratar comigo em relação a esse assunto, comecei a estudá-lo. Naquela época, publiquei uma série de estudos sobre ele. Foi um tanto frustrante para mim, pois as vendas da série foram baixas. As pessoas compravam avidamente as fitas sobre cura, prosperidade e sucesso, mas não sobre maturidade, humildade e obediência.

Certa vez, produzi uma série de fitas sobre obediência, mas tive de lhe dar um título que aparentemente não tinha a ver com o assunto: "Como ser total e grandemente abençoado". As vendas dessa série foram ótimas, pois as pessoas querem, sobretudo, ser abençoadas. Mas se eu a tivesse chamado de "Como ser total e grandemente obediente," poucos teriam comprado as fitas. A verdade, porém, é que se quisermos ser total e grandemente abençoados, temos de ser total e grandemente obedientes.

Na verdade, queremos obter bons resultados, mas não queremos fazer o que é preciso para alcançá-los. Por isso, muitos passam a vida inteira andando em círculos em torno da mesma montanha e nunca chegam a lugar algum.

Em 1 Pedro 3, o apóstolo Pedro usa o exemplo das joias, roupas e maquiagem, mas a questão central não é realmente essa. Ali, a mensagem principal é no sentido de que não devemos nos preocupar tanto com o modo como os outros nos veem, mas com o que há realmente em nosso interior. Devemos aprender a dar mais importância à nossa vida interior em vez de nos preocuparmos somente com a aparência superficial e exterior.

Em Lucas 5, lemos que Pedro e seus companheiros estiveram pescando toda a noite, mas não apanharam nada. Então voltaram com os barcos e começaram a limpar as redes para guardá-las. Jesus vinha andando pela areia e, quando os viu, aproximou-se e disse: *Vão para onde as águas são mais fundas [...] lancem as redes para a pesca* (v. 4, NVI). Muitas pessoas na igreja estão "pescando" mas não "pegam" nada, por assim dizer, porque não lançam a "rede" em águas profundas. Como resultado, não estão satisfeitas com a vida porque não a vivem com a profundidade com que deveriam.

Viva uma Vida Reta

O texto de Lucas 5 é uma das passagens bíblicas que Deus usou para começar a realmente mudar minha vida. Ele me fez entender que não está nem um pouco preocupado com as coisas externas, como títulos importantes ou com a quantidade de convites que recebemos para pregar seja onde for. O que Ele quer são líderes que tenham um coração reto. Ele quer que estejamos no ministério porque desejamos ajudar outros, e não porque queremos ficar famosos. Os líderes não são chamados para ser famosos, mas para enfrentar o trabalho árduo, o serviço, o sacrifício, etc. Veja como se soletra corretamente a palavra "ministério": T-R-A-B-A-L-H-O.

Sim, há grandes benefícios que fazem parte desse nosso ofício, como Paulo fala na carta à igreja de Corinto.[2] Mas todas as nossas obras precisam passar pelo fogo,[3] porque não importa *o que* fazemos, mas *por que* o fazemos.

Quando deixarmos esta terra e passarmos diante dos olhos de fogo de Jesus, creio que todas as obras serão julgadas em relação à pureza delas; isto é, o que será examinado é se a nossa motivação estava correta ou não. Portanto, devemos deixar que o Espírito Santo examine nosso coração, revele-nos qualquer atitude errada em nós e a arranque pela raiz, para que possamos ser transformados.[4]

Mas transformados para quê? Ora, para vivermos corretamente, podendo bendizer ao Senhor e agradar-lhe. Se não vivermos assim, tudo o mais que fizermos será puro desperdício.

Quando nos recusamos a permitir que Deus corrija nossas falhas, abrimos as portas para o inimigo. É por meio das nossas falhas que Satanás entra em nossa vida. Deus, porém, não quer que Satanás tenha parte alguma em nossa vida, e para isso Ele precisa de nossa cooperação. Quando Jesus disse, em João 14.30, que Satanás não tinha parte com Ele, quis dizer que Satanás não tinha a chance de entrar em Sua vida por meio de falhas não corrigidas. Afinal, Jesus sempre obedeceu ao Pai de modo imediato e integral.

Encontramos um bom exemplo relacionado a esse assunto em Efésios 4.26-27. Ali, somos instruídos a não deixar o sol se pôr sobre nossa ira; se permitirmos que isso aconteça, daremos lugar ao diabo. Aqueles que vivem pelas emoções irão permanecer com raiva até sentirem vontade de superá-la. Porém, aqueles que vivem pela Palavra de Deus irão se recusar a permanecer com raiva simplesmente porque Deus, em sua Palavra, lhes falou para agir assim. Não é muito difícil observar por que uns têm vitória constante na vida, enquanto outros têm pouca ou nenhuma.

Um Espírito Manso e Tranquilo

Pedro disse que Deus quer que tenhamos um espírito manso e tranquilo, e não um espírito tenso e ansioso (cf. 1 Pedro 3.4). Isso significa que Ele não quer que fiquemos chateados o tempo todo. Ele quer que tenhamos uma paz interior constante; que andemos sempre em paz. Conseguir viver assim no mundo de hoje é um trabalho árduo. Mas é possível fazê-lo quando temos um coração em sintonia com Deus; quando Lhe pedimos que coloque Seu coração e Seu Espírito em nós, para que sintamos o que Ele sente, queiramos o que Ele quer e odiemos o que Ele odeia. Ele odeia o pecado, mas ama a pessoa que o comete.

Em Atos 13.22, lemos que Davi era um homem segundo o coração de Deus. Sabemos que Davi cometeu alguns erros muito graves.[5] Ele pecou, mas arrependeu-se e se reconciliou com Deus. Sofreu as consequências dos seus pecados, mas continuou a ter um coração em harmonia com Deus.

Particularmente, não desejo ser conhecida como uma pregadora famosa, mas como alguém que anda em amor e que tem o coração em harmonia com Deus.

Na verdade, é somente isso que todos precisamos ter. É imprescindível que a condição do coração do líder seja correta, porque o líder ministra com o coração. E o coração é o centro da pessoa, do espírito, da mente e do homem interior.

Não temos de ser ministros perfeitos, mas não podemos dar a outros aquilo que não temos.

Como poderemos ministrar vitória a outros se não tivermos nenhuma vitória em nossa vida? Como poderemos ministrar paz se não tivermos paz interior? Nem sempre nossas circunstâncias serão de paz, mas com a ajuda de Deus podemos aprender a ter paz enquanto passamos por elas.

Paz Durante a Tempestade

Em Marcos 4.35-41, lemos que uma tempestade surgiu quando Jesus e seus discípulos estavam num barco, cruzando o Mar da Galiléia. Os discípulos ficaram totalmente perturbados, mas Jesus serenamente repreendeu a tempestade, falando tranquilamente, e a acalmou.

Sabem por que ele foi capaz de acalmar a tempestade? **Porque ele não permitiu que a tempestade acontecesse também em seu interior.** Os discípulos não poderiam acalmar a tempestade porque estavam tão agitados interiormente quanto ela o estava exteriormente. Lembre-se: você não pode dar o que não tem. Jesus lhes deu paz porque ele tinha paz para lhes dar. Ele tinha um coração pacificado dentro de Si.

Sinceramente, quero ser alguém que tenha efeito tranquilizador sobre as pessoas que me cercam. Quero ser alguém que entre numa sala cheia de discórdia e, poucos minutos depois, a contenda venha a cessar.

Quando Jesus andou pela Terra, havia algo que fluía dEle: a unção ou a virtude de Deus, que é o Seu poder. Algo emanava dEle constantemente e trazia cura, esperança e salvação para a vida das pessoas. Não era somente algo que Deus já colocara nEle, mas algo que também estava relacionado aos fundamentos sobre os quais Ele vivia Sua vida.

Claro que Ele era ungido, mas essa unção não seria liberada se Ele não vivesse uma vida reta. Justamente por isso é que Ele nunca deixava o diabo atormentá-Lo. Ele mantinha seu coração tranquilo, calmo e amoroso. E, como vimos anteriormente, nosso maior alvo é ser semelhantes a Ele.

Guarde Seu Coração

Em Provérbios 4.23, lemos: *Sobre tudo o que se deve guardar, guarda o coração, porque dele procedem as fontes da vida*. Essa afirmação serve para todos os crentes, mas para alguém que quer ser líder, ela é crucial. Devemos manter nosso coração tranquilo diligentemente. Filipenses 4.6-7 nos instrui sobre como fazer isso: *Não andeis ansiosos de coisa alguma; em tudo, porém, sejam conhecidas, diante de Deus, as vossas petições, pela oração e pela súplica, com ações de graças. E a paz de Deus, que excede todo o entendimento, guardará o vosso coração e a vossa mente em Cristo Jesus.*

Isso significa que devemos guardar nosso coração como um soldado guarda uma cidade para que não entrem invasores. Isso é muito importante, pois há muitas coisas em nosso coração que não deveriam estar lá. Se permitirmos que Deus opere em nós nessa área, Ele começará a nos revelar essas coisas e a arrancá-las pela raiz, para que possamos manter um coração pacificado.

As Condições do Coração

> *Era Amazias da idade de vinte e cinco anos quando começou a reinar e reinou vinte e nove anos em Jerusalém; sua mãe se chamava Jeoadã, de Jerusalém. Fez ele o que era reto perante o Senhor; não, porém, com inteireza de coração* (2 Crônicas 25.1-2).

Quando Deus fala conosco sobre o nosso coração ou o pede a nós, na verdade Ele está pedindo nossa vida por completo: a personalidade, o caráter, o corpo, a mente e as emoções. A verdadeira pessoa é, na realidade, o coração dela, e não a imagem exterior que todos veem. E a igreja e o mundo estão precisando de pessoas reais.

Muitos ficam imaginando por que algumas coisas não têm dado certo. A razão é que estão preocupadas demais com a vida exterior (aparências), e nem um pouquinho com a vida interior.

Nesta seção do livro, iremos ver algumas coisas concernentes à vida interior, às condições do coração. Na verdade, o coração pode se encontrar sob muitos tipos de condição. Algumas são positivas; outras, negativas. Claro que muitas pessoas realmente têm um coração reto. Amam a Deus de todo o coração e realmente querem fazer o que é correto em cada situação. Mas outras têm um coração falso. Podem até fazer o que é certo, mas sua motivação está errada.

Em 2 Crônicas 25.1-2, lemos sobre um rei que tinha uma condição negativa no coração. Nesse texto, o rei Amazias fez tudo corretamente, mas seu coração não era reto. Por isso, Deus não ficou satisfeito com ele. Isso é assustador. Podemos fazer o que é certo, mas, ainda assim, podemos não ser aceitos por Deus por causa da condição errada de nosso coração. Vamos refletir um pouco sobre o ato de dar, por exemplo.

Em 2 Coríntios 9.7, lemos que Deus ama quem dá com alegria; aquele que não dá por impulso ou com uma atitude errada, mas com o coração desejoso de fazê-lo. Ele quer que demos com alegria. Na verdade, a Bíblia diz que Deus ama tanto a quem dá com alegria que não quer de forma alguma que falte esse tipo de pessoa.

Alguém já disse que, embora Deus queira que demos com um coração alegre e generoso, Ele usará nossas ofertas até mesmo se formos mesquinhos e egoístas. Ele pode aceitar nosso dinheiro e usá-lo em prol do seu reino, mas não é essa a atitude que deseja de nós quando damos.

Há um coração físico e um espiritual, e os dois têm uma correspondência entre si. Fisicamente, o coração é o órgão mais importante do corpo. Espiritualmente, creio que o coração é o aspecto mais importante do nosso corpo espiritual. E é a coisa mais importante que o crente ou o líder pode dar a Deus. Por isso a condição do coração é tão importante.

A atitude do coração é o ponto central da vida do líder, e deve ser também o ponto mais importante da vida de todo crente. Não é a falta de capacidade ou potencial que impede a maioria das pessoas de progredir ou de encontrar a realização na vida; creio que são as atitudes erradas do coração. Por isso é que vamos analisá-las em primeiro lugar.

1. Um coração perverso

> *Viu o Senhor que a maldade do homem se havia multiplicado na terra e que era continuamente mau todo desígnio do seu coração; então, se arrependeu o Senhor de ter feito o homem na terra, e isso lhe pesou no coração. Disse o Senhor: Farei desaparecer da face da terra o homem que criei, o homem e o animal, os répteis e as aves dos céus; porque me arrependo de os haver feito. Porém, Noé achou graça (favor) diante do Senhor (*Gênesis 6.5-8).

Nessa passagem, há três coisas concernentes ao homem que desagradaram a Deus: perversidade, imaginação maligna e pensamentos malignos. Como essas eram as características predominantes da condição do coração do homem na terra naquela época, Deus decidiu destruir a humanidade. Mas Noé achou favor e graça diante de Deus.

Noé certamente era um homem de coração correto, pois, do contrário, ele também teria sido destruído juntamente com todos os seus contemporâneos.

Creio que a lição que podemos aprender com essa história é que muitas pessoas atualmente estão sendo destruídas unicamente porque têm um coração falso. Não estão sendo cuidadosas com o que fazem com sua imaginação.

É incrível a quantidade de áreas de nossa vida que poderiam ser corrigidas se acertássemos nosso coração com Deus. Talvez nosso coração não esteja cheio de pensamentos perversos, nem tenhamos imaginação perversa, etc., como as pessoas dos dias de Noé, mas uma atitude perversa ou um pensamento errado também pode ser considerado imaginação perversa ou pensamento perverso. Por isso devemos ter a atitude correta, pois a atitude é praticamente tudo. Se tivermos uma atitude negativa e muitos pensamentos pervertidos, não chegaremos a lugar nenhum na vida.

Mais adiante vamos estudar este assunto em maior profundidade, mas precisamos ter um coração bondoso. Temos de ouvir e atender à voz da consciência para que, assim que percebermos que temos uma atitude errada em relação a algo ou alguém, tomemos providências para corrigi-la. É por isso que temos de guardar o coração, porque dele procedem as fontes da vida.

Na maioria das vezes não guardamos bem nosso coração. Deixamos entrar muito lixo e coisas absurdas nele. Precisamos nos lembrar da regra do computador: **Se recebemos lixo, mandamos para a lixeira.** Precisamos entender que não se produzirá glória nenhuma em nós se ficarmos armazenando lixo. Devemos ser cuidadosos não somente com nossas ações, mas também com nossa imaginação, nossa intenção, nossa motivação e nossa atitude. Se não formos cuidadosos com essas coisas, o nosso coração pode acabar se tornando perverso.

2. Um coração endurecido

> *Assim, pois, como diz o Espírito Santo: Hoje, se ouvirdes a sua voz, não endureçais o vosso coração como foi na provocação [de Israel], no dia da tentação no deserto* (Hebreus 3.7-8).

Como vemos nessa passagem relativa aos israelitas no deserto, um coração duro causa rebelião. Dificilmente uma pessoa de coração duro crerá em Deus. Isso faz com que ela se enquadre na próxima condição do coração que iremos analisar.

3. Um perverso coração de incredulidade

> *Tende cuidado, irmãos, jamais aconteça haver em qualquer de vós perverso coração de incredulidade [que se recuse a buscá-lo, confiar e acreditar nele] que vos afaste do Deus vivo* (Hebreus 3.12).

No capítulo 12 de Hebreus, versículos 7, 8 e 12, observamos duas condições negativas do coração: um coração duro e um coração perverso, incrédulo. Essa segunda condição é um grande problema, pois tudo o que recebemos vem de Deus porque cremos que ele o dará a nós. Para recebermos algo dele, devemos nos achegar a ele com uma fé simples como a de uma criança e "crer somente".[6]

Afirmamos que somos crentes, mas a verdade é que há muitos "crentes descrentes".

Quero compartilhar algo pessoal. Essa é uma área na qual eu enfrentava muita dificuldade. Havia coisas em que eu cria facilmente. Mas havia outras em que eu simplesmente não conseguia crer, e não conseguia entender qual era o problema comigo. Depois de vários anos, Deus começou a me revelar a razão do meu problema de descrença. Isso acontecia porque eu tinha um coração duro, uma das consequências dos abusos que eu havia sofrido na infância.

As pessoas que sofrem abusos geralmente desenvolvem, de propósito, uma dureza interior, que funciona como mecanismo de defesa. É a única forma de suportar o sofrimento pelo qual estão passando. Chegam a um ponto em que nada mais as sensibiliza. Foram tão magoadas que acabaram desenvolvendo uma atitude tão negativa que não se importam com mais nada que os outros lhes façam.

Eu era assim. Quando Deus tentou me tocar e me fazer crer e confiar nEle, tive muita dificuldade, porque meu coração estava muito endurecido. Eu já estava acostumada a não confiar em ninguém havia anos – e agora Deus me pedia que eu confiasse nEle.

No que diz respeito à fé, precisamos chegar ao ponto de crer com facilidade; de não sermos tardios em crer, mas prontos a crer.

Em dado momento de sua vida, Moisés foi tardio para crer.[7] Há muitas coisas maravilhosas que podemos falar sobre Moisés. Não estou, de forma alguma, tentando desmerecê-lo. Ele foi um líder extraordinário. Não sei como conseguiu liderar aqueles milhões de pessoas durante quarenta anos no deserto. Eu teria desistido delas depois da primeira volta em torno da montanha. Mas, como vimos, depois de um certo tempo Moisés provocou um problema com Deus, de tal forma que Deus o proibiu de entrar com os israelitas na Terra Prometida.

Moisés chegou a um ponto em que, de coração, foi tardio em crer. Estava cansado e desgastado. E quando estamos cansados, é mais difícil crer em Deus. Por isso é que devemos estar sempre vigilantes espiritualmente se quisermos ser prontos a crer e andar em fé dia após dia. Devemos procurar sempre caminhar de fé em fé, sem dar lugar à dúvida e à incredulidade.[8]

Muitas vezes, os sonhos e as visões que Deus deseja revelar para nós nunca acontecem porque, assim que ele começa a mostrá-los para nós, começamos a dizer: "Ah, duvido"! Todavia, em Hebreus 3.12, Deus chama tal tipo de fé de *perverso coração de incredulidade*, e ele quer tirar isso de nós. Ele deseja que sejamos cheios de uma fé simples, como a das crianças.

Muitos anos atrás, quando comecei meu relacionamento com Deus, havia na igreja uma grande ênfase na cura e na manifestação dos dons do Espírito, principalmente de palavras proféticas individuais. Parecia que todos saíam profetizando para todos, dizendo: "Assim diz o Senhor:...". Parecia-me que nem sempre era algo vindo de Deus, mas que as pessoas estavam tentando forçar os acontecimentos, portanto nada iria acontecer. Por fim, fiquei tão fria por causa do que me aconteceu que desenvolvi um coração perverso de incredulidade. Isso me causou dificuldades quando Deus estava pronto para começar a me usar para ministrar a cura e exercer os dons do Espírito. Eu via as pessoas sendo curadas nos cultos que dirigia, mas na verdade eu mesma tinha muita dificuldade em crer. Eu pensava comigo mesma: **Será que realmente foram curadas?**

Desde aquela época, já percorri um longo caminho. Eu não queria ter um coração perverso de incredulidade, por isso orei a esse respeito durante muito tempo, até finalmente desenvolver um coração aberto a crer.

Uma das razões pelas quais tinha tanta dificuldade em crer, até mesmo depois de me tornar pastora, era que durante toda a vida eu havia aprendido a desconfiar. Disseram-me inúmeras vezes: "Não acredite em ninguém. Todos querem lhe fazer mal. Se alguém lhe der alguma coisa, é porque quer algo em troca". Quando ficam martelando algo assim em nossa mente durante os anos de formação, não conseguimos nos livrar de tudo isso da noite para o dia.

Quem tem o coração endurecido geralmente tem dificuldade de ser misericordioso para com quem comete um erro. Quem tem um coração duro tende a ser exigente e legalista por ter sido magoado e ferido emocionalmente no passado.

Lembre-se de que Jesus quer restaurar sua alma.[9] Parte de nossa alma são nossas emoções. Eu o encorajo a deixar Jesus entrar nas áreas de sua vida que ninguém mais pode alcançar, exceto Ele próprio. Eu finalmente fiz isso, e, embora tenha sido difícil, valeu muito a pena.

Uma coisa é certa: nunca alcançaremos a condição que desejamos se nos recusarmos a admitir a condição em que estamos. A falsidade, o fingimento e a aparência de que temos algo que não temos não nos ajudará em nada. Somente a verdade nos liberta.[10] Se você tem um problema nessa área, arrependa-se e peça a Deus que o liberte disso. Peça-lhe que o transforme em alguém segundo o coração dEle; uma pessoa cujo coração tenha a mesma natureza do coração dEle.

4. Um coração enganado

> *Guardai-vos não suceda que o vosso [mente e] coração se engane, e vos desvieis, e sirvais a outros deuses, e vos prostreis perante eles; que a ira do Senhor se acenda contra vós outros, e feche ele os céus, e não haja chuva, e a terra não dê a sua messe, e cedo sejais eliminados da boa terra que o Senhor vos dá* (Deuteronômio 11.16-17).

Há muitas coisas que podem representar "deuses" para nós. Até mesmo um ministério pode se tornar um deus. Ter um ministério e vê-lo crescer pode vir a ser mais importante do que o próprio Deus. Porém, não podemos nos esquecer jamais de que é o

Senhor quem coloca a visão do ministério em nosso coração. É Ele que nos chama e nos dá o desejo de fazer a Sua obra. Nós precisamos sempre dar-Lhe o primeiro lugar, o lugar mais importante em nossa vida. Se valorizarmos aquilo com que ele nos abençoou mais do que a Ele próprio, O estaremos ofendendo.

Na passagem que vimos, Deus está nos dizendo que se não tivermos um coração reto perante Ele, não seremos abençoados. Não é simplesmente uma questão de expulsar demônios. Às vezes achamos que tudo na vida daria certo se o diabo não nos perturbasse mais. Mas não é assim. Esse entendimento está invertido. Se vivermos corretamente, então o diabo não nos incomodará. Ele poderá tentar nos importunar de todas as formas, mas não terá poder nenhum sobre nós, assim como não teve sobre Jesus.

> *Ponde, pois, estas minhas palavras no vosso coração e na vossa alma; atai-as por sinal na vossa mão, para que estejam por frontal entre os olhos. Ensinai-as a vossos filhos, falando delas assentados em vossa casa, e andando pelo caminho, e deitando-vos, e levantando-vos. Escrevei-as nos umbrais de vossa casa e nas vossas portas, para que se multipliquem os vossos dias e os dias de vossos filhos na terra que o Senhor, sob juramento, prometeu dar a vossos pais, e sejam tão numerosos como os dias do céu acima da terra* (Deuteronômio 11.18-21).

Você consegue perceber o que essas pessoas deveriam fazer? Deveriam escrever partes das Escrituras nas portas de suas casas, nos portões, na testa, nas mãos e nos braços. Deveriam conversar a respeito desses textos o dia todo, aonde quer que fossem; quer estivessem sentados, deitados ou andando. E por que deveriam fazer isso? Porque Deus sabia que somente conhecendo a Palavra as pessoas evitariam que o coração fosse enganado. Jesus fala disso em João 8.31-31: *Se vós permanecerdes na minha palavra, sois verdadeiramente meus discípulos; e conhecereis a verdade, e a verdade vos libertará.*

Se não dermos atenção prioritária à Palavra de Deus para podermos permanecer nela, teremos sérios problemas nestes últimos dias. A plumagem exterior não bastará para alcançarmos a vitória. Temos de levar muito a sério o aprendizado da Palavra. Quando conhecemos a Palavra, Deus nos protege e nos guarda. Do contrário, seremos tragados pelo engano.

Não tenha dúvida: devemos todos orar para não sermos enganados e buscar saber em quais áreas corremos o risco de ser enganados. Somos enganados quando acreditamos numa mentira. Satanás mente continuamente para nós. Se não tivermos um conhecimento profundo da Palavra de Deus, não conseguiremos sequer reconhecer a mentira.

Algumas pessoas caem no autoengano quando *raciocinam de*

modo contrário à Palavra.[11] Houve épocas em minha vida, antes de entregar-me à vontade de Deus como agora, em que Ele colocava em meu coração a ideia de dar algo que eu queria guardar comigo. Aprendi com os erros que é muito fácil enganar-me quando Deus pede algo de que não quero abrir mão. Damos todos os tipos de desculpas, inclusive fingir que não deve ter sido Deus que falou conosco, mas provavelmente o diabo, tentando nos entristecer ao pedir coisas que são preciosas para nós. Podemos, de súbito, ficar "espiritualmente surdos" à voz de Deus quando Ele diz algo que não queremos ouvir. Porém, tanto os líderes como todos os que pretendem ser vitoriosos na vida não podem ter um coração enganado. Devemos aprender a viver aberta e honestamente, sempre andando na luz da verdade de Deus.

5. *Um coração orgulhoso*

> *Ao que às ocultas calunia o próximo, a esse destruirei;o que tem olhar altivo e coração soberbo, não o suportarei* (Salmo 101.5).

Deus já teve de discipliná-lo por causa do orgulho? Muitos anos atrás, quando Deus chamou minha atenção para um livro sobre humildade, de Andrew Murray,[12] eu tive muita dificuldade de lê-lo porque meu coração era orgulhoso. Embora eu tivesse um chamado de Deus em minha vida, o dom da comunicação e um grande potencial, eu era também orgulhosa.

Muitos têm um potencial imenso, mas não conseguirão desenvolvê-lo se não submeterem o coração a Deus. Lembre-se: nosso potencial indica possibilidades em nós, e não a garantia de que elas se tornarão realidade.

Depois que Deus começa a nos usar, ele deseja que continuemos crescendo. Para isso, Ele precisa continuar nos transformando. Então Ele começa a nos mostrar cada atitude que precisa desaparecer e cada condição do coração que precisa mudar.

Certa vez produzi uma série de estudos intitulada "Orgulho e humildade". Ninguém comprou as fitas, pois aqueles que mais precisavam delas eram orgulhosos demais para comprá-las. Tinham medo de alguém vê-los e descobrir que tinham problemas com o orgulho.

Como saber se você tem problemas nessa área? Examine-se. Se tiver uma opinião definitiva sobre tudo, tem um problema com o orgulho. Se julga os outros, tem um problema com o orgulho. Se não consegue ser correto, tem um problema com o orgulho. Se se rebela contra a autoridade, se quer receber todo o mérito e a honra para si; se diz "eu" o tempo todo, então você tem um problema com o orgulho.

É difícil deixar Deus nos libertar de todas essas coisas de nós, mas é vital para um pastor ou líder. É curioso, mas a maioria das pessoas que realmente são capacitadas para a liderança trazem na bagagem um grande espírito de orgulho. Simplesmente creem que estão corretas. É verdade que para fazermos algo realmente importante precisamos ter esse tipo de convicção, mas também é necessário termos humildade para perceber que nem sempre temos razão com relação a tudo e devemos estar dispostos a ser corrigidos. Se não tivermos um certo grau de humildade, certamente teremos problemas. Essa questão é bem ilustrada na vida do rei Ezequias, no Antigo Testamento.

Mantenha o Orgulho sob Controle

> *Assim, livrou o Senhor a Ezequias e os moradores de Jerusalém das mãos de Senaqueribe, rei da Assíria, e das mãos de todos os inimigos; e lhes deu paz por todos os lados. Muitos traziam presentes a Jerusalém ao Senhor e coisas preciosíssimas a Ezequias, rei de Judá, de modo que, depois disto, foi enaltecido à vista de todas as nações* (2 Crônicas 32.22-23).

Em resposta às orações do rei Ezequias e do profeta Isaías, o Senhor interveio e salvou Ezequias e Judá de seus inimigos. Como resultado, Ezequias começou a ser exaltado pelo povo. Deus não é contra isso. Se você se tornar um líder, as pessoas irão admirá-lo e honrá-lo. Talvez queiram fazer coisas que lhe agradem. Isso não é de todo mau, mas é perigoso. Como vemos nessa passagem, a admiração dos outros por um líder, ou a maneira como o líder a recebe, se não for mantida sob controle, pode facilmente levar ao orgulho, como aconteceu com Ezequias:

> *Naqueles dias, adoeceu Ezequias mortalmente; então, orou ao Senhor que lhe falou e lhe deu um sinal. Mas não correspondeu Ezequias aos benefícios [do Senhor] que lhe foram feitos; pois o seu coração se exaltou [com tal resposta espetacular à sua oração]. Pelo que houve ira contra ele e contra Judá e Jerusalém. Ezequias, porém, se humilhou por se ter exaltado o seu coração, ele e os habitantes de Jerusalém; e a ira do Senhor não veio contra eles nos dias de Ezequias* (2 Crônicas 32.24-26).

Ezequias desenvolveu um coração orgulhoso e, por causa do seu orgulho, ficou doente e quase morreu. Mas se humilhou, se arrependeu e acertou as coisas. Vejamos os resultados:

> *Teve Ezequias riquezas e glória em grande abundância; proveu-se de tesourarias para prata, ouro, pedras preciosas, especiarias, escudos e toda sorte de objetos desejáveis; Edificou também cidades e possuiu ovelhas e vacas em abundância; porque Deus lhe tinha dado mui numerosas possessões. Também o mesmo Ezequias tapou o manancial superior das águas de Giom e as canalizou para o ocidente da Cidade de Davi. Ezequias prosperou em toda a sua obra. Contudo, quando os embaixadores dos príncipes da Babilônia lhe foram enviados para se informarem do prodígio que se dera naquela terra, Deus o desamparou, para prová-lo e fazê-lo conhecer tudo o que lhe estava no coração* (2 Crônicas 32.27, 29-31).

É interessante notar que quando Ezequias se voltou para Deus o Senhor começou a honrá-lo, a promovê-lo e a abençoá-lo. Isso é exatamente o que acontece com qualquer um que se compromete de coração com o Senhor. Mais cedo ou mais tarde, seu ministério começa a crescer, e ele começa a ter sucesso. Os outros começam a admirá-lo. Mas, se ele se tornar orgulhoso, há duas coisas das quais uma precisa acontecer.

Deus precisar disciplinar essa pessoa por causa do orgulho. Assim como Ezequias, ou a pessoa arrepende-se rapidamente e volta à condição de humildade, e Deus pode continuar abençoando-a grandemente, ou então se recusa a se humilhar e começa a perder a bênção de Deus, e, por fim, perderá também seu lugar de honra.

Essa é uma questão-chave. Não há pessoa que esteja fazendo algo importante para o Senhor que não seja atacada e tentada por um espírito de orgulho. Por isso é que, embora a pessoa possa alcançar um coração reto, não conseguirá mantê-lo reto o tempo todo. Isso requer bastante esforço. Temos de ficar constantemente atentos. E uma das coisas mais poderosas da qual precisamos nos precaver é o espírito de justiça própria que está enraizado no orgulho.

Temos de entender que nosso inimigo, Satanás, vai usar cada oportunidade que tiver para nos fazer cair numa área em que nosso coração esteja instável. Quando isso acontece, precisamos nos arrepender imediatamente.

Se quisermos estar diante de Deus um dia e dizer como Jesus, em João 17.4, *Eu te glorifiquei na terra, consumando a obre que me confiaste para fazer*, então precisamos ter o cuidado de manter o coração reto. O Salmo 101.5 nos diz que Deus não pode e não vai tolerar ninguém que tenha aparência arrogante e coração orgulhoso.

6. Um coração soberbo

> *O homem, pois, que se houver soberbamente, não dando ouvidos ao sacerdote, que está ali para servir ao Senhor, teu Deus, nem ao juiz, esse morrerá; e eliminarás o mal de Israel, para que todo o povo o ouça, tema [reverentemente] e jamais se ensoberbeça* (Deuteronômio 17.12-13).

No Antigo Testamento, Deus tratava seu povo de forma diferente da atual. Fico muito feliz por viver na dispensação da graça. Mas, se analisarmos como Deus lidava com o pecado na Antiga Aliança, veremos como a questão é séria, e não podemos simplesmente fazer vistas grossas e o tolerar.

Nessa passagem, Deus está dizendo a seu povo que se um dos líderes agisse com soberba, devia ser morto. Como líderes, o que quer que façamos estaremos dizendo aos outros, por meio de nossas ações, que está certo fazer o que fazemos. Mas Deus está nos dizendo: “Se houver um líder soberbo entre vocês, não deixarei que permaneça com a soberba porque, se eu permitir, todos pensarão que está correto agir da forma que ele age".

É exatamente por isso que devemos manter uma atitude correta no coração se quisermos que Deus continue a nos usar. Há uma grande responsabilidade na liderança. O ministério não consiste apenas em ficar de pé diante das pessoas e exercer os dons espirituais. Nossa vida precisa ser correta nos bastidores também. Devemos sempre nos guardar da soberba.

A soberba causa atitude de desrespeito e rebelião à autoridade. Uma pessoa presunçosa acha que não deve ouvir aqueles que foram colocados como autoridade sobre ela. O dicionário define *presunção* como "ato de fazer algo sem uma permissão positiva; arrogância; ousadia irracional".[13] Os soberbos falam quando deveriam se calar. Tentam dar orientação àqueles de quem deveriam recebê-la. Dão ordens, quando deveriam recebê-las. Agem sem pedir permissão.

A soberba é um grande problema. Ela se origina de um coração que não é reto, como lemos em 2 Pedro 2.10-11: *Especialmente daqueles que, seguindo a carne, andam em imundas paixões e menosprezam qualquer governo. Atrevidos [criaturas obstinadas que amam somente a si], arrogantes, não temem difamar autoridades superiores, ao passo que anjos, embora maiores em força e poder, não proferem contra elas juízo infamante na presença do Senhor.*

Deus não quer a soberba. Ele quer humildade.

7. Um coração hipócrita

> *Portanto, és indesculpável, ó homem, quando julgas, quem quer que sejas; porque, no que julgas a outro, a ti mesmo te condenas; pois praticas as próprias coisas que condenas* (Romanos 2.1).

Qualquer pessoa que julga e condena outra por fazer as mesmas coisas que ela faz certamente está enganada. Ainda assim, até certo ponto, todos fazemos isso. Temos a tendência de nos vermos através de lentes cor-de-rosa, enquanto olhamos para os outros com lente de aumento. Inventamos desculpas por nossos erros e má conduta, enquanto achamos que os outros que fazem as mesmas coisas que nós merecem condenação. Esse tipo de atitude do coração é hipócrita.

Uma pessoa hipócrita é falsa. Aparentemente faz o bem, mas o coração não é reto para com Deus. Há pessoas que cometem erros tolos, mas, ainda assim, Deus as usa. E Ele o faz, apesar de seus erros humanos, porque elas têm um coração reto. É isso que Ele quer dizer quando afirma que julgamos pela aparência exterior, mas Ele olha o coração,[14] por isso Davi era um homem segundo o coração de Deus. O Filho de Deus, Jesus, também olhou para o coração, e por isso disse aos escribas e fariseus de Sua época:

> *Na cadeira [de autoridade] de Moisés, se assentaram os escribas e os fariseus. Fazei e guardai, pois tudo quanto eles vos disserem, porém não os imiteis nas suas obras; porque dizem e não fazem. Atam fardos pesados [e difíceis de carregar] e os põem sobre os ombros dos homens; entretanto, eles mesmos nem com o dedo querem movê-los* (Mateus 23.2-4).

O que Jesus estava dizendo sobre essas pessoas? Estava dizendo que o coração delas estava apodrecido:

> *Praticam, porém, todas as suas obras com o fim de serem vistos pelos homens; pois alargam os seus filactérios (pequenas bolsas guardando certas passagens bíblicas, usadas durante a oração no braço esquerdo e na fronte) e alongam as suas franjas. Amam o primeiro lugar em banquetes e as primeiras cadeiras nas sinagogas, as saudações nas praças e o serem chamados mestres pelos homens* (Mateus 23.5-7).

Jesus estava dizendo que essas pessoas eram hipócritas porque faziam uma grande encenação para parecerem santas, enquanto se recusavam a ajudar os outros; e ajudar as pessoas é os que os pastores e líderes devem fazer.

Eram orgulhosas e arrogantes. Faziam boas obras somente para serem vistas pelas multidões e para serem consideradas boas e importantes. Em Mateus 6.1-2,5, Jesus falou sobre toda a hipocrisia das obras dessas pessoas: *Em verdade vos digo, eles já receberam a recompensa.*

Certa vez eu estava fazendo as unhas, num salão que frequento regularmente. Na ocasião, eu estava usando um broche de imitação de diamante no qual estava escrito "Jesus". Deus me compeliu a dá-lo a uma enfermeira que estava falando sobre seu ministério num hospital para pacientes com câncer. Ela dizia que não tinha permissão de falar abertamente com eles, mas que gostaria de lhes dar algo.

O Senhor falou ao meu coração para lhe dar o broche para que, quando ela o usasse na lapela enquanto passava pelos pacientes, o nome de Jesus ministrasse a eles. Hesitei, porque senti que o Senhor havia me pedido para fazer isso em particular, e não deveria entregar o broche na frente da manicura.

De repente, a moça parou e disse: "Oh, o produto 'tal' acabou. Vou dar um pulo ali na loja ao lado e comprar mais. Já volto". Sabia que Deus estava criando uma oportunidade para eu dar o broche à moça em particular, sem fazer grande estardalhaço, mas minha vontade carnal de receber admiração foi mais forte. Então, ao invés de fazer o que Deus queria que eu fizesse, retardei a entrega, pensando comigo mesma: **Acho que poderia ser uma grande bênção para a manicura se ela visse minha generosidade.**

Esperei que a moça voltasse. Então, tirei o broche com a inscrição "Jesus" e fiz um grande estardalhaço para entregá-lo à enfermeira. Como eu previra, as mulheres no salão admiraram-se com minha generosidade, falando sem parar de como eu era generosa por darlhe o broche. Quando saí do salão pensando em minha generosidade, o Espírito Santo falou ao meu coração: "Bem, espero que você tenha apreciado os elogios, porque essa foi toda a sua recompensa. Quanto à recompensa que eu iria lhe dar, você acaba de trocá-la pelo que aconteceu lá dentro".

Com frequência fico tentando imaginar o que Deus teria feito por mim se eu tivesse sido obediente e feito o que ele havia me dito para fazer, dando-Lhe a glória e o mérito.

Todos temos oportunidades semelhantes de ser abençoados, mas trocamos a bênção por um pouco de admiração humana que nos faça sentir importantes por um momento. Por exemplo, quando um pregador, num culto, diz às pessoas que abram a Bíblia em certa passagem, temos um enorme prazer em abrir nossa Bíblia e nos orgulhar de como ela está toda marcada com marca-textos coloridos. Muitas vezes temos versículos sublinhados, com notas manuscritas ao lado deles. Bem no íntimo, desejamos que os que estão próximos a nós notem isso e pensem bem de nós, pois damos a impressão de que estudamos muito a Bíblia. Queremos que os outros pensem que somos espirituais, mas devemos nos lembrar de que Deus não se impressiona com a quantidade de textos sublinhados que há em nossa Bíblia.

Todos esses tipos de glória humana nada são para Deus. O que Ele busca são pessoas com um coração reto, para que as possa abençoar. Nosso grau de maturidade espiritual não é medido pelo número de versículos que sublinhamos, e nem mesmo pela quantidade de tempo que passamos lendo a Bíblia, e sim pela nossa obediência imediata à Palavra de Deus e pela maneira como tratamos os outros.

Nosso grau de espiritualidade é medido pela nossa obediência imediata à palavra de Deus e pelo modo como tratamos os outros.

Assim que começamos a nos sentir orgulhosos de nós mesmos e de nossas realizações, Deus é obrigado a nos mostrar nossas falhas. Ele não faz isso para nos envergonhar ou para nos fazer sentir mal, mas para nos manter numa atitude de total dependência dEle e para que sejamos misericordiosos com os outros, que também têm falhas.

8. Um coração desdenhoso

> *E digas: Como aborreci o ensino! E desprezou o meu coração a disciplina!* (Provérbios 5.12).

Como líderes, devemos estar abertos ao aprendizado. Se chegarmos algum dia a nos acharmos conhecedores de tudo, será uma prova de que não sabemos nada. Precisamos parar de desprezar as coisas. Temos de parar de desprezar até mesmo as pequenas coisas dizendo algo como: "Detesto fazer compras no mercado. Odeio dirigir nesse trânsito. Detesto meu emprego". Com exceção do pecado, não devemos detestar nada.

Como líderes, devemos agir movidos pelo amor de Deus, mas

ainda assim passamos pela vida com ódio de muitas coisas misturando-o com o amor de Deus. Mas se há alguma coisa na vida que devemos abandonar são misturas assim. É preciso que de nós flua algo puro.

Paulo nos diz que, para um coração puro, tudo é puro.[15] Em Mateus 5.8, Jesus disse que os puros de coração verão a Deus. Creio que isso significa que os puros de coração terão conhecimento de revelações. Saberão o que Deus quer deles. Terão uma direção clara. Ouvirão a Deus muito claramente porque têm o coração puro.

Todos somos tentados a odiar certas coisas, do mesmo modo como temos a tendência de ter medo de certas coisas. Deus me ensinou que o ódio é parente próximo do medo. Não precisamos detestar lavar os pratos, detestar acordar cedo, detestar ir para cama, detestar lavar roupa, etc. Satanás usa nosso ódio e nosso medo para nos enganar e nos colocar em situações difíceis. Essa é outra condição incorreta do coração que devemos abandonar.

Não devemos ter um coração desdenhoso. Não devemos desdenhar as pessoas, mas também não devemos desdenhar as coisas. Não despreze seu emprego; seja grato por ele. Agradeça a Deus por não estar numa fila de "sopão" ou por não morar embaixo da ponte. Deus abençoa aqueles que têm um coração grato.

Em Filipenses 4.6, lemos: *Não andeis ansiosos de coisa alguma; em tudo, porém, sejam conhecidas, diante de Deus, as vossas petições, pela oração e pela súplica, com ações de graças.* Alguns anos atrás, eu disse em uma mensagem que, quando pedimos a Deus que nos dê algo, devemos agradecer antecipadamente pelo que iremos receber, pois isso nos ajudará a liberar nossa manifestação de gratidão. Creio nisso. Penso que o texto em Filipenses 4.6 significa que, quando oro por algo, devo começar a agradecer a Deus pelo que irei receber.

Mas um dia Deus me revelou um âmbito mais abrangente desse versículo. Ele disse: "Não, o que realmente estou dizendo é que, quando você ora pedindo algumas coisas, tenha certeza de que está fazendo isso baseada no alicerce de um coração grato". E continuou: "Se você não for grata pelo que já possui, por que eu lhe daria mais? Pois quanto mais lhe desse, mais você reclamaria!"

Naquela época, em meu coração eu vivia reclamando, murmurando, criticando e me queixando. Conseguiria encontrar milhares de coisas sobre as quais reclamar, mas Deus não quer que tenhamos um coração que murmura. Como vimos anteriormente, ele quer que venhamos a ser cartas vivas, lidas por todos. Observando nosso estilo de vida, as pessoas deverão perceber que há algo diferente em nós: "Por que você é tão feliz? Por que tem tanta paz? Por que você é tão amoroso?" Devemos ser sal e luz para o mundo.[16] Nossa vida deve fazer com que as pessoas queiram ser semelhantes a nós.

É a condição do nosso coração que, por fim, vai revelar quem realmente somos. Podemos usar uma camiseta com um versículo. Podemos ir à igreja e agir como santos. Podemos parar nosso carro num estacionamento com um adesivo escrito "Eu amo Jesus" colado no para-choque. Podemos entrar e sair do templo com um broche escrito "Jesus" na lapela, carregando uma grande Bíblia debaixo do braço e fitas de estudo na bolsa. Assim que o culto começa, podemos pular, gritar e fazer todo tipo de coisa "correta" em público. Mas é o que acontece nos bastidores que realmente revela a verdadeira atitude de nosso coração.

Há muitos anos, ouvi um famoso professor de teologia dizer: "Se você quiser encontrar uma pessoa espiritual, não procure na igreja". Ele disse isso porque na igreja é impossível identificarmos quem é autêntico e quem está encenando.

Ele continuou dizendo: "Se você quer encontrar alguém realmente espiritual, vá até a casa dessa pessoa. Veja como age pela manhã quando se levanta. Veja como age com sua família quando as coisas dão errado. Veja como trata as pessoas que não lhe fazem bem".

Isso tudo é muito importante para mim. Não quero ser uma farsa. Não desejo ser uma pregadora famosa, a senhora que tem um ministério de televisão de que todos falam bem. Quero ser autêntica. Quero ajudar as pessoas. Quero que Deus se alegre com minha vida. E quero que Ele se alegre com a sua também. Tudo isso depende da atitude de nosso coração. Devemos guardar nosso coração com toda diligência. No Salmo 26.2, Davi disse a Deus: *Examina-me, Senhor, e prova-me; sonda-me o coração e os pensamentos.* Devemos ser ousados o suficiente para nos achegarmos a Deus em confiança e dizer: "Examina-me, Senhor. Se houver alguma coisa em mim que não esteja correta, ilumina-a com a Tua luz, revelando-a a mim e ajudando-me a abandoná-la". Precisamos começar a orar com relação a isso diariamente. Devemos pedir sempre a Deus que remova de nosso coração tudo o que nos impede de sermos como Ele quer. E um dos sinais de que estamos prontos para exercer a liderança é o fato de nos dispormos a cooperar com Deus para mantermos o coração reto.

6
As Condições Negativas do Coração – Parte 2

Tendo chegado a este ponto do livro, você deve estar começando a perceber como a condição do coração é importante para exercermos a liderança. Não há nada mais importante para Deus do que o tipo de coração que temos. A remoção das condições negativas do coração não é algo que ele tem preparado somente para os líderes; essa é a Sua vontade para todos os crentes.

Como já vimos, não podemos dar o que não temos. Do mesmo modo, o que temos talvez não seja algo que devamos dar, mas que devamos remover. Quando estamos abertos para Deus e permitimos que Ele examine as atitudes do nosso coração, com Sua ajuda podemos começar a mudar os aspectos que precisam ser mudados.

As atitudes negativas do coração podem nos impedir de progredir e de ir para o nível mais elevado onde Deus quer nos colocar. Talvez você não tenha todas as condições negativas do coração descritas aqui, mas este livro pode lhe servir de prevenção para que tenha certeza de que nunca terá tais condições.

Vamos continuar analisando mais condições negativas do coração.

9. *Um coração ofendido, amargo, rancoroso e incapaz de perdoar*

> *O coração conhece a própria amargura, e da sua alegria não participará o estranho* (Provérbios 14.10).

Essa é, provavelmente, uma das condições do coração mais perigosas que podemos ter, pois a Bíblia nos fala claramente que se não perdoarmos aos outros, Deus não pode nos perdoar.[1] Se não perdoamos aos outros, nossa fé não terá eficácia. E tudo o que vem de Deus vem pela fé. Por isso, se nossa fé não for eficaz, então estaremos com um sério problema.

Quando prego sobre perdão, sempre peço às pessoas que se levantem caso tenham sido ofendidas e precisem perdoar alguém. Nunca vi menos de 80% da congregação se levantar.

Não precisamos ser gênios para entender por que não temos o poder de que precisamos na igreja. O poder vem do amor, não do ódio, da amargura e da incapacidade de perdoar.

"Mas você não sabe o que fizeram comigo", é o que sempre dizem, tentando justificar a própria a amargura, rancor e falta de perdão. Com base no que a Bíblia diz, não importa o tamanho da ofensa; servimos a um Deus que é maior e, se soubermos lidar corretamente com a ofensa, Ele nos trará justiça e recompensa, se assim o permitirmos.

Em Isaías 61.7, o Senhor nos promete: *Em lugar de vergonha, tereis dupla honra*. Uma recompensa, neste caso, é uma compensação pelas mágoas que nos causaram no passado. É como se fosse uma espécie de indenização. O Senhor me disse certa vez: "Joyce, você trabalha para mim e, enquanto estiver na minha 'folha de pagamento', se você se magoar no trabalho, eu a compensarei".

Em Romanos 12.19, lemos: *Não vos vingueis a vós mesmos, amados, mas dai lugar à ira [de Deus]; porque está escrito: A mim pertence a vingança; eu é que retribuirei, diz o Senhor*. Não tente se vingar das pessoas pelo que fizeram contra você. Deixe o problema nas mãos de Deus.

Jesus nos ensinou que devemos perdoar àqueles que nos magoam, orar por aqueles que nos maltratam e abençoar aqueles que nos amaldiçoam.[2] Fazer isso é difícil, mas há algo ainda mais difícil: ficar cheio de ódio, amargura e rancor. Não passe a vida odiando alguém que provavelmente esteja tranquilo, se divertindo, enquanto você "esquenta a cabeça".

José Tinha um Coração Correto

No Antigo Testamento, José foi tratado com maldade por seus irmãos porque tinham ciúme dele. Um dia, quando apareceu uma oportunidade, seus irmãos o venderam como escravo, e ele foi levado ao Egito, onde acabou indo parar na prisão por algo que não havia feito. Parecia que aonde quer que José fosse, embora sempre fizesse o que era certo, era sempre tratado de forma errada, injusta.[3]

Isso acontece conosco às vezes. Quando acontece, creio que é um teste pelo qual estamos passando para sermos preparados para a liderança. É o teste do perdão, que abordaremos mais à frente. Os outros irão nos magoar e nos fazer o mal, mas devemos perdoar-lhes se quisermos atingir níveis mais elevados naquilo que Deus tem para nós.

"Mas isso não é justo," choramingamos. Devemos, porém, nos lembrar de que servimos a um Deus que é justiça. Ele nos prometeu que nos compensaria e que restauraria as coisas para nós se confiássemos nEle somente, sem tentarmos resolver o problema com nossas próprias mãos.

José foi tratado injustamente. Até mesmo depois de seus irmãos o tratarem mal ele foi acusado pela esposa de seu patrão e jogado na prisão. Ali ele ajudou outros a serem libertos da prisão, mas eles se esqueceram de José. Ser vítima de injustiças parecia ser a "sina" de José. Depois, contudo, Deus o libertou da prisão e o colocou como vice-governador de toda a nação do Egito.[4]

Foi naquela época, durante o período de fome, que os irmãos de José vieram de Israel para o Egito, porque tinham ouvido que lá havia mantimento. Quando José se revelou a eles, ficaram com medo, pois agora José ocupava um cargo que lhe daria poder para se vingar deles pelo que eles haviam feito.[5]

Isso deve ter sido uma grande tentação para José, mas o fato de ele não se vingar nos revela a atitude positiva de seu coração. Sua história nos mostra por que, em todos os lugares a que ele fosse e para quem quer que trabalhasse, Deus sempre acabava colocando-o numa posição de poder: não era porque José era o mais esperto ou o mais belo, mas porque ele tinha um coração reto.

Para Deus, nem a nossa formação acadêmica, nem a experiência, nem a cor da pele, nem qualquer outra coisa é tão importante como a condição do nosso coração. A Bíblia diz que os olhos de Deus passam pela terra para mostrar-se forte para com aqueles cujo coração é totalmente dele.[6] E José era assim.

Havia fome na terra, e José tinha acesso ao suprimento de comida. Seus irmãos e seu pai estavam a ponto de morrer de fome onde moravam. Então, os irmãos foram ao Egito tentar arrumar alimento, sem saber que José era um dos responsáveis pela sua distribuição. Como vimos, quando os irmãos o reconheceram no Egito, ficaram com medo. Agora, numa posição de poder, o que José poderia fazer, se quisesse, para se vingar pela traição de seus irmãos?

> *Portanto, mandaram dizer a José: Teu pai ordenou, antes da sua morte, dizendo:Assim direis a José: Perdoa (retire todo ressentimento e reivindicação como pagamento), pois, a transgressão de teus irmãos e o seu pecado, porque te fizeram mal;agora, pois, te rogamos que perdoes a transgressão dos servos do Deus de teu pai.José chorou enquanto lhe falavam* (Gênesis 50.16-17).

José certamente tinha um coração afável, como podemos observar em sua resposta ao pedido de perdão de seus irmãos:

> *Depois, vieram também seus irmãos, prostraram-se diante dele e disseram: Eis-nos aqui por teus servos. Respondeu-lhes José: Não temais; acaso, estou eu em lugar de Deus? [A vingança pertence a ele, não a mim]. Vós, na verdade, intentastes o mal contra mim; porém Deus o tornou em bem, para fazer, como vedes agora, que se conserve muita gente em vida. Não temais, pois; eu vos sustentarei a vós outros e a vossos filhos. Assim, os consolou [concedendo alegria, esperança, força] e lhes falou ao coração [gentilmente]* (Gênesis 50.18-21).

Vemos aqui José consolando e encorajando aqueles que o haviam tratado tão mal. Ao invés de pagar o mal com o mal, José foi caridoso, altruísta, dizendo palavras afetuosas àqueles que o trataram mal e que não eram merecedores do bem. Esse é o coração de um verdadeiro líder.

Estêvão Perdoou Seus Algozes

Em Atos 6 e 7, lemos a história de Estêvão, que foi chamado perante o Sinédrio e acusado injustamente de blasfemar contra Deus e contra Moisés, quando pregava o evangelho. Depois de ter pregado uma mensagem que enfureceu o Sinédrio, ele foi levado para fora e apedrejado. Mas, até mesmo enquanto estava sendo apedrejado, Estêvão orou por seus inimigos dizendo: *Senhor Jesus, recebe o meu espírito! Então, ajoelhando-se, clamou em alta voz: Senhor, não lhes imputes este pecado [não leves em conta o mal que estão me fazendo]! Com estas palavras adormeceu [morreu].*[7]

Infelizmente, creio que nessa situação eu teria sido tentada a pegar uma pedra e jogar de volta nos apedrejadores. Mas não foi o que Estêvão fez. Ele perdoou os seus algozes e orou por eles, basicamente dizendo: "Perdoa-lhes, Senhor, porque não sabem o que estão fazendo".

Na maior parte das vezes, aqueles que nos causam mal não percebem o que estão fazendo nem por quê. Na verdade, estão nos fazendo o mal por causa do seu egoísmo. Anos atrás, alguém me disse algo que me ajudou. Essa pessoa disse que 95% das vezes em que as pessoas nos magoam não é intencional.

Nós nos sentimos ofendidos com muita facilidade. Mas, segundo a Bíblia, o amor não se ofende facilmente.[8] Deus não quer que tenhamos um coração ofendido. Se tivermos, como poderemos ministrar a outras pessoas?

Ainda me lembro das muitas vezes em que tentei pregar quando estava com raiva de Dave. Tinha uma sensação horrível, como se a morte estivesse me envolvendo. Podemos ter sensações horríveis quando estamos furiosos com alguém e, mesmo assim, tentamos ministrar aos outros. Por isso é que devemos aprender a superar nossos sentimentos e desenvolver um coração amoroso. Não importa quanto nossa carne sofra ou o quanto seja difícil suportar a realidade; o fato é que, antes de ministrar a outros, precisamos nos entender com a pessoa que nos ofendeu e perdoar-lhe.

Talvez você ache que isso não tem a ver com você porque você não é pastor ou líder. Mas todo crente tem um ministério. Talvez você não esteja pregando no púlpito, mas você tem um ministério junto a seus filhos, seu cônjuge, sua família e diante de Deus. Como poderá louvar a Deus adequadamente com uma condição negativa no coração?

Em Mateus 5.23-24 e Marcos 11.25-26, Jesus ensinou que, se tivermos algo contra alguém, devemos ir até a pessoa e acertar as coisas antes de orar e louvar ao Senhor.

Em 2 Timóteo 4.14-16, o apóstolo Paulo escreveu a seu jovem discípulo:

> *Alexandre, o latoeiro, causou-me muitos males; o Senhor lhe dará a paga segundo as suas obras. Tu guardas-te também dele, porque resistiu fortemente às nossas palavras. Na minha primeira defesa, ninguém foi a meu favor; antes, todos me abandonaram. Que isto não lhes seja posto em conta!*

Paulo já tinha passado por muito sofrimento para levar o evangelho ao mundo da sua época. Foi perseguido, espancado e jogado na prisão por pregar a Boa Nova. Muitas vezes sofreu por causa da oposição, como descreve nessa passagem.

O que Paulo está dizendo ali é: "Alexandre, o latoeiro, me causou muito mal, mas não vou me preocupar com isso. Não foi ficar cheio de amargura e ódio. Vou deixar que Deus cuide disso. Ele é que irá resolver a situação".

A nossa vida seria muito melhor se tivéssemos essa atitude em relação a muitas coisas que fazem contra nós, depositando nossa preocupação nas mãos do Senhor e permitindo que ele as resolvesse por nós.

Então, Paulo continua seu relato dizendo que ninguém se manifestou em sua defesa no seu julgamento. Fico imaginando como nos sentiríamos se tivéssemos sofrido tudo o que Paulo sofreu para abençoar tantas pessoas e, num momento tão crucial como aquele, não poder contar com uma só delas para defendê-lo. Paulo arriscou sua vida pelos outros, e ainda assim eles não queriam nem ser reconhecidos como tendo alguma relação com Paulo, por medo de serem punidos também.

Qual foi a resposta de Paulo a tudo isso? Ele orou para que a falha dessas pessoas não fosse levada em conta. Isso nos revela a atitude do coração dele.

Quando lemos a Bíblia toda e estudamos a vida dos grandes homens e mulheres de Deus, é fácil compreendermos por que foram chamados de "heróis da fé". Não foi porque eram mais inteligentes do que os outros ou porque havia mais coisas acontecendo na vida espiritual deles do que na dos outros, mas simplesmente porque tinham um coração especial.

10. Um Coração Tolo

> *A língua dos sábios derrama o conhecimento [como palha de grão ao vento], mas o coração dos insensatos não procede assim* (Provérbios 15.7).

A Bíblia diz que devemos ter um coração sábio, mas diz também que a tolice no coração é uma condição negativa.

Aqueles que têm sabedoria no coração usam os lábios para espalhar o conhecimento, mas os que são tolos no coração falam qualquer coisa que lhes vier à mente. Creio que, às vezes, um dos maiores problemas das pessoas é que agem de modo tolo, sem parar para pensar.

Certo dia, uma senhora me procurou depois de um culto, no qual eu falava sobre como achava que uma mulher de Deus deveria vestir-se, e disse-me o seguinte:

— Senti que Deus queria que eu compartilhasse algo com a irmã.

— Sim; o que é?, perguntei.

— Bem –, respondeu ela –, sei que talvez a irmã não perceba, mas suas roupas são um pouco apertadas.

Olhei para a mulher e pensei: **Essa pobre senhora acha que ouviu a Deus.**

"Mas como você sabe que ela não O ouviu?", alguém poderia perguntar. É muito simples: sei que se Deus quisesse me corrigir em relação às minhas roupas Ele teria usado meu marido, um de meus filhos ou um de meus líderes no ministério. Ele teria usado alguém que eu conhecesse e cuja opinião eu respeito, não alguém que nunca vi ou encontrei antes.

Foi uma tolice daquela mulher tentar me dar uma advertência tão pessoal, supostamente vinda do Senhor. Foi também presunção.

Foi isso que Arão e Miriã fizeram quando disseram a Moisés que ele não era o único que ouvia a Deus.[9]

Já tenho tempo suficiente de estrada para saber que preciso de correção vez por outra e também para discernir quem Deus irá escolher para falar comigo. Por exemplo, nosso pastor recentemente compartilhou uma palavra sobre nosso ministério, e nós a acatamos porque o conhecemos e respeitamos. Oral Roberts uma vez também compartilhou algo, e nós o ouvimos porque teria sido tolice se não tivéssemos aceitado a palavra.

Muitas pessoas, quando fazem coisas tolas, acabam com relacionamentos e com ministérios e demonstram não serem qualificadas para a liderança que almejam. E uma das coisas mais tolas que podemos achar é que somos ungidos para dizer a todo mundo o que devem fazer.

Em Provérbios 8.15-16, a sabedoria está falando e diz: *Por meu intermédio reinam os reis, e os príncipes decretam justiça. Por meu intermédio, governam os príncipes, os nobres e todos os juízes da terra*. Com isso entendo que, se quero ser líder, devo ter sabedoria. Mas tenho de ter algo mais também.

Muitos constantemente me perguntam: "Como você conseguiu construir um ministério como o seu?" Eu, então, compartilho um princípio de sucesso do ministério; um dos aspectos mais positivos de nosso ministério; aquilo que nos levou à condição em que nos encontramos hoje: o uso de bom senso!

Não sou nenhum gênio, mas finalmente obtive o meu diploma de nível superior. Foi um doutorado honorário da Universidade Oral Roberts. Eu realmente gostaria de ter ido para a faculdade. Meus professores do ensino médio reconheciam que eu tinha o dom de escrever. Mas nunca pude entrar na faculdade porque tinha de trabalhar para me sustentar. Creio que um diploma honorário foi parte da "verba de indenização" que o Senhor me deu porque eu o servi fielmente durante esses anos todos. Deus vai nos dar tudo o que os outros nos impediram de conquistar.

Mas, embora seja ótimo ter esse diploma, possuo algo muito mais importante e maravilhoso: muito **bom senso**.

Às vezes, quando as pessoas têm uma convicção muito grande a respeito de algo, só pregam sobre aquele assunto. Mas isso está errado. Em tudo é preciso haver equilíbrio. Precisamos usar o bom senso até mesmo na vida espiritual.

Em nosso ministério, Dave e eu usamos o bom senso em tudo o que fazemos. Não compramos coisas pelas quais não podemos pagar. Não contratamos pessoas se não podemos garantir seu salário. Dispensamos aqueles que causam confusão em nossa organização. Temos muito bom senso para saber o que fazer para ficarmos longe de confusão. Na verdade, não é tão difícil assim. Simplesmente devemos fazer aos outros aquilo que desejamos que nos façam.[10] Devemos pagar nossas contas em dia; comunicar-nos adequadamente; ao corrigir alguém, dar-lhe também incentivo para que a sua autoestima não caia, e assim por diante.

Se os cristãos usassem mais o bom senso, as coisas estariam muito melhores para eles. Às vezes, quando as pessoas se convertem e ficam cheias do Espírito Santo, pensam que conseguirão tudo por meio de milagres. Porém, converter-se simplesmente significa que entregamos a vida a Deus, não mais tentando nos cuidar por conta própria, mas nos entregando aos cuidados de Deus. É verdade que Deus faz milagres, mas Ele também espera que façamos nossa parte.

Deus vai nos dar tudo o que nos impediram de conseguir.

Em vez de termos um coração tolo, precisamos ser sábios. E uma das melhores formas de fazer isso é usando o bom senso que Deus nos deu.

11. Um coração indeciso

> *De Zebulom, dos capazes para sair à guerra, providos com todas as armas de guerra, cinquenta mil, destros para ordenar uma batalha com ânimo resoluto* (1 Crônicas 12.33).

Nessa passagem, o autor está fazendo uma relação dos homens corajosos que foram até Davi para ajudá-lo a se preparar para a guerra, para que se tornasse rei de Israel. Como podemos perceber, esses homens não tinham um coração indeciso, mas eram estáveis e confiáveis.

A Bíblia diz que devemos ser decididos e resolutos. Em Mateus 6.24, Jesus diz: *Ninguém pode servir a dois senhores; porque ou há de aborrecer-se de um e amar ao outro, ou se devotará a um e desprezará ao outro...*

Alguns anos atrás, servi como pastora auxiliar numa igreja em Saint Louis. Eu amava o trabalho e o pastor titular, mas o Senhor me disse que eu devia sair dali e começar meu próprio ministério.

Eu sabia que quando o Senhor nos chama para fazer algo, querendo ou não devemos obedecer, pois se não o obedecermos, nada mais em nossa vida prospera.

Eu também sabia que não iria gostar mais das coisas que eu estava fazendo e que gostava de fazer naquela época porque Deus já havia terminado aquela obra. E, quando Deus termina, nós devemos terminar também. Mesmo assim, ainda continuei naquele cargo durante todo o ano seguinte. Foi um período em que experimentei toda sorte de coisas de que não gostava. Eu não estava feliz e não sabia por que. Nada mais parecia dar certo. Parecia que eu estava tentando encaixar uma peça quadrada num orifício redondo.

Finalmente o Senhor me disse: "Vá exercer seu ministério no Norte, no Sul, no Leste e no Oeste". E assim o fiz. Mas durante três anos, quando ia à igreja, sentia-me imensamente triste. Quando ficava sabendo que ia haver um retiro de pastores, ficava deprimida. Eu ficava me perguntando: "Qual é o problema comigo? Será que não entendi a ordem de Deus?"

Meu pastor sentia-se do mesmo modo que eu. Por um lado, ele via que o que eu estava fazendo era a vontade de Deus para mim, mas, por outro, ele ainda queria que eu fizesse parte da liderança daquela igreja. Eu tentava organizar meu próprio ministério de um modo que houvesse espaço para continuar envolvida nos trabalhos da igreja que tinha deixado.

Enquanto eu passava por isso, Deus teve de me disciplinar seriamente. Por fim Ele disse: "Joyce, não posso fazer mais nada em seu ministério enquanto você não dedicar seu coração exclusiva e integralmente àquilo que a chamei para fazer".

Mas eu continuava não compreendendo o que havia de errado comigo e continuava perguntando: "Se estou fazendo o que devo, por que ainda me sinto tão mal?"

Finalmente, compartilhei meu problema com um homem que tinha um ministério profético.

— Se eu ouvi Deus me falar e estou fazendo Sua vontade, por que eu ainda me sinto assim?, perguntei-lhe.

— É muito simples, respondeu ele. Você ainda tem laços de alma com seu antigo ministério.

Percebi que ele estava certo. Eu investira cinco anos de minha vida naquele trabalho, e minha alma ainda estava profundamente envolvida com ele. Deus me dissera para ir em frente, mas minha alma continuava ligada ao que eu deixara. Meu problema principal era que o meu coração estava dividido. E enquanto eu continuasse indecisa, não encontraria paz de espírito.

Foi por essa razão que quando Deus chamou Abraão, disse-lhe que saísse de sua terra, deixasse sua família, parentes e tudo o que conhecia e fosse para um lugar que Deus lhe mostraria.[11] É a isso que Paulo se referiu quando afirmou que devemos deixar as coisas que para trás ficavam e seguir em frente.[12] Isso foi o que Deus disse a Israel por intermédio do profeta Isaías: *Não vos lembreis das coisas passadas, nem considereis as antigas. Eis que faço coisa nova, que está saindo à luz; porventura, não o percebeis?*[13]

Nosso problema é que sempre queremos nos segurar ao passado e, ao mesmo tempo, seguir rumo ao futuro. Isso é que significa ter um coração indeciso. Em Tiago 1.8, lemos que a pessoa que tem uma vontade ambígua é hesitante, irresoluta, instável, insegura e incerta sobre o que acha, sente ou decide. A NVI diz que *o homem assim tem mente dividida e é instável em tudo o que faz*.

Creio que não devemos ter um coração indeciso. Ao contrário, devemos ser decididos. Os líderes devem ser capazes de tomar decisões e perseverar nelas. Quando tomamos uma decisão e depois ficamos alternando entre certeza e dúvida sobre se tomamos ou não a decisão certa, então não somos estáveis. Precisamos fazer todo o possível para ouvir o que Deus quer nos dizer, e então tomarmos uma decisão com base no que ele nos disse. Quando tomamos uma decisão, precisamos fazer de todo o coração aquilo a que nos propusemos. Seja o que for que decidamos fazer, temos de fazê-lo de todo o coração, com toda a intensidade do nosso ser.

Em Romanos 12, o apóstolo Paulo fala de diferentes dons da graça que são dados individualmente aos membros do Corpo de Cristo. Nesse capítulo, ele nos fala que se somos professores, devemos nos dedicar ao ensino. Se temos o dom de dar, devemos nos dedicar a dar. Se temos o dom de exortação, devemos nos dedicar a exortar. Em outras palavras, não podemos ficar envolvidos no chamado dos outros, pois o chamado de nossa vida é pessoal, individual. Assim, temos de lutar para nos manter focalizados naquilo que Deus nos chamou para fazer. Não sejamos indecisos.

Se você sabe que tem um chamado para a sua vida, então creia nele com consistência. Não creia na segunda-feira, depois duvide na terça-feira, creia novamente na quarta-feira e depois, até a sexta-feira, desista de tudo porque as circunstâncias estão ruins. Qualquer que seja seu chamado, cumpra-o da melhor maneira possível, crendo que você ouviu a voz de Deus.

12. Um coração ferido

> *Porque estou aflito e necessitado e, dentro de mim, sinto ferido o coração* (Salmo 109.22).

É errado sentir o coração ferido? Não, mas precisamos curá-lo para seguirmos em frente.

Na época do Antigo Testamento, se um sacerdote estivesse com uma ferida sangrando ou um machucado, não poderia ministrar.[14] Acho que atualmente há muitos feridos curando. Ou seja, hoje existem muitas pessoas no Corpo de Cristo que têm o dom de curar e estão tentando curar os outros, mas eles próprios ainda têm feridas não curadas do passado. Ainda estão sangrando e se sentem magoados.

Estou dizendo que não podem ministrar? Não, mas estou dizendo que precisam ser curadas. Jesus disse que um cego não pode guiar outro cego, porque, se tentar, ambos cairão no barranco.[15]

Há uma mensagem nessa afirmação. De que vale tentar ministrar vitória na vida dos outros se não há vitórias na minha própria vida? Com posso ministrar cura emocional a outros se ainda tenho problemas emocionais não resolvidos do meu passado? Para ministrarmos adequadamente, precisamos, primeiro, nos aproximar de Deus e permitir que Ele nos cure.

Descobri que quando estou magoada, quando alguém fere meus sentimentos ou quando Dave e eu temos um problema com o outro, não consigo ministrar adequadamente enquanto a situação não se resolve, pois o problema me enfraquece e afeta minha fé. Quando tenho um problema não resolvido em minha vida, não sou tão forte quanto deveria ou poderia ser se não o tivesse.

Devemos acordar e entender que Deus não está procurando feridos que possam curar. Ele quer pessoas com feridas que Ele mesmo possa curar, para que então elas prossigam, levando cura a outros. Deus tem prazer em usar as pessoas que foram feridas e magoadas, pois ninguém melhor para ministrar a cura do que quem já teve o mesmo problema ou passou pela mesma situação de quem foi ferido.

Nosso novo líder de louvor me disse que estava sentindo fortes dores num dos principais músculos das costas. Ele estava dirigindo cinco sessões de louvor sem intervalo, e não estava acostumado a ficar em pé tocando violão durante tanto tempo.

Antes disso, durante um ano e três meses, eu havia sofrido com a mesma dor nas costas. No instante em que ele falou da dor, comecei a orar por ele, crendo que Deus iria curá-lo, pois eu sabia o que era ter uma dor como aquela. E Deus o curou daquele problema.

Não estou dizendo que temos de ter todos os problemas das pessoas para podermos ministrar. A questão é que se ainda estamos sofrendo e sangrando com nossa própria ferida, não vamos poder enfrentar o problema dos outros com a mesma fé firme que teríamos se já tivéssemos sido libertos do nosso problema.

Em resumo, precisamos deixar que Deus nos cure para que Ele possa nos usar para levar cura a outras pessoas.

13. Um coração desanimado

Quando saíres à peleja contra os teus inimigos e vires cavalos, e carros, e povo maior em número do que tu, não os temerás; pois o Senhor, teu Deus, que te fez sair da terra do Egito, está contigo. Quando vos achegardes à peleja, o

> *sacerdote se adiantará, e falará ao povo, e dir-lhe-á: Ouvi, ó Israel, hoje, vos achegais à peleja contra os vossos inimigos; que não desfaleça o vosso coração [e vossa mente]; não tenhais medo, não tremais, nem vos aterrorizeis diante deles, pois o Senhor, vosso Deus, é quem vai convosco a pelejar por vós contra os vossos inimigos, para vos salvar* (Deuteronômio 20.1-4).

As pessoas desanimadas desistem facilmente.

O que acontece quando nosso coração desanima? Simplesmente desiste. Em nosso coração, dizemos: "Não consigo fazer isto. É difícil demais para mim".

Todavia, se quisermos ocupar uma posição de liderança no reino de Deus, não podemos deixar que isso aconteça. Como líderes do povo de Deus, não podemos desistir facilmente.

Você deve estar estranhando que, numa parte deste livro, digo que o líder deve ter um coração doce e, em outra parte, que deve ter um coração firme. Porém é possível ser firme e gentil ao mesmo tempo. O segredo consiste em saber quando ser gentil e quando ser firme. Devemos ser gentis em relação às pessoas e firmes em relação ao diabo.

Antes de aprender essa diferença, eu costumava ter muitos problemas com dois textos da Bíblia que aparentemente se contradiziam. Parecia-me que um dizia que eu deveria ser gentil como o cordeiro, enquanto o outro dizia que eu deveria ser ousada como um leão.[16] Eu não tinha problema algum com a parte que falava do leão, mas tinha problema com a parte relacionada ao cordeiro. Eu tinha muito de leão em minha natureza, mas o aspecto do cordeiro precisava ser desenvolvido.

Parece que a maioria das pessoas é propensa a ser mais como um ou o outro. Talvez você seja assim: tímido, gentil e manso como um cordeiro, preferindo evitar ter de lidar com alguma coisa difícil ou controversa. Então, Deus tem de pôr um pouco da natureza do leão em você. Ou talvez você seja interiormente parecido com o leão, como era o meu caso, e precise desenvolver algumas qualidades do cordeiro.

Na verdade, eu estava desesperada para desenvolver uma natureza de cordeiro. Ser dócil não era algo natural para mim, em parte porque eu não fora criada num clima de ternura, e em parte porque minha natureza não era dócil.

Em Mateus 11.28-30, Jesus diz:

> *Vinde a mim, todos os que estais cansados e sobrecarregados, e eu vos aliviarei [darei descanso e refrigério às vossas almas]. Tomais sobre vós o meu jugo e aprendei de mim, porque sou manso (dócil) e humilde coração; e achareis descanso (alívio, repouso, tranquilidade) para a vossa alma. Porque o meu jugo é suave (útil, bom; não opressivo e difícil, mas confortável, gracioso e agradável) e meu fardo é leve.*

Jesus é humilde, gentil, manso e tranquilo, e não áspero, rude, brusco e opressivo. Eu não era como Jesus, mas queria ser. Então, para isso, cheguei ao extremo de colecionar pequenos cordeiros de pelúcia, colocando-os por toda a casa. Eu tinha fotos de cordeiro, quadros de cordeiro e gravuras de Jesus segurando cordeiros, de Jesus no meio dos cordeiros, carregando cordeiros em seus ombros. Eu tinha tantos cordeiros em casa que comecei a parecer ridícula. Então me desfiz de muitos deles e só deixei aqueles de que mais gostava.

Assim como versículos colados na porta da geladeira, aqueles cordeiros serviam para me lembrar de que eu deveria ser mais dócil. Isso é o que precisamos fazer para nos lembrar de que não devemos ser desanimados. Se formos parecidos demais com o cordeiro, precisamos nos tornar mais parecidos com o leão, e vice-versa.

Finalmente, fiz uma série de estudos intitulada "O Cordeiro com Coração de Leão", porque comecei a ter revelações de Deus no sentido de que, se eu não tivesse uma natureza como a do cordeiro, o poder do Espírito Santo não se manifestaria em meu ministério. Mas, ao mesmo tempo, eu sabia que o justo deveria ser ousado como o leão. Então, compreendi que precisava ser mansa, doce e gentil com as pessoas, porém ousada, dura e agressiva com o diabo, pois é assim que ele age conosco.

Vez por outra precisamos ser resolutos, bater o pé e dizer: "Não desanimarei. Não vou desistir nem abandonar a obra de Deus, não importa o quanto for difícil e nem quanto tempo leve".

Em Deuteronômio 20.8, lemos: *E continuarão os oficiais a falar ao povo, dizendo: Qual o homem medroso e de coração tímido? Vá, torne-se para casa, para que [por sua causa] o coração [e mente] de seus irmãos se não derreta como o seu coração.*

Aqui o Senhor está nos dizendo: "Se alguns de vocês desanimam facilmente, não serão capazes de se posicionar contra o inimigo".

Uma pessoa desanimada não suporta muito. Precisa que as coisas saiam como ela espera, senão desiste. Ela se desencoraja ou fica deprimida rapidamente. Seus sentimentos são facilmente magoados. Tudo a incomoda. Ela é demasiadamente sensível. Se essa descrição se aplica a você, quero que saiba que não precisa continuar assim. O poder de Deus está disponível para que você seja liberto desse espírito de desânimo em sua vida.

Nesse versículo, os desanimados precisam ir para casa antes do início da batalha porque seu desânimo pode fazer com que os outros também desanimem diante do inimigo.

Provérbios 24.10 diz: *Se te mostras fraco no dia da angústia, a tua força é pequena.* A Bíblia não promete que não passaremos por adversidades, mas promete que receberemos a força necessária para superar as adversidades.[17] Com a força dada por Deus, não ficaremos desanimados nem desistiremos, não importa que tipo de adversidade estejamos enfrentando.

Temos de resistir ao cansaço e à vontade de desistir, que são causados pelos incômodos do diabo. Não tenho medo do diabo, mas respeito seu poder. Já me acostumei a lutar contra ele. Percebi que isso faz parte da vida cristã.

Talvez você esteja pensando: **Mas quando é que não vou ter mais de fazer isso?**

A resposta é: "Nunca". Sempre haverá desafios em nossa vida. A intensidade de nossa reação a eles determinará a força que terão sobre nós. A melhor maneira de lutar contra o diabo, principalmente nos momentos de desafio e estresse, é acalmar-se para manter um coração pacífico e dócil, que não se perturbe ou fique ansioso aos olhos de Deus. É isso que irá nos ajudar a derrotar o diabo, como vemos em Filipenses 1.28: *Em nada [nem por um instante] estais intimidados pelos adversários. Pois o que é para eles prova evidente de [sua iminen-*

te] perdição [vossa firmeza e destemor] é, para vós outros, [prova cabal] de salvação, e isto da parte de Deus.

Então, quando o diabo começar a provocá-lo, permaneça firme. Não tenha medo. Esse será o sinal de que ele será destruído. Isso lhe mostrará que os dias dele estão contados, e será um sinal para Deus operar em seu favor e trazer-lhe livramento.

Em Hebreus 12.3 lemos: *Considerai, pois, atentamente, aquele que suportou tamanha oposição dos pecadores contra si mesmo [relembrando tudo e comparando-o com vossas próprias tribulações], para que não vos fatigueis, desmaiando em vossa alma.*

Decida agora mesmo que não irá desanimar!

O versículo 5 de Hebreus 12 diz: *E estais [completamente] esquecidos da exortação que, como filhos, discorre convosco: Filho meu, não menosprezes a correção que vem do Senhor, nem desmaies quando por ele és reprovado.*

Outro momento em que não devemos desanimar é quando Deus nos corrige, quando está tratando conosco, nos disciplinando. Há casos em que Ele precisa repetir a disciplina inúmeras vezes. Nesses momentos, sentimos que nunca mudaremos e, então, somos tentados a desistir de vez.

Eu me lembro de quando o Senhor teve de me disciplinar várias vezes em relação ao meu orgulho, à minha boca e ao meu gênio difícil. Eu ficava tão desanimada que Dave me dizia: "Por que você não para com isso? Você passa a maior parte do tempo desanimada ou consigo mesma ou com nossas circunstâncias".

No início de nosso ministério, quando o dinheiro não entrava como pensei que fosse entrar, Dave me dizia: "Joyce, o dinheiro não vai entrar enquanto você não se tranquilizar em relação a ele".

Nessa época, Dave estava trabalhando como engenheiro e recebia uma gratificação de Natal todo final de ano, e nós a depositávamos no banco. Aquele dinheiro deveria ser usado para as eventualidades que poderíamos ter durante o ano seguinte, como ter de comprar pneus novos para o carro.

Eu me preocupava muito com aquele dinheiro, tentando mantê-lo no banco, porque ele era minha tábua de salvação. No início do ano até que era fácil, quando aquele montante não havia sido mexido. Mas quando chegava o meio do ano e só nos restavam uns duzentos ou trezentos dólares, sempre que algo acontecia e éramos forçados a tirar um pouco do que restava, eu ficava terrivelmente chateada e começava a reclamar: "Isso sempre acontece! Sempre que conseguimos economizar algum dinheiro, algo acontece e temos de gastá-lo! Não suporto mais ver esse diabo nojento e estúpido roubando nosso dinheiro!". Eu falava sem parar, resistindo ao diabo e repreendendo-o.

Por fim, um dia Dave me disse: "Vou lhe dizer quando nossa vida financeira vai mudar: quando você não precisar mais do dinheiro no banco para se apoiar, porque você vai se apoiar em Deus e confiar nEle, e não numa conta bancária".

A verdade nos deixa irados às vezes, e fiquei com muita raiva porque sabia que, no fundo, aquilo era verdade. Mas não era o que eu queria ouvir, e se tivesse de ouvir, não queria ouvi-lo de Dave.

Então, tirei o dinheiro do banco e disse a Dave: "Pronto! Espero que agora você e Deus estejam satisfeitos. Agora não temos nenhum recurso financeiro a que recorrer!" Depois disso, Deus começou a cuidar de nossas necessidades financeiras.

Hoje essa situação pode parecer engraçada, mas não tinha graça nenhuma quando aconteceu. Eu tinha sérios problemas. Eu não era um bom exemplo de liderança nessa área, mas sou um ótimo exemplo do fato de que Deus pode fazer uma obra maravilhosa em nós se confiarmos sem reservas nEle e não desistirmos. Mas devemos enfrentar a verdade. E ter a solução para a situação de outros não vai resolver o nosso problema.

Os líderes não nascem prontos; creio que são preparados aos poucos. Podemos nascer com certo potencial, mas ele tem de ser desenvolvido. A carne precisa ser crucificada. Temos de ser moldados à imagem do Senhor, como lemos em Romanos 8.29, que nos fala que Deus nos predestinou desde o princípio para nos moldar à imagem e semelhança de seu Filho Jesus.

Submetermo-nos ao processo de moldagem não é algo divertido. Na verdade, dói muito. Mas, quando termina, o resultado é maravilhoso. Então, devemos fazer como Gálatas 6.9 nos instrui: *Não nos cansemos [...], porque a seu tempo ceifaremos, se não desfalecermos.* Em outras palavras, se nos recusarmos a ficar desanimados, colheremos frutos bons.

7 As Condições Negativas do Coração – Parte 3

Aprender sobre as condições negativas do coração pode não ser tão agradável para nós, mas há um propósito. Na verdade, esse aprendizado nos mostra nossas áreas problemáticas para que possamos cooperar com o Espírito Santo na superação dos nossos problemas. Se você percebe que algumas das condições negativas mencionadas neste livro existem em sua vida, saiba que você não é o único, por isso quero encorajá-lo. Todos temos áreas de nossa vida que precisamos corrigir.

Nem sempre podemos evitar as circunstâncias que nos levam a ter atitudes incorretas, mas podemos aprender a evitar essas atitudes. E, como crentes, sabemos que Deus está conosco e que, à medida que vamos passando mais tempo a sós com Ele, em oração e lendo Sua Palavra, Ele nos fortalece diariamente para que possamos fazer o que é preciso para que seus bons planos para nossa vida se cumpram.

Antes de falarmos das condições positivas do coração na liderança, há ainda outras condições negativas que precisamos abordar.

14. Um coração malicioso

> *Quando cair o teu inimigo, não te alegres, e não se regozije o teu coração quando ele tropeçar; para que o Senhor não veja isso, e lhe desagrade, e desvie dele a sua ira [e recaia sobre ti um ofensor pior]* (Provérbios 24.17-18).

Ter um coração malicioso significa simplesmente desejar que quem nos fez algum mal pague por aquilo.

O autor dessa passagem está dizendo que se alguém nos faz algum mal e mais tarde ficamos contentes porque essa pessoa teve problemas, achando que mereceu o que lhe aconteceu, então a ira que Deus derramaria sobre nosso inimigo será derramada sobre nós, pois nossa ofensa torna-se pior do que a dele.

Isso prova que o que mais importa para Deus é a atitude do nosso coração. Uma atitude correta no coração irá produzir ações corretas, mesmo que muitos que têm um coração incorreto consigam se disciplinar e fazer boas obras. Deus sabe que se o coração for reto, tudo o mais acabará sendo feito corretamente.

Essa passagem é maravilhosa. Temos de admitir que quando alguém nos faz mal, devemos trabalhar muito em nosso coração para não ficarmos nem um pouco felizes se algum mal acontecer a ela. Podemos agir com santidade se quisermos, mas de vez em quando todos temos um problema com esse tipo de atitude maliciosa. Em Ezequiel 25.15-17, lemos o que o Senhor tem a dizer sobre o assunto:

> *Assim diz o Senhor Deus: visto que os filisteus se houveram vingativamente e com desprezo de alma executaram vingança, para destruírem com perpétua inimizade, Assim diz o Senhor Deus: Eis que eu entendo a mão contra os filisteus, e eliminarei os queretitas, e farei perecer o resto da costa do mar. Tomarei deles grandes vinganças, com furiosas repreensões; e saberão que eu sou o Senhor, quando eu tiver exercido a minha vingança contra eles.*

Basicamente, o que Deus está dizendo nessa passagem é que Ele irá se vingar dos filisteus porque eles se vingaram de seus inimigos. Se tivessem deixado a vingança nas mãos de Deus, Ele próprio teria se vingado. Mas, já que resolveram se vingar por conta própria, a ira de Deus, que viria contra os inimigos deles, voltou-se contra eles próprios.

Quando alguém nos magoa, além de ser um ato de sabedoria entregar aquela situação a Deus e deixá-Lo tratar do problema, é também um grande ato de confiança de nossa parte entregar-Lhe a situação e esperar que Ele resolva as coisas.[15]

15. Um coração oprimido e ansioso

Creio que todo cristão deve manter o coração leve. Em Provérbios 12.25, lemos: A ansiedade no coração do homem o abate, mas a boa palavra o alegra. Não devemos andar por aí com um coração oprimido ou com uma atitude de ansiedade, pois Jesus disse que veio tirar toda opressão que possa haver sobre povo de Deus: *E porei sobre os que em Sião estão de luto uma coroa em vez de cinzas, óleo de alegria [e consolação], em vez de pranto, veste de [intenso] louvor, em vez de espírito angustiado.*[1]

Em João 14.1, Jesus diz a seus discípulos: *Não se turbe (angustie, aflija) o vosso coração...* Nesses e em outros textos, vemos claramente que o Senhor não quer que tenhamos um coração ansioso e preocupado. Da próxima vez que as coisas não estiverem indo bem, devemos nos lembrar de que, como líderes, é vital mantermos nosso coração numa condição de leveza. Os líderes ministram a outros corações, por isso não devem permitir que um fardo pesado repouse sobre o seu próprio.

16. Um coração questionador

> *Confia no Senhor de todo o teu coração e não te estribes no teu próprio entendimento. Reconhece-o em todos os teus caminhos, e ele endireitará as tuas veredas* (Provérbios 3.5-6).

As pessoas que precisam achar uma explicação para tudo têm grande dificuldade de ter fé, porque a fé implica o não-questionamento a Deus, e sem fé é impossível agradar-Lhe.[2]

Posso falar "de cátedra" sobre o questionamento porque eu mesma era uma questionadora de primeira linha. Queria uma explicação para tudo. Eu precisava ter um planejamento lógico. Precisava saber de tudo sobre mim mesma, sobre os outros e até sobre Deus. Continuamente perguntava: "Por que, Senhor, por quê? Quando, Senhor, quando?" Nessa área, eu queria ter uma explicação para tudo, como acontecia com os líderes religiosos da época de Jesus:

> *Mas alguns dos escribas estavam assentados ali e arrazoavam em seu coração: Por que fala ele deste modo? Isto é blasfêmia! Quem pode perdoar pecados*

> *[remover a culpa, remir o castigo e imputar justiça], senão um, que é Deus? E Jesus, percebendo logo por seu espírito que eles assim arrazoavam (debatiam, questionavam), disse-lhes: Por que arrazoais sobre estas coisas em vosso coração?* (Marcos 2.6-8).

Você já teve um diálogo consigo mesmo? Na verdade, você provavelmente fala consigo mesmo mais do que com outras pessoas. Mas a questão é: o que você está falando consigo?

Na passagem que vimos, os escribas não estavam falando em voz alta. Estavam se questionando em pensamento sobre Jesus. Imediatamente, ele percebeu em Seu Espírito o que estavam debatendo, argumentando, questionando e os exortou. Ele conseguiu discernir a condição do coração daqueles homens porque tinha um coração pacífico.

Como líderes, precisamos estar atentos ao problema do questionamento no coração. É um assunto sério do qual precisamos tratar, assim como Jesus o tratou nos corações daqueles que O seguiam.

O Discernimento Chega Quando o Questionamento Cessa

> *Ora, aconteceu que eles se esqueceram de levar pães e, no barco, não tinham consigo senão um só. Preveniu-os Jesus, dizendo: Vede, guardai-vos do fermento dos fariseus e do fermento de Herodes. E eles discorriam entre si: É que não temos pão. Jesus, percebendo-o, lhes perguntou: Por que discorreis sobre o não terdes pão? Ainda não considerastes, nem compreendestes? Tendes o coração endurecido?* (Marcos 8.14-17).

Nesse texto, observamos novamente a capacidade de discernimento de Jesus e como Ele foi capaz de perceber o questionamento no coração de seus discípulos, que eram tão tolos quanto nós o somos de vez em quando. Não quero ofender ninguém, mas essa é a verdade.

Com todo aquele questionamento eles não conseguiram (como normalmente nós também não conseguimos) entender o que o Senhor estava dizendo. Ele não estava falando literalmente de pão; estava falando do fermento espiritual, dos ensinamentos e práticas dos fariseus. Estava alertando seus discípulos a se precaverem contra esse tipo de tendência legalista, pois sabia que isso envenenaria a vida deles. O que Ele estava querendo lhes dizer era: "Cuidado com a atitude hipócrita dos fariseus. Eles não praticam o que falam. Falam coisas boas, mas não fazem o que falam".

Tentando abrir o entendimento de seus discípulos, Jesus precisou lembrar-lhes da multiplicação dos pães, quando, miraculosamente, Ele alimentou cinco mil numa ocasião e quatro mil em outra:

> *Tendo olhos, não vedes? E, tendo ouvidos, não ouvis? Não vos lembrais e quando parti os cinco pães para os cinco mil quantos cestos [pequenos] cheios de pedaços recolhestes? Responderam eles: Doze! E de quando parti os sete pães para os quatro mil, quantos cestos [grandes] cheios de pedaços recolhestes? Responderam: Sete!* (Marcos 8.18-21).

Nesse texto, Jesus está lhes dizendo: "Não se preocupem por terem se esquecido de trazer o pão. Posso fazer um milagre para providenciar pão. Não estou falando de estômago vazio; estou falando da condição do coração".

Note o que Ele lhes disse no versículo 17: "Ainda não considerastes, nem compreendeste?"

Isso era o que eu costumava fazer. O questionamento era um problema sério para mim. Eu estava sempre tentando achar a lógica das coisas. Então, certo dia, o Senhor disse algo interessante ao meu coração: "Enquanto você estiver questionando, não terá discernimento".

O discernimento começa no coração e ilumina a mente. Enquanto eu mantivesse a mente ocupada com questionamentos, eu não conseguia sintonizá-la em Deus, assim como os discípulos não conseguiam sintonizar-se com Jesus. Esse é um ponto importante. O questionamento é um problema sério porque é contrário à fé. Na NVI, Romanos 8.6 é traduzido assim: "A mentalidade da carne é morte, mas a mentalidade do Espírito é vida e paz". O questionamento pertence à mentalidade da carne, portanto não produz bom fruto. O "questionamento" ao qual me refiro é o tipo de questionamento que é *contrário à verdade*[3] da Palavra de Deus. Como já dissemos, Deus quer que usemos o bom senso! Ele quer que usemos nossa mente para raciocinar, desde que o façamos de acordo com Sua Palavra.

Uma coisa que me fez continuar buscando ser liberta do questionamento foi o fato de sentir-me confusa muitas vezes. Logo aprendi que não estava sozinha nessa área. Em uma de minhas reuniões, perguntei: "Quantos de vocês estão passando por momentos de confusão na vida?" Das 300 pessoas no auditório, 298 levantaram a mão. Somente meu marido e outra pessoa não o fizeram.

Paulo nos diz que Deus não é um Deus de confusão.[4] Como filhos de Deus, não devemos andar para lá e para cá confusos o tempo todo, pois podemos discernir as coisas. Por isso é que o Senhor falou ao meu coração: "Diga a meu povo que pare de tentar compreender tudo, e não ficarão confusos".

Gosto muito da atitude de Maria quando o anjo do Senhor apareceu a ela e lhe disse que ficaria grávida do Espírito Santo. Ao invés de começar a questionar, tentando entender o que havia ouvido, ela simplesmente disse: "Aqui está a serva do Senhor; que se cumpra em mim conforme a tua palavra".[5]

A Bíblia nos diz que Maria ponderou sobre isso em seu coração.[6] Está correto ponderar. Essa é uma das condições corretas do coração, conforme veremos adiante. Mas quando começamos a nos sentir confusos, sabemos que ultrapassamos a linha entre ponderar e questionar. Obviamente, não podemos passar a vida deixando de fazer planos ou de raciocinar.

Ter um número razoável de planos pode simplificar nossa vida, mas ter planos demais pode complicá-la. O equilíbrio é o segredo para alcançarmos a vitória no âmbito da nossa mente.

O discernimento chega quando o questionamento se vai.

Uma de minhas filhas era uma planejadora por excelência. Ela precisava de um plano para lidar com cada detalhe daquilo que iria fazer. Mas isso a fez perder o equilíbrio. Ela planejava as coisas tão detalhadamente que quase ficava maluca. Deus teve de ensinar-lhe a apaziguar o coração. Ele mostrou-lhe que não estava errado planejar as coisas, contanto que ela não permitisse se deixar escravizar pelo planejamento. Hoje ela já fez grandes progressos na superação de sua tendência de tentar questionar e compreender tudo na vida.

Não podemos ter paz de espírito se questionamos tudo o tempo todo. Se não temos paz na vida, talvez seja porque estejamos tentando compreender coisas demais. Precisamos parar de perguntar "Por que, Senhor, por quê?", e dizer somente: "Senhor, Tu sabes que preciso estar em paz em relação a isso. Quando e se quiseres me mostrar, estarei pronta a ouvir-Te. Até lá, com a Tua ajuda, vou rir e me alegrar, confiando que Tu estás no controle e cuidarás de tudo que se relaciona a mim".[7]

17. Um Coração Invejoso e Contencioso

Porquanto, havendo entre vós ciúmes e contendas, não é assim que sois carnais e andais segundo o homem? (1 Coríntios 3.3).

A inveja e o ciúme fazem com que lutemos por coisas que Deus, de qualquer forma, irá nos conceder a Seu tempo, se for da vontade dEle que as tenhamos. Um coração invejoso e ciumento não agrada a Deus de forma alguma. Não devemos cobiçar o que outros possuem – nem mesmo o ministério.

Como líderes, não devemos cobiçar a posição ministerial de ninguém. Não devemos cobiçar a igreja, os obreiros, o tamanho do rebanho ou qualquer outro aspecto de seu ministério. Isso não agrada a Deus.

Devemos nos sentir felizes e satisfeitos com o que Deus nos deu. Precisamos confiar nEle, e, se Ele desejar que recebamos mais, nos dará quando vir que somos capazes de cuidar das novas coisas que Ele nos der.

Talvez você esteja pensando: **Creio que o diabo está me impedindo de ser abençoado.**

Vejo isso desta maneira: se estou fazendo o que Deus quer que eu faça e meu coração é reto diante dEle, nenhum ser humano na terra ou demônio no inferno irá me impedir de ter o que Deus quer que eu tenha.

Creio que muitas vezes culpamos o diabo por tudo

como desculpa para não crescermos. É uma desculpa para não desenvolvermos o caráter pessoal e não deixarmos Deus operar em nós a obra que Ele quer fazer.

Não estou dizendo que o diabo não tenta impedir que exerçamos nosso ministério. Ele tentou impedir Jesus de exercer seu ministério também, mas não conseguiu. Ele pode até fazer oposição a nós, mas não poderá nos impedir.

Haverá épocas em que devemos perseverar apesar da oposição do inimigo, mas, se estivermos fazendo a vontade de Deus, Ele irá nos dar forças para continuarmos até alcançarmos o que Ele deseja. Não é o diabo que nos impede de cumprir o nosso chamado; é a nossa carne incircuncisa, da qual não tratamos e que ainda não crucificamos. Iremos falar do coração incircunciso mais à frente neste capítulo.

Sim, o diabo está vivo e ativo, e se opõe às pessoas. Mas se lhes ensinarmos esse fato de forma desequilibrada, exacerbada, elas irão culpar Satanás por tudo. E ele gosta muito disso porque a atenção das pessoas se volta para ele e para os problemas que ele causa, desviando-se de Deus e de suas promessas. Em vez de darmos atenção às obras do inimigo, precisamos manter os olhos voltados para Deus e permitir que Ele aja como desejar em nossa vida.

Já tive problemas com ciúme e inveja, principalmente no ministério. Enquanto não superei essa situação meu ministério não cresceu.

Como já vimos, não é só porque temos potencial que ele se desenvolverá automaticamente. Para que isso aconteça, devemos cooperar com Deus nesse sentido.

O que finalmente me libertou do ciúme e da inveja foi perceber que Deus tem um plano personalizado, sob medida e individualizado para mim. Não tenho de me comparar a ninguém. Não tenho de competir com nenhum outro ministério. Só o que tenho de fazer é dizer: "Senhor, desejo Tua vontade para minha vida. Meus dias estão em Tuas mãos. O que quer que desejes que eu faça, isso é o que irei querer fazer. O que os outros fazem não é da minha conta. O que devo fazer é somente o que Tu queres que eu faça".

Não há nada mais frustrante do que lutar por coisas que Deus não nos deu, tentando fazer com que aconteçam sem a unção de

Deus, ou tentando fazer algo com relação a situações que sempre estarão totalmente fora do nosso alcance.

O segredo da felicidade e da realização não é mudar nossa situação ou circunstância, mas confiar em Deus para que Ele realize seu bom plano em nossa vida até podermos ver os resultados.

18. Um coração ganancioso e concupiscente

> *Então, [os israelitas] creram nas suas palavras [confiando, acreditando nelas] e lhe cantaram louvor. Cedo, porém, se esqueceram das suas obras e não lhe aguardaram [com sinceridade] os desígnios; entregaram-se à cobiça, no deserto; e tentaram a Deus [com desejos insistentes] na solidão. Concedeu-lhes o que pediram, mas fez definhar-lhes a alma [e reduziu o número deles]* (Salmos 106.12-15).

Temos de ter cuidado com um coração concupiscente e ganancioso, que nunca se sente satisfeito.

Embora Deus tenha tirado os israelitas do cativeiro no Egito e destruído Faraó e seu exército que os perseguia, os israelitas não estavam satisfeitos. Continuaram a reclamar e murmurar durante todo o caminho. Não importava o quanto Deus lhes desse, eles sempre queriam mais. Estavam a caminho da Terra Prometida, mas não estavam aproveitando a viagem.

Muitas vezes esse é nosso problema também.

Quando eu dava aula para vinte e cinco pessoas todas as semanas, na terça-feira à noite, em minha sala de estar, aquilo era o suficiente para mim conforme a minha maturidade na época. Eu, porém, já tinha a visão de fazer o que faço agora; então eu orava, murmurava, implorava, jejuava, repreendia os demônios – mas nunca ia além dos limites de minha sala. Todos os meus esforços para progredir eram desperdício de tempo e energia. O que eu deveria ter feito era ficar tranquila, louvando a Deus, rindo e desfrutando de minha família, meu marido, meus filhos e minha vida. Mas não; eu preferia me sentir péssima o tempo todo porque as coisas não estavam do jeito que eu queria.

Finalmente, tive a oportunidade de dar outros estudos bíblicos. Fiquei feliz, mas não por muito tempo.

Depois fui trabalhar numa igreja em Saint Louis, como copastora, durante cinco anos. Mas depois de algum tempo, eu não estava mais satisfeita com aquele trabalho.

Então organizei meu próprio ministério. E pouco tempo depois eu já estava infeliz com ele.

Não importava o que eu estivesse fazendo, sempre queria algo mais.

Se as pessoas não tomarem cuidado, poderão desperdiçar a vida toda querendo sempre algo mais. Irão se apaixonar e ficarão ansiosas para se casar. Quando se casarem, não conseguirão ser felizes; então se separarão em busca da felicidade.

Quando têm filhos, não veem a hora de todos crescerem e irem para a escola. Assim que os filhos vão para a escola, ficam ansiosos para se formar. Assim que isso acontece, não veem a hora de se casar e ter seus próprios filhos.

E assim vai. Não importa em que ponto se encontrem na vida, sempre irão querer mais. Continuam murmurando e reclamando com Deus a respeito do que querem. Então, assim que ele dá o que pedem, começam a reclamar novamente porque querem algo mais.

A moral da história dos israelitas é que receberam o que pediram, mas não estavam preparados para aquilo. O Senhor lhes deu o que queriam, mas Ele também lhes deu fraqueza de alma. O que "fraqueza de alma" significa? Simplesmente que não estavam felizes.

Você já imaginou como eu me sentiria péssima se tivesse este ministério, mas não tivesse espiritualmente preparada para conduzi-lo? Como seria se eu tivesse de lidar com as responsabilidades do prédio, as contas que temos de pagar, os programas de rádio e de televisão que produzimos, os livros que escrevemos, os escritórios que temos de dirigir, os empregados que temos que administrar, e assim por diante? Mesmo querendo tudo isso, o peso de tudo iria me esmagar.

Sou grata a Deus por não ter me dado tudo isso quando Lhe pedi pela primeira vez, pois se Ele tivesse me dado, eu teria feito papel de tola, perdido o ministério e, provavelmente, morrido de estresse.

Tenha cuidado com um coração concupiscente e ganancioso. Não vá ficar pedindo algo que Deus ainda não quer lhe dar. Aprenda a descansar e ser feliz com o que tem enquanto o Senhor o prepara para algo melhor.

Deixe Deus agir em Seu tempo, para que possa construir um alicerce sólido em sua vida antes de você começar a implorar que Ele construa um prédio gigantesco sobre o seu alicerce. Sempre queremos mais, mas somente Deus sabe quando teremos estabilidade suficiente para lidar com aquilo que Ele nos dá.

19. Um coração incircunciso

> *Homens de dura cerviz e incircuncisos de coração e de ouvidos, vós sempre resistis ao Espírito Santo; assim como fizeram vossos pais, também vós o fazeis* (Atos 7.51).

Deus me mostrou o que é um coração incircunciso. Circuncidar é cortar fora. Quando uma pessoa é incircuncisa de coração e algo mau entra nele, ela não o tira. Permite que fique lá. Mas quem tem um coração circuncidado vai eliminar imediatamente um propósito incorreto que entre na mente, para que o coração permaneça sempre circuncidado.

Lembre-se: o diabo virá até nós com propósitos incorretos em inúmeras ocasiões, mas não devemos morder sua isca. Isso somente nos impediria de crescer e nos desenvolver.

O Senhor me mostrou que, se tenho um coração circuncidado, quando a ira, o ódio, o ciúme, a inveja ou qualquer outro tipo de emoção negativa vem à minha mente, devo afastá-la imediatamente. Se não o fizer, permitindo que fique, não estarei sendo o que Ele me chamou para ser, como Paulo diz em Romanos 2.28-29:

> *Porque não é [um verdadeiro] judeu quem o é apenas exteriormente, nem é [verdadeira] circuncisão a que é somente na carne. Porém, judeu é aquele que o é interiormente, e [genuína] circuncisão, a que é do coração, no espírito, não segundo a letra, e cujo louvor não procede dos homens, mas de Deus.*

Um bom líder mantém um coração circuncidado dizendo "não" a tudo que o impeça de se tornar alguém cujo coração não seja correto perante Deus.

20. Um coração acusador

> *Pois, se o nosso coração nos acusar, certamente, Deus é maior do que o nosso coração e conhece todas as coisas. Amados, se o coração não nos acusar, temos confiança diante de Deus; e aquilo que pedimos dele recebemos, porque guardamos os seus mandamentos e fazemos diante dele o que lhe é agradável* (1 João 3.20-22).

Um coração acusador rouba a nossa confiança.

Qualquer um que queira ser líder deve aprender como lidar com a autoacusação. Quando pecar, tem de saber se libertar do pecado e seguir em frente, pois ninguém é perfeito. Ele pode ter um coração perfeito, um coração segundo o coração do próprio Deus, mas continuará a ser imperfeito em pensamentos, palavras e obras.

Sei como é sentirmos o peso da acusação quando ensinamos a outras pessoas a serem corretas e nós mesmos agimos incorretamente. Quando fazemos isso, nos sentimos duplamente acusados, porque o diabo nos dirá: "De todos, você deveria ser o primeiro a saber disso!".

Se lhe dermos ouvidos, ele irá nos fazer sentir que não somos dignos de ser líderes do povo de Deus. Temos de ser capazes de nos livrar do sentimento de acusação, pois se não o fizermos, perderemos toda a nossa confiança diante de Deus. Sem confiança, não teremos fé, e sem fé não podemos agradar a Deus[8] nem receber dEle as coisas das quais Ele sabe que precisamos para fazer aquilo para o que fomos chamados.

Por isso é que somos instruídos a guardar nosso coração com toda diligência. Como vimos, é do coração que fluem as fontes da vida.

Deus nos convence de nossos pecados; Ele não nos acusa. O convencimento nos ajuda a nos arrependermos e a nos levantarmos para sair dos problemas, enquanto a acusação nos derruba e nos faz sentir-nos mal em relação a nós mesmos.

Romanos 8.33-34 afirma que Deus nos justifica; Ele não nos imputa culpa. Jesus não nos acusa. Ele morreu por nós e está assentado à direita do Pai, pedindo e intercedendo por nós. Aprendi na Bíblia que quando me sinto acusada e culpada, quem está me causando esse sentimento sou eu mesma ou é o diabo. Precisamos sempre nos submeter ao convencimento de Deus, mas resistir às acusações de Satanás.

8 As Condições Positivas do Coração — Parte 1

Porém o Senhor disse a Samuel: Não atentes para a sua aparência, nem para a sua altura, porque o rejeitei; porque o Senhor não vê como vê o homem. O homem vê o exterior, porém o Senhor, o coração (1 Samuel 16.7).

Deus é o Deus dos corações. Ele não olha o nosso exterior, nem mesmo as coisas que fazemos, e nem nos julga pelo critério da aparência. O ser humano julga segundo a carne, mas Deus julga segundo o coração.

É possível usar uma máscara de bondade, mas ter um coração podre. Também é possível tratar dos problemas exteriores e ter um coração reto por dentro. Deus está mais inclinado a usar as pessoas de bom coração que tenham alguns problemas do que uma pessoa cuja vida pareça estar totalmente em ordem, mas que tenha um coração mau.

É importante estarmos em contato com nosso mundo interior, observando como nos sentimos e pensamos com relação a tudo. É preciso mantermos esse contato com o que a Bíblia chama de "homem interior", como vimos, se quisermos ser usados por Deus como líderes em seu reino ou ter uma vida cristã bem-sucedida

Nos capítulos anteriores, vimos algumas condições negativas do coração que impedem que a pessoa seja o tipo de líder que Deus deseja. Agora vamos refletir sobre algumas das condições positivas do coração que Deus quer que os líderes tenham.

1. Um coração disposto

> *Disse o Senhor a Moisés: Fala aos filhos de Israel que me tragam oferta; de todo homem cujo coração o mover para isso, dele recebereis a minha oferta* (Êxodo 25.1-2).

Quando falamos de um coração disposto, nos referimos, basicamente, ao "querer". Sem isso, nunca faremos nada.

Nesses muitos anos de meu ministério, tive de me esforçar para superar muitas coisas negativas. Sim, havia um chamado de Deus para minha vida, mas eu precisava de algo mais além do chamado. Eu precisava de muito "querer".

Quando observo a mim mesma e às outras pessoas, chego à conclusão de que acabamos fazendo aquilo que queremos. Se há algo que queremos muito fazer, acabamos achando um modo de fazê-lo.

O "querer" é algo poderoso. Com ele podemos perder peso, manter a casa limpa, economizar dinheiro, quitar as dívidas ou alcançar qualquer outro objetivo a que nos propusermos na vida. Não gostamos muito quanto temos de enfrentar o fato de que nossa vitória ou derrota tem muito a ver com o nosso "querer". Preferimos culpar algo ou alguém. Mas creio que precisamos nos sentar e fazer um bom inventário de nosso "querer". Devemos, pelo menos, ser honestos e dizer: "Senhor, não obtive aquela vitória porque eu não a queria. Não orei ou li a Bíblia porque não queria. Não passei tempo meditando em Sua Palavra ou falando com o Senhor porque não queria. Ao contrário, fiquei a noite toda no sofá vendo televisão, porque eu queria".

Não há problema algum com o descanso e o lazer, mas precisamos definir as nossas prioridades. Como eu disse, preferimos colocar a culpa de nossos fracassos em alguém ou algo, e não em nós mesmos. Gostamos de culpar o diabo, outras pessoas, o passado, e assim por diante, quando a verdade é que, na maioria das vezes, não temos o tipo certo de "querer".

Se quisermos servir a Deus sendo líderes, precisamos "querer". Devemos ter um coração disposto. Na verdade, Deus não está interessado em nossas boas obras se não as fizermos com o coração disposto.

Muitos anos atrás, Deus teve de trabalhar nisso comigo porque eu vivia sob a lei. Era muito legalista e insegura por causa das minhas muitas feridas do passado. Eu estava fazendo o que era certo, mas com todas as motivações erradas. Eu o fazia porque tinha medo de que, se não fizesse, Deus iria ficar irado comigo ou não se agradaria de mim.

Tantas vezes orei porque achei que tinha de orar, mas meu coração estava longe. Eu fazia isso movida por um sentimento de obrigação. Lia a Bíblia religiosamente, cobrindo muitos capítulos todos os dias; seguia rigidamente meu horário de oração porque sentia que, agindo assim, estava cumprindo a lei.

Lembro-me de um dia em que Deus falou comigo muito claramente: "Joyce, não quero que você me dê nada ou faça nada por mim que não sinta vontade".

Recordo-me de ter pensado: **Não é possível que seja Deus!**

Não estou dizendo que não haverá dias em que teremos de nos disciplinar. Mas até nisso temos de ter vontade, e não fazê-lo por obrigação. Temos realmente de disciplinar nossa carne para fazer o que está em nosso coração, porque "a carne milita contra o Espírito". Nem sempre temos vontade de fazer o que queremos, mas não é necessário **sentir vontade** de fazê-lo; basta querer fazer o que devemos. A **determinação** é que tem de assumir o comando, e não os sentimentos.

Há muitas ocasiões em que não sinto vontade de viajar pelo país fazendo conferências. Mas continuo viajando porque, no fundo, quero fazer isso. Minha carne nem sempre o quer, mas meu espírito sim; então vou, apesar de meus sentimentos, porque tenho um coração disposto. Isso é o que Deus quer que seu povo tenha, como observamos em sua Palavra:

> *Tomai, do que tendes, uma oferta para o Senhor; cada um, de coração disposto, voluntariamente a trará por oferta ao Senhor: ouro, prata, bronze, ...Vieram homens e mulheres, todos dispostos de coração; trouxeram fivelas, pendentes, anéis, braceletes, todos os objetos de ouro; todo homem fazia oferta de ouro ao Senhor; ... Os filhos de Israel trouxeram oferta voluntária ao Senhor, a saber, todo homem e mulher cujo coração os dispôs para trazerem uma oferta para toda a obra que o Senhor tinha ordenado se fizesse por intermédio de Moisés* (Êxodo 35.5, 22, 29).

Você sabe o que um forte "querer" faz na área relativa à oferta? Ele nos faz dar de modo sacrificial. Se o quisermos intensamente, de algum modo acharemos algo para dar.

Lembro-me de quando Dave e eu tínhamos pouco dinheiro. Ele pegava os quadros da parede e as colchas da cama e os ofertava. São impressionantes os sacrifícios que fazemos quando realmente nosso "querer" é forte.

Vontade de Estar Dispostos

> *O povo se alegrou com tudo o que se fez voluntariamente; porque de coração íntegro deram eles liberalmente ao Senhor; também o rei Davi se alegrou com grande júbilo* (1 Crônicas 29.9).

Você gosta quando as pessoas fazem algo por você, mas você sabe que, no fundo, não queriam fazer? Tenho aversão a esse tipo de coisa. Creio que seja parte da minha criação. Parece-me que até mesmo quando meu pai me deixava fazer algo, na verdade não queria que eu fizesse. Até hoje, quando as pessoas não querem fazer algo para mim, prefiro deixar para lá.

Se nós somos assim, quanto mais Deus! Conseguimos esconder nossos sentimentos verdadeiros das pessoas de forma até razoável, mas não podemos esconder nosso coração de Deus. Temos de começar a ser honestos quanto aos nossos sentimentos e fazer as coisas com um coração desejoso, ou, pelo menos, começar a orar a Deus para que Ele nos dê um coração disposto, para que possamos fazer tudo com as motivações certas.

Algumas vezes teremos de orar assim: "Senhor, me dê a vontade de ter disposição". E em outras ocasiões teremos de orar assim: "Senhor, dê-me a vontade de ter disposição, pois não estou disposto a ter nenhuma disposição!"

Deus examina a atitude do nosso coração, e o que quer que façamos para Ele devemos fazer de boa vontade:

> *Bem sei, meu Deus, que tu provas os corações e que da sinceridade te agradas; eu também, na sinceridade de meu coração, dei voluntariamente todas estas coisas; acabo de ver com alegria que o teu povo, que se acha aqui, te faz ofertas voluntariamente* (1 Crônicas 29.17).

Deus não se agrada daquilo que fazemos por obrigação ou em obediência rígida à lei:

> *Cada um contribua segundo tiver proposto no coração, não com tristeza ou por necessidade; porque Deus ama (sente prazer, valoriza acima de qualquer coisa, não abre mão) a quem dá com alegria (cujo coração é dadivoso)* (2 Coríntios 9.7).

Gosto da tradução que a *Versão Amplificada da Bíblia* fez desse versículo, pois ressalta o fato de que o Pai se deleita naqueles que Lhe fazem ofertas voluntariamente, com disposição, alegria e júbilo, mas Ele não se agrada daqueles que dão por terem sido coagidos ou persuadidos pelo legalismo ou obrigatoriedade.

Em 1 Pedro 5.2, o apóstolo menciona essa ideia quando diz: *Pastoreai (alimentai, protegei, guiai e acolhei) o rebanho de Deus que há ente vós [e pelo qual sois responsáveis], não por constrangimento, mas espontaneamente, como Deus quer; nem por sórdida ganância [desejo de obter lucro ilícito nesta atividade], mas de boa vontade.*

Obviamente, nesse versículo Pedro está falando de pastores e presbíteros, aqueles que estão na liderança, mas creio que o que ele diz se aplica a todos os que querem ser usados por Deus. Ele diz que, primeiramente, devemos ter a certeza de estar fazendo isso com a motivação certa, e não porque queremos nos ver livres logo da tarefa. Segundo, devemos fazer isso com uma boa atitude.

Por exemplo, se formos fazer visitas em um hospital, não devemos fazê-lo reclamando. Se formos tomar conta do filho de uma amiga porque sentimos que Deus quer que o façamos, não devemos murmurar.

Precisamos entender que qualquer coisa que fizermos por outra pessoa não estamos, na verdade, fazendo-a para ela, mas para o Senhor.[1] Há muitas coisas que fazemos simplesmente porque amamos a Deus, e não as faríamos se não fosse por essa razão. O que quer que façamos para os outros – principalmente quando não estamos com muita vontade de fazer, mas fazemos porque queremos, e o fazemos com a atitude correta –, isso é agradável a Deus.

A questão é: quanto a tudo o que fizermos para Deus, Ele espera que façamos com o coração disposto. Se não formos fazer dessa forma, é melhor não fazer nada. Creio que não iremos receber recompensa alguma por fazer algo se a atitude estiver errada.

Estou convencida de que o ponto central da vida cristã é a atitude do coração. Não é a fachada que apresentamos para os outros que importa; é a verdade dentro de nós que não podemos esconder de Deus.

Sejamos Pessoas Que Agradam a Deus

> *Servos, obedecei em tudo ao vosso senhor segundo a carne, não servindo apenas sob vigilância, visando tão-somente agradar homens, mas em singeleza de coração [de todo o coração], temendo ao Senhor* (Colossenses 3.22).

Aqui somos instruídos a ser servos bons, fiéis, leais, produtivos e trabalhadores. Devemos fazer nosso trabalho muito bem e como uma atitude correta. Não devemos ser "mascarados", mostrando ao patrão o que ele quer ver, mas agindo de modo bem diferente quando ele está longe. Devemos ser sinceros, honestos e confiáveis.

É lamentável que aqueles que têm um emprego fiquem murmurando e reclamando do trabalho quando há tantos desempregados. Devemos ser agradecidos pelo trabalho e por termos condições de fazê-lo.

Não devemos agradar aos homens, mas, sim, a Deus. Não devemos fazer o trabalho corretamente somente quando o chefe está por perto, e depois, quando ele se afasta, usar o tempo da empresa dando telefonemas pessoais e fazendo coisas semelhantes. É impressionante como as pessoas se movimentam quando o chefe entra na sala. Todos correm para seus lugares e tentam parecer ocupados, pois sabem que não estavam realmente trabalhando.

Deus leva essas coisas em consideração também, pois devemos agir como cartas vivas para serem lidas pelos homens. Não vamos ganhar o mundo exibindo adesivos no para-choque, fitas cassete evangélicas ou broches com o nome de Jesus mas sem demonstrar um único fruto na vida. Não é indo para o trabalho com toda nossa parafernália, declarando que somos cristãos, que chamaremos a atenção das pessoas para Cristo; é dando duro, trabalhando o dia todo para merecer o salário, submetendo-nos às autoridades com uma atitude correta, fazendo o que nos pedem sem murmuração ou reclamação – com atitudes assim é que iremos fazer com que os outros olhem para nós e desejem ter o "segredo" que temos.

Em Colossenses 3.23-24, Paulo diz: *Tudo quanto fizerdes, fazei-o de todo coração [e alma], como [se o estivessem fazendo] para o Senhor, e não para homens, cientes de que recebereis do Senhor a recompensa da herança. A Cristo (o Messias), o Senhor, é que estais servindo.*

Você sabe o que acontece quando fazemos nosso trabalho com todo o coração e alma, e o fazemos como se fosse para Deus, e não para homens? Recebemos nossa recompensa dEle, não de nosso chefe. Podemos esperar no Senhor pela recompensa que merecemos verdadeiramente.

2. Um coração reavivado

> *Por esta razão, pois, te admoesto que reavives [reacenda as chamas, mantenha-as queimando] o dom [gracioso] de Deus que há em ti pela imposição das minhas mãos [com os presbíteros, na tua ordenação]* (2 Timóteo 1.6).

Deus quer que nos sintamos reavivados. Ele não se agrada da apatia. A Bíblia diz que os mortos não louvam ao Senhor.[2] Deus não pode ser louvado se a nossa atitude for de apatia. Ele não está buscando uma igreja apática, morta, mas uma igreja viva.

Gosto muito do que Jesus disse quando ressuscitou Lázaro. Primeiro, Ele disse a Lázaro para sair da sepultura. Depois, pediu aos espectadores que tirassem sua mortalha.[3]

Há muitas pessoas nascidas de novo, cheias do Espírito, mas que nunca tiraram suas mortalhas. Por isso, exalam apatia.

Deus, porém, não quer que continuemos mortos, mas que nos reavivemos. Como já vimos, em uma das cartas de Paulo a seu jovem discípulo, Timóteo, ele pede que Timóteo reavive a chama que há nele.[4] Evidentemente, Timóteo estava ficando com medo, cansado e inseguro de seu chamado. Seu espírito estava esmorecendo, então Paulo vem com uma palavra forte para reavivá-lo. Em 2Timóteo 1.5, Paulo o lembra de sua fé e do modo como ele a recebera. Paulo lhe diz, em resumo: "Lembre-se da fé da sua avó. Lembre-se da fé da sua mãe. Lembre-se de quando eu impus minhas mãos sobre você e orei por você e pelos dons que tem".

Ninguém mais pode reavivar o seu dom, aquela chama dentro de você, da forma como você mesmo pode. Outros podem até tentar reavivá-lo, como eu estou fazendo ao escrever este livro. Mas, tão logo você se encontre sozinho novamente ou tão logo deixe o livro de lado, você vai esfriar. Por isso é que você deve se reavivar.

A vida se torna mais emocionante quando temos um coração reavivado. Não faz sentido ficar andando de um lado para o outro murmurando e reclamando: "Não quero mesmo fazer isso. Eu gostaria de não ter de fazer. Estou cansado de fazer isso".

Metade da igreja já não aguenta mais, pois tudo o que fazemos é ficar andando de um lado para o outro dizendo que estamos cansados. Mais cedo ou mais tarde, teremos de ficar cansados de dizer que estamos cansados. Nesse dia, então, faremos alguma coisa para resolver o problema.

Como Podemos Nos Reavivar?

... e veio todo homem cujo coração o moveu e cujo espírito o impeliu e trouxe a oferta ao Senhor para a obra da [nova] tenda da congregação, e para todo o seu serviço, e para as vestes sagradas (Êxodo 35.21).

Aqueles que construíram o tabernáculo do Senhor tinham um coração disposto e se mantinham reavivados em relação às coisas de Deus.

Talvez você esteja pensando: **Como eu gostaria de estar animado, mas não me sinto assim! Não sei o que fazer para me reavivar.**

Uma das maneiras de fazê-lo é parar de andar com pessoas apáticas todo o tempo. Se você se pergunta por que anda deprimido, com preguiça, frio e indiferente à vida, talvez seja porque você está se relacionando com pessoas que são assim. Os espíritos são transferíveis. Com isso, o que quero dizer é que se você passar a conviver com pessoas animadas e reavivadas em relação às coisas de Deus, não demora muito e você se sentirá animado e reavivado. Se você conviver com um visionário, logo você terá visão ampla também. Mas se você se relaciona com pessoas que não querem fazer nada além de ficar sentadas no sofá, comendo salgadinhos e assistindo às novelas, logo você estará fazendo o mesmo.

Não adianta nada dizer: "Queria me sentir daquela forma". Você precisa decidir fazer algo com relação ao que sente. Se você quer ter vitória sobre seus sentimentos, fará tudo o que for preciso para alcançar o que quer. Mas se você não quer ter essa vitória, ninguém conseguirá fazer com que você queira a ponto de fazer algo para alcançá-la.

Temos de parar de choramingar, com pena de nós mesmos, desejando: "Queria ter isto. Queria não ter aquilo. Queria que meus pais me amassem mais. Queria ter mais dinheiro. Queria que minhas costas parassem de doer. Queria… queria… queria…".

Eu fazia isso. Durante anos, eu ficava de lá para cá, querendo e querendo, até que o Senhor falou comigo: "Você pode ter autopiedade ou ter poder, mas não ambos. Então, faça sua escolha".

Anos mais tarde, li a seguinte frase: "As pessoas preferem esperar um golpe de sorte a dar duro para ter o que querem". E pensei: **É verdade.**

Somente ficar querendo não resolve nada. Temos de trabalhar duro e fazer o que pudermos para conseguir o que queremos.

Em Romanos 12.11, lemos: N*o zelo, não sejais remissos; sede fervorosos do espírito, servindo ao Senhor.* Para que nossa chama sempre brilhe, temos de mantê-la acesa, queimando.

E como mantemos a chama acesa? Descobri que a Palavra de Deus saindo de minha própria boca na forma de oração, louvor, pregação ou confissão é a melhor forma de alimentar o fogo. Ele reaviva o dom que tenho, mantém o fogo ardendo e impede que meu espírito esmoreça dentro de mim.

O autor de Eclesiastes nos aconselha: *Tudo quanto te vier à mão para fazer, faze-o conforme tuas forças, porque no além [ou na sepultura], para onde tu vais, não há obra nem projetos, nem conhecimento, nem sabedoria alguma.*[5] Não há razão para ficarmos adiando as coisas.

Isso, na realidade, seria passividade, e essa é uma das grandes armas que Satanás usa contra o povo de Deus.

O adiamento e a preguiça são primos da passividade, e eles geralmente atacam em grupo. Uma pessoa passiva espera para ser empurrada por uma força externa antes de agir. Nós, porém, devemos ser motivados e guiados pelo Espírito Santo dentro de nós, não por forças externas. A melhor forma de nos prevenirmos contra o espírito de passividade é fazer as coisas agora e com todas as nossas forças.

Lembre-se: tudo o que fizermos deve ser feito como se fosse para o Senhor e para Sua glória. Devemos fazer as coisas para Ele, por Ele, por meio dEle e com Ele. E devemos fazer de bom grado, com o coração reavivado dentro de nós.

3. Um coração sábio

> *Falarás também a todos os homens hábeis a quem enchi do espírito de sabedoria, que façam vestes para Arão para consagrá-lo, para que me ministre o ofício sacerdotal* (Êxodo 28.3).

Fico completamente estarrecida com algumas coisas tolas que fazemos. Ficamos questionando por que não temos as coisas que queremos na vida, sem perceber que basta observarmos o modo como agimos e teremos a resposta.

No livro de Ageu, há um grupo de pessoas que estavam descontentes com as suas circunstâncias. A resposta de Deus para elas foi: "Reflitam sobre o seu passado (sua conduta anterior e atual) [...] vejam aonde os seus caminhos os levaram".[6]

Podemos ter dons, mas, se temos dons e nenhuma sabedoria, os dons só irão nos causar problemas. Se quisermos nos sair bem no ministério, precisamos ter dons espirituais e sabedoria, mas lembremo-nos: precisamos de muito bom senso. Na verdade, a sabedoria é exatamente isso: o "bom e velho" bom senso.

Não faz nenhum sentido adiar durante dezoito anos algo que Deus disse para fazer, mas os israelitas o adiaram e, ainda assim, não conseguiam compreender por que não estavam prosperando. Sim, o sucesso no ministério requer mais do que dons.

Em Êxodo 35.30-33, Moisés fala aos israelitas sobre dons:

> *Disse Moisés aos filhos de Israel: Eis que o Senhor chamou pelo nome a Bezalel, filho de Uri, filho de Hur, da tribo de Judá, e o Espírito de Deus o encheu de habilidade, inteligência e conhecimento em todo artifício, e para elaborar desenhos e trabalhar em ouro, em prata, em bronze, e para lapidação de pedras de engaste, e para entalho de madeira, e para toda sorte de lavores* (Êxodo 35.30-33).

Nessa passagem, Moisés fala com o povo de Deus que o Senhor encheu Bezalel de dons.

Segundo a Bíblia, cada um de nós recebeu dons diferentes, todos para serem usados em benefício do Corpo de Cristo.[7] Somos todos dotados de dons, uma forma ou de outra. Uma das coisas que precisamos fazer é exercer os nossos dons e parar de tentar ter o dom de outras pessoas.

Alguns de nós estão tão ocupados tentando ter aquilo que o outro tem que nunca agem e fazem as próprias coisas. Isso geralmente acontece por insegurança, ou por não saberem quem são em Cristo, ou por não estarem satisfeitos em fazer aquilo que o Senhor lhes deu para fazer.

Se Deus lhe deu uma função na igreja que não inclui ficar à frente e ministrar, então faça o que lhe cabe, pois, se você tentar se colocar à frente da igreja, acabará ficando insatisfeito ou não terá um bom desempenho.

Deus dá dons a todos, mas muitos nunca chegam a usar os dons porque não usam a sabedoria.

Em Êxodo 35.34-35, Moisés continua falando com os israelitas sobre os dons: *Também lhe dispôs o coração para ensinar a outrem, a ele e a Aoliabe, filho de Aisamaque, da tribo de Dã. Encheu-os de [sabedoria*[8] *e] habilidade para fazer toda obra de mestre, até a mais engenhosa, e a do bordador em estofo azul, em púrpura, em carmesim e em linho fino, e a do tecelão, sem, toda sorte de obra e a elaborar desenhos.*

Quando li essa passagem pela primeira vez, sublinhei as palavras **habilidade e sabedoria.**[9] Deus não nos dá somente habilidade; ele nos dá sabedoria para acompanhá-la. Dave e eu já vimos muitas pessoas enfrentando lutas no ministério não porque não tinham dons e talentos, mas porque não usavam a sabedoria. Devemos usar a sabedoria em tudo na vida, não importa se for ministério, negócio ou casamento. Por exemplo, uma mulher pode ser dotada de grande beleza, ou talvez seja extremamente talentosa; talvez seja capaz de cozinhar, cultivar uma horta; enfim, fazer tudo o que faz a mulher de Provérbios 31, mas se não usar a sabedoria, ela pode destruir completamente seu casamento.

Em Provérbios 24.3, lemos: *Com sabedoria edifica-se a casa (a vida, o lar, a família), e com a inteligência ela se firma [sobre um alicerce firme e sólido].*

Em que áreas de nossa vida devemos empregar a sabedoria? Devemos usá-la no nosso modo de falar, de agir, de administrar nosso dinheiro, cumprir nossas responsabilidades, tratar os outros, cumprir nossa palavra, e em vários outros aspectos. Há inúmeras maneiras de andarmos em sabedoria, e uma das maiores tragédias na vida de muitos entre o próprio povo de Deus é o fato de não agirem com sabedoria. Essas pessoas estão totalmente esgotadas porque andam em mil direções ao mesmo tempo.

Certa vez, numa época em que eu reclamava e murmurava em relação aos meus horários, Deus me falou: "Sabe, Joyce, foi você quem planejou seus horários. Eu não o fiz para você; nunca lhe pedi que fizesse todas as coisas que está tentando fazer".

A Sabedoria o Guiará ao Lugar Certo

> *Saía Davi aonde quer que Saul o enviava e se conduzia com prudência; de modo que Saul o pôs sobre tropas do seu exército, e era ele benquisto de todo o povo e até dos próprios servos de Saul* (1 Samuel 18.5).

Por acaso esse versículo chamou minha atenção outro dia e eu o sublinhei. Davi era um homem ungido para ser rei,[10] mas foi levado à casa de Saul para receber treinamento e se submeter à crucificação de sua carne.

Qualquer pessoa que seja ungida para a liderança vai deparar com um "Saul" em algum momento da vida. Deus usa os "Sauls" em nossa vida para tirar o Saul de dentro de nós. Deus sempre nos colocará em contato com alguém que nos servirá de esmeril para aplainar nossas bordas.

O fato de sermos ungidos para a liderança não quer dizer que iremos imediatamente assumir uma posição de liderança.

Há muito trabalho a ser feito em nós, mas um teste deve acontecer primeiro. Mais à frente, iremos analisar alguns dos testes do coração do líder pelo qual devemos passar antes de ser promovidos à liderança.

Depois de notar e sublinhar esse versículo sobre Davi servindo ao rei Saul, minha atenção foi atraída pelo versículo 14, que diz: *Davi lograva bom êxito em todos os seus empreendimentos, pois o Senhor era com ele.* Por que Davi teve bom êxito? Não foi só porque era ungido, mas porque agiu com sabedoria.

Você já percebeu quantas pessoas fracassam simplesmente porque não agem com sabedoria? Eu mesma, embora fosse ungida e dotada de dons, durante quantos anos me envolvi em dificuldades porque não usava a sabedoria. Descobri que sem sabedoria não chegamos a lugar algum. Por isso Deus deseja que tenhamos um coração sábio.

4. Um coração perfeito

> *Pois os olhos do Senhor passam por toda a terra, para mostrar-se forte para com aqueles cujo coração é perfeito para com ele* (2 Crônicas 16.9, Edição Contemporânea de Almeida).

Esse versículo diz que Deus procura pessoas cujo coração é perfeito para com Ele. O que significa ter um coração perfeito? Significa ter um desejo profundo no coração de fazer o que é certo e agradável a Deus.

Uma pessoa com o coração perfeito ama verdadeiramente a Deus, embora ela mesma não seja perfeita. Ela pode ter ainda coisas da carne que precisam ser corrigidas. Sua língua ainda pode lhe causar problemas. Ela pode cometer erros e perder a paciência. Mas, quando isso acontece, essa pessoa rapidamente se arrepende e conserta as coisas com Deus novamente. Se ofende alguém, humilha-se e pede perdão.

Se tivermos um coração perfeito para com Deus, Ele nos considera perfeitos e trabalha conosco em nosso esforço para manifestar essa perfeição.

Não sou perfeita, mas creio que tenho um coração perfeito para com Deus. Tenho certeza de que há coisas em meu coração que precisam ser expostas e retiradas; coisas que nem sei que estão lá. Mas creio que Deus nos responsabiliza somente por aquelas das quais temos consciência. Não tenho um desempenho perfeito. Ainda faço coisas de que me envergonho. Mas amo a Deus de todo o coração. Há muitas pessoas com o coração reto, e essas são as pessoas que Deus usa.

Eu costumava ler esse versículo e compreendê-lo mal. Achava que Ele dizia que os olhos de Deus percorriam toda a face da terra procurando alguém por meio de quem Ele pudesse se mostrar forte. E eu sempre pensava: **Puxa, preciso endireitar minha vida!** Então um dia eu prestei atenção ao restante do versículo, que fala sobre alguém cujo coração é perfeito para com Ele.

Quando Deus busca pessoas para usar, Ele não procura aquelas cujo desempenho seja perfeito mas que tenha uma atitude terrível no coração. Ao contrário, Ele procura alguém que pode até não ter um desempenho perfeito, mas que tenha um coração reto para com Ele.

Se você se encaixa nessa descrição, creio que por meio deste livro irá receber uma palavra de Deus que fará uma grande diferença em sua vida.

Deus tem todos os tipos de cargos disponíveis em seu reino. Para preencher esses cargos, Ele sempre rebaixa uma pessoa e promove outra.[11] Se não tivermos uma boa conduta e não mantivermos um atitude correta, poderemos perder ou não receber um cargo no qual Deus possa nos usar do modo que deseja. Ele pode nos promover, mas pode também nos rebaixar.

Em nossa organização, quando nos preparamos para promover alguém, não procuramos a pessoa mais talentosa; procuramos aquela que tenha uma atitude correta no coração; aquela que deseja fazer um pouco além do que lhe foi pedido.

Deus age assim. E uma das principais coisas que Ele busca quando está querendo promover alguém é um coração perfeito.

5. Um coração sensível

> *Antes, sede uns para com os outros benignos, compassivos (compreensivos, amorosos), perdoando-vos uns aos outros [pronta e livremente], como também Deus, em Cristo, vos perdoou* (Efésios 4.32).

Ter um coração sensível equivale a ter uma consciência sensível, e termos sensibilidade de consciência é algo vital para que Deus nos use.

Em 1 Timóteo 4.12, Paulo escreve: *Ora, o Espírito [Santo] afirma expressamente que, nos últimos tempos, alguns apostatarão da fé, por obedecerem a espíritos enganadores e a ensinos de demônios, pela hipocrisia dos que falam mentiras e que têm cauterizada a própria consciência.*

É muito perigoso ter um coração duro e uma consciência cauterizada, porque não seremos capazes de ver se estamos fazendo algo errado ou não. Um dos modos de desenvolvermos uma consciência sensível é nos arrependendo rapidamente quando Deus nos convence de algo, e não inventando desculpas.

Quando Deus nos mostra que fizemos algo errado, devemos simplesmente dizer: "Certo, Senhor; Tu estás correto, eu estou errado. Não há desculpas; então, por favor, perdoa-me e ajuda-me a não fazer isso novamente".

É impressionante como isso nos ajuda a ter uma consciência sensível perante Deus. Mas, assim que começamos a tentar dar justificativas ou desculpas para aquilo que fizemos de errado, passamos a desenvolver uma pequena calosidade em nossa consciência. Ficará um pouco mais difícil reconhecermos o problema na próxima vez em que ocorrer.

Por exemplo, se trato mal uma pessoa e não me arrependo, minha consciência começa a ficar com essa calosidade. Na próxima vez, minha consciência fica ainda mais calejada. Em pouco tempo, embora eu me apresente como uma pessoa que ama a Deus, Ele pode deixar de me usar, pois estou maltratando, desrespeitando e humilhando os outros. E o pior é que nem mesmo percebo que estou fazendo isso porque não tenho mais um coração e uma consciência sensíveis perante Deus.

Devemos nos lembrar de que Deus não se importa com nossos talentos ou com nossos dons; sua principal preocupação é com nossa atitude de coração. Se tivermos um coração disposto, reavivado, sábio, perfeito e uma consciência sensível, o diabo não tem outra opção a não ser sair de nosso caminho, porque nada poderá nos impedir de sermos usados por Deus.

Atos 23.1 descreve o tipo de consciência que Paulo tinha:

> *Fitando Paulo os olhos no Sinédrio, disse:Varões, irmãos, tenho andado diante de Deus com toda a boa consciência até ao dia de hoje [como cidadão e como um judeu verdadeiro e leal].*

Quantos de nós podem ir dormir à noite dizendo: "Bem, Senhor, posso ir para cama com a consciência totalmente tranquila.?"

Em Atos 24.16, Paulo descreve o que ele fez para manter sua consciência sensível:

> *Por isso, também me esforço [mortificando meu corpo, minhas afeições carnais, e desejos mundanos] por ter sempre consciência pura (inabalável, inculpável) diante de Deus e dos homens.*

Por que Paulo se empenhou em manter uma consciência pura? Porque sabia que não poderia ministrar com um coração duro. Ele sabia que se quisesse ajudar os outros teria de manter sua consciência sensível perante Deus.

Creio que, regularmente, esta deve ser a nossa oração: "Senhor, ajuda-me a ter um coração e uma consciência sensíveis perante o Senhor".

6. Um coração fiel

> *Por isso, santos irmãos, que participais da vocação celestial, considerai atentamente o Apóstolo e Sumo Sacerdote da nossa confissão, Jesus, o qual é fiel àquele que o constituiu, como também o era Moisés em toda a casa de Deus* (Hebreus 3.1-2).

Em Hebreus 3, vemos que tanto Moisés quanto Jesus eram fiéis. No Novo Testamento, a palavra grega traduzida como "fiel" tem o sentido de "ser confiável".[12]

Você sabe o que significa ser confiável? Significa que temos de cumprir nossa palavra. Se dissermos a alguém que iremos fazer algo, precisamos fazer o que falamos. Se dissermos que vamos estar em algum lugar em certa hora, precisamos estar lá naquele horário.

É impressionante a quantidade de pessoas que não são confiáveis. Não podemos confiar que realmente cumprirão a palavra quando dizem que irão fazer tal coisa ou estar em determinado lugar.

Repito: não importa o quão talentosa a pessoa seja; se ela não for fiel, Deus não vai usá-la. E precisamos compreender que Deus testa nossa fidelidade. Não basta dizer: "Ah, claro que sou fiel", pois Deus dirá: "Vamos ver".

Sabem como Deus testa nossa fidelidade? Ele nos dá algo para fazer num momento em que não gostaríamos de fazê-lo; algo que não queremos fazer; algo que não seja interessante; algo que exija que nos submetamos à autoridade de alguém por um tempo; e em qualquer dessas situações Ele fala ao nosso coração: "Seja fiel".

Durante cinco anos, trabalhei no ministério de outra pessoa. A partir dessa experiência surgiu o Ministério Vida na Palavra. Eu tinha um chamado poderoso em minha vida, o que significava que eu tinha de ser fiel. Fui fiel durante um tempo, mas não com a atitude correta no coração. Deus teve de ir me corrigindo até eu aprender a ser fiel e, ao mesmo tempo, ter uma boa atitude.

A fidelidade não implica somente comparecer todos os dias ao trabalho; implica, além disso, mostrar, diariamente, uma boa atitude. Deus recompensará esse tipo de fidelidade. Lucas 16.12 nos fala que se formos fiéis com aquilo que pertence a outro, Deus nos dará o que é nosso.

Gosto muito de saber que estou cercada de pessoas fiéis e confiáveis. Esta é uma das chaves mestras para alguém ser um bom líder.

Os outros podem contar com que você seja um pouco mais fiel e um pouco mais confiável? Essa é a pergunta que devemos nos fazer periodicamente. Lembre-se: se você fizer isso, se você for um pouco mais fiel do que lhe foi pedido, Deus vai colocá-lo como líder de muitos.[13]

7. Coração firme e longânimo

Firme está o meu coração, ó Deus, o meu coração está firme (Salmo 57.7).

O que significa ter um coração firme? Significa ter uma consciência bem definida, não sujeita a mudanças descabidas.

Se quisermos experimentar vitória em qualquer área, devemos ser determinados. Se quisermos ver a vontade de Deus sendo feita em nossa vida, seguir e andar guiados pelo Espírito, ou fazer tudo o que vale a pena na vida, devemos agir resolutamente. Precisamos de muita "determinação santa".

Agora, de nada adianta sermos determinados se não nos submetermos à vontade de Deus. Conhecemos Sua vontade lendo Sua Palavra, pois ela é a vontade dEle. Mas também de nada adianta conhecermos a vontade de Deus se não estivermos determinados a vê-la se tornar real em nossa vida. Por quê? Porque o diabo está à espreita, em todo lugar, para roubar de nós essa vontade.

Devemos entender que haverá oposição. O diabo não vai colocar um tapete vermelho para passarmos porque decidimos ser salvos e servir ao Senhor. Muito ao contrário: ele vai tentar nos impedir sempre. Em Gálatas 5.17, lemos: *A carne milita contra o Espírito [Santo], e o Espírito, contra a carne (desejos humanos de natureza mundana), porque são opostos entre si; para que não façais o que, porventura, seja do vosso querer.*

Não creio que podemos ter esperança de sermos bem-sucedidos nessa batalha se tivermos um espírito desanimado. Devemos tomar uma decisão firme e não mudá-la.

Alguns tomam uma decisão, mas, assim que as dificuldades surgem, mudam de ideia. É impressionante quantas pessoas querem se dedicar ao ministério, mas isso só dura até descobrirem como ele realmente é.

Fico realmente preocupada quando vejo pessoas que mudam de ideia a toda hora. Sempre têm um novo chamado ou uma nova visão. Elas começam tendo um chamado para o ministério carcerário. Quando descobrem o quão difícil é esse ministério, elas são chamadas para o ministério de evangelismo. Quando descobrem o quanto esse ministério é difícil, são chamadas para o ministério de música.

O problema é que, por causa da mentalidade de nossa sociedade, sempre buscamos algo fácil. Achamos que tudo deveria ser instantâneo, funcionando com um simples pressionar de um botão. Se algo não puder ser preparado no microondas, não nos interessa! Porém, não há "ministérios de microondas". Na verdade, tudo o que queremos fazer com a velocidade de um microondas não vale a pena – exceto os produtos próprios para microondas!

Muitas pessoas parecem não conseguir decidir o que querem fazer. Precisamos saber o que queremos fazer e precisamos de um coração firme e longânimo. Precisamos ser totalmente determinados a fazer o que devemos, afirmando: "Estou determinado a servir a Deus. Estou determinado a fazer a vontade dEle. Estou determinado a cumprir o chamado dEle para minha vida. Estou determinado a ser feliz. Estou determinado a andar em paz".

Temos de ser determinados se quisermos ter o que Deus deseja que tenhamos. A vontade dEle não vai acontecer por acaso em nossa vida. Temos de trabalhar em parceria com Deus. Ele sempre fará sua parte, mas precisamos também fazer a nossa. Parte do que temos de fazer é não desistir. Temos de estar cheios de "determinação santa" para perseverarmos até vermos o plano de Deus se cumprir em nossa vida.

8. Um coração confiante

> *Meu coração está tranquilo e confiante, ó Deus!* (Salmo 57.7, A Bíblia Viva).

Essa passagem diz que nosso coração deve ser não apenas firme, como também confiante.

Descobri que se manter firme todo o tempo é algo essencial para o sucesso do ministério. Descobri que até mesmo quando estou ocupada ministrando, o diabo tenta introduzir pensamentos em minha mente que me fazem perder a confiança.

Por exemplo, se duas ou três pessoas olham para o relógio, o diabo sussurra: "Elas estão tão entediadas que não veem a hora de ir embora". Se algumas pessoas se levantam e saem para ir ao banheiro, o diabo diz: "Elas estão saindo porque não estão gostando da sua pregação". Quando as pessoas estão de pé, cantando, é muito comum o diabo dizer: "Ninguém está gostando. Você escolheu a música errada. Devia ter escolhido outra. Sua voz é péssima. Você está desafinando". E assim por diante.

A mente é um campo de batalha, e o diabo mente para nós por meio de pensamentos equivocados. O que ele tenta todo o tempo é roubar nossa confiança.

> *Insista na "santa determinação", e o plano de Deus se cumprirá em sua vida.*

Em tudo o que fizermos para o Senhor o diabo irá tentar fazer alguma coisa para que percamos a confiança. Ele não quer que tenhamos confiança em nossas orações. Não quer que creiamos que ouvimos a Deus. Não quer que tenhamos confiança em relação ao nosso chamado. Não quer que acreditemos que as pessoas gostam de nós; que somos bonitos, inteligentes; que sabemos alguma coisa. Ele quer que nos sintamos fracassados. É por isso que precisamos ter um coração confiante todo o tempo.

Não devemos nos levantar da cama à força todos os dias com medo ou desânimo. Ao contrário, devemos nos levantar todas as manhãs preparados para manter Satanás debaixo de nossos pés.

Como fazer isso? Declarando, com confiança, o que a Palavra diz sobre nós: "Sou mais do que vencedor em Jesus".[14] "Tudo posso naquele que me fortalece".[15] "Sou triunfante em todas as situações porque Deus me faz triunfar".[16] Como veremos, isso não só faz com que o diabo nos deixe em paz, mas também fortalece nossa confiança.

Foi isso o que Davi fez. Devemos ter a mesma atitude dele quando declarou no Salmo 27.3: *Ainda que um exército se acampe contra mim, não se atemorizará o meu coração; e, se estourar contra mim a guerra, ainda assim terei confiança.* Davi estava dizendo: "Não importa quantos demônios venham contra mim; minha confiança está no Senhor".

Muitas vezes, quando o diabo começa a nos atacar, nossa confiança começa a desvanecer porque começamos a pensar: **O que fiz de errado? Por que minha fé não está dando resultado?** Quando temos um problema, o diabo quer nos fazer perguntar: "Qual é o problema comigo?" Mas não há problema nenhum conosco. O diabo é que está com problemas.

Isso não quer dizer que não podemos ter problemas, que não há momentos em que abrimos as portas para o inimigo. Mas, mesmo assim, isso não significa que temos de desistir de nossa confiança de que Deus nos ama e que vai nos resgatar de toda confusão que causamos, nos endireitar e continuar a nos abençoar – e nos ensinar algo nesse processo.

O apóstolo Paulo nos garante isso em Filipenses 1.6: *Estou plenamente certo de que aquele que começou boa obra em vós há de completá-la até ao Dia de Cristo Jesus [quando Ele há de voltar].*

O diabo está constantemente atacando nossa confiança, tentando nos convencer de que nunca poderemos fazer nada. Ele quer que pensemos que nunca conseguiremos controlar o nosso temperamento, que nunca aprenderemos a ser pacientes, que nunca conseguiremos ficar acordados orando, que nunca nos lembraremos do que lemos na Bíblia, que nunca passaremos um dia sequer sem gritar com nossos filhos, que nunca teremos controle sobre nossa língua, e assim por diante. O diabo está sempre tentando incutir pensamentos negativos em nossa mente e em nosso coração. Tudo o que ele diz é sempre "nunca, nunca, nunca": "Você nunca será diferente. Você nunca vai mudar. As coisas nunca vão dar certo para você. Sua vida nunca vai melhorar. Você nunca será o que Deus o chamou para ser".

É justamente aí que precisamos pegar nossa Bíblia e ler a Palavra para o diabo, dizendo: "É isso o que você acha, Satanás? Bem, então ouça isto!"

Precisamos replicar ao diabo com mais frequência!

Tenha Confiança no Seu Futuro

Algumas pessoas têm dificuldade de replicar ao diabo, mas Jesus fez isso. Em Lucas 4, toda vez que Satanás o tentava, Jesus lhe respondia: "Está escrito...", e citava uma passagem das Escrituras para o diabo. Foi assim que ele o derrotou.

Às vezes acho que somos preguiçosos demais para fazer isso. Deixamos que o diabo nos faça sentir péssimos quando poderíamos pôr um fim a tudo se simplesmente pegássemos a Bíblia e disséssemos a ele: "Satanás, estou cansado de suas mentiras. Não quero mais ouvir essas coisas. Ouça isto: "..." E começássemos a citar a Palavra de Deus.

Lembre a Satanás que ele foi derrotado na cruz muitos anos atrás, que Jesus tem as chaves da morte e do inferno, e deu aos crentes a autoridade sobre ele. Diga-lhe que você sabe que ele é o pai da mentira e que nele não há verdade. Diga o que Deus acha de você, não o que o diabo diz. Diga que você é a cabeça, e não a cauda; que você está acima, não abaixo; que você é abençoado por Deus e que Ele o ama muito.[17]

Se quisermos alcançar vitória, precisamos fazer essas coisas na privacidade de nosso lar. É ótimo ir a uma reunião e ficar animado e fortalecido, mas a verdadeira vitória tem de ser conquistada em nossa casa, que é a nossa frente de batalha. Temos de *lutar o bom combate* [18] individualmente. Ninguém vai fazer isso por nós. Temos de fazê-lo sozinhos. Outras pessoas podem até nos encorajar, amar e orar por nós, mas, quando chega o momento do "vamos ver," cada um tem de saber quem é em Cristo e estar determinado a não desistir.

Seja confiante quanto ao chamado de Deus para sua vida. Creia que você ouve a voz dEle, que você o tem agradado, que Ele vai suprir suas necessidades. Seja confiante no fato de que Deus o ama e tem um grande futuro planejado para você, como Ele diz em Jeremias 29.11: *Eu é que sei que pensamentos tenho a vosso respeito, diz o Senhor; pensamentos de paz e não de mal, para vos dar o fim que desejais.*

Satanás quer que você seja condenado pelo seu passado, mas Deus quer que você seja confiante quanto ao seu futuro.

9 As Condições Positivas do Coração — Parte 2

Você está caminhando no sentido de desenvolver as qualidades de liderança que Deus colocou em sua vida. Deus deu a cada um de nós dons e capacitação para a liderança. Mas, com a ajuda dEle, precisamos desenvolver essas qualidades. Isso requer esforço, e nem sempre temos vontade de nos esforçar.

A esta altura, você pode ter descoberto que seu coração está um caos em consequência de anos de atitudes incorretas no coração. Se esse for o caso, não se sinta desencorajado. Como disse anteriormente, todos temos alguma área no coração que precisa ser tratada.

Aceite e encare esse fato. Enquanto lê sobre as condições positivas do coração, eu o encorajo a fazer tudo o que for preciso para pôr o seu coração em ordem, e o incentivo a repetir esse processo tantas vezes quanto necessário, até alcançar resultados positivos.

9. Um coração alegre

> *O coração alegre é bom remédio, mas o espírito abatido faz secar os ossos* (Provérbios 17.22).

Uma das formas de manter o coração alegre é ouvir música. Quando ouvimos música, acabamos cantarolando junto, mesmo quando nem o percebemos. Quando temos um coração alegre, temos júbilo no coração, mesmo enquanto trabalhamos.

Também podemos ter mais energia e vitalidade, pois a Bíblia diz que a alegria do Senhor é a nossa força.[1]

A escolha é nossa: ao enfrentar os problemas, podemos murmurar ou podemos cantar. Já que de qualquer modo teremos de passar pelos problemas, então é preferível que o façamos alegremente.

Creio que Provérbios 17.22 nos ensina algo precioso: *O coração alegre é bom remédio.* Aprendemos, com isso, que se fôssemos mais alegres, poderíamos ser mais saudáveis. E Provérbios 15.13 diz: *O coração alegre aformoseia o rosto, mas com a tristeza do coração o espírito se abate.* A Bíblia usa a palavra "rosto", "semblante" em muitas partes, então devemos prestar mais atenção nisso. Nosso semblante representa o modo como somos vistos. Deus se preocupa com nosso semblante e com o modo como estamos, pois ou somos propagandas ambulantes de Jesus, ou somos propagandas ambulantes de Satanás. Por isso é tão importante aprendermos a ter um semblante alegre e um rosto de aparência agradável.

Meu marido tem uma secretária que está sempre sorrindo. Tudo o que ele lhe pede para fazer ela faz com um sorriso. Acho que é assim que Deus quer que sejamos. Quando sorrimos, deixamos os outros à vontade. Isso lhes dá liberdade e um sentimento de confiança. É impressionante como nos sentimos confortáveis e seguros quando sorrimos uns para os outros e como nos sentimos desconfortáveis e inseguros quando alguém está com o semblante fechado.

Quando sorrimos, deixamos os outros à vontade.

Às vezes, nossos problemas não são causados pelo diabo, e sim pela forma como nos sentimos e agimos. Precisamos nos alegrar. Quando relaxamos e sorrimos, nos sentimos melhor e fazemos com que os outros ao nosso redor também se sintam melhor.

Um de meus versículos favoritos é João 10.10, em que Jesus diz: *O ladrão vem somente para roubar, matar e destruir; eu vim para que tenham vida e a tenham em abundância (de forma plena, transbordante).* Gosto muito desse versículo porque durante muitos anos de minha vida eu achava que era errado me divertir. Para falar a verdade, o

Senhor teve de me relembrar disso bem recentemente, dizendo-me: "Joyce, quero que aproveite a vida".

Sou muito dedicada ao trabalho. Às vezes me envolvo tanto com o trabalho que me esqueço de que não há nenhum problema em descansar e aproveitar a vida. Meu marido consegue fazer isso muito bem. Toda manhã ele se levanta cantarolando. Já eu, se não me policiar, logo que acordo começo a procurar pensar em algo para resolver. Se eu não tiver um problema pessoal para resolver, tento resolver o problema de outros. Parece que tenho necessidade de sempre ter algo para solucionar e buscar a Deus para me ajudar. É difícil, às vezes, entrar na minha cabeça dura que Deus quer que eu simplesmente saia de casa, sinta o cheiro das flores, vá ao zoológico, me sinta feliz por estar viva. Foi isso que Ele quis dizer quando me falou: "Joyce, quero que aproveite a vida".

Deus é vida, e tudo de bom que Ele criou faz parte da vida. Mas nós ficamos tão envolvidos pelo turbilhão de fazer e conquistar coisas, trabalhando e cumprindo nossos compromissos, tentando competir e seguir com a vida que, se não tomarmos cuidado, chegaremos ao final da vida e, de repente, perceberemos que nunca vivemos de verdade.

Não creio que Deus tenha criado o mundo e tudo de bom que nele há para que vivêssemos aqui apenas nos preocupando, lutando e nos sentindo frustrados tentando resolver problemas o tempo todo. Ele quer que aproveitemos a vida. Foi isso o que Jesus disse em João 10.10: Ele veio para que pudéssemos ter e aproveitar a vida; uma vida abundante, plena, transbordante.

Quando Jesus falou do inimigo no mesmo versículo, Ele não estava se referindo somente a Satanás. Ele fazia alusão também ao sistema religioso da época.

Se há algo que suga a alegria da vida é a religião morta e árida. Aliás, a Bíblia não fala de religião. Ela fala de um relacionamento pessoal com Jesus Cristo. Já a religião nada mais é do que um conjunto de normas e regras que teríamos a obrigação de seguir para, supostamente, manter Deus feliz.

Os religiosos têm medo da liberdade. Têm medo de fazer algo um pouco diferente do que os demais religiosos fazem porque podem pisar um pouco fora da sua bem delimitada "faixa de segurança".

Às vezes, tento ser diferente de propósito. Fico com um pouco de ira santa quando tentam me aprisionar em uma caixinha de fósforo. Fico um pouco mal-humorada e em seguida apareço com alguma "novidade".

Jesus se irou contra os religiosos de sua época. Ele os chamou de sepulcros caiados cheios de ossos mortos.[2] Eles não tinham vida verdadeira dentro de si, e o ministério deles era exercido de modo a escravizar as pessoas ao invés de libertá-las. Certa vez li que quando Jesus veio, os religiosos haviam pegado os dez mandamentos e transformado-os em duas mil regras e normas que todos deveriam seguir. Você consegue imaginar o aprisionamento que todas essas normas causava na alma das pessoas e como elas se sentiam sempre culpadas por não conseguirem cumpri-las?

Muitos estão sempre lutando contra o desânimo porque sofreram algum ataque do inimigo. Porém Jesus não morreu por nós para que tivéssemos de travar uma batalha contínua e interminável. Ele quer que experimentemos a vitória. Mas o problema é que não estamos tão determinados a usufruir tudo aquilo que ele conquistou para nós por intermédio de sua morte.

Durante a maior parte de minha vida, não fui essa pessoa alegre. Fui salva, cheia do Espírito e me envolvi no ministério, mas isso não me proporcionava a alegria de aproveitar as coisas boas da vida. Eu aceitava as responsabilidades e fazia meu trabalho porque sou assim por natureza. Sou uma pessoa muito responsável. Não só assumo as responsabilidades de minha própria vida, mas também as dos outros, se eles não tomarem cuidado.

Dave lida com as coisas de forma muito diferente. Por exemplo, quando eu disciplinava nosso filho mais velho, David, por ter feito algo errado, eu não conseguia ficar tranquila depois de corrigi-lo. Dave, claro, dizia a ele o que tinha de dizer e voltava ao trabalho sem pensar mais no assunto.

Então, comecei a pensar: **O que há de errado comigo? Por que não consigo ficar tranquila como Dave?**

Por fim, Dave me disse: "Joyce, você assume a responsabilidade de fazer com que David se sinta feliz novamente. Mas isso não cabe a você. Seu compromisso é apenas discipliná-lo. Mas sobre quanto tempo ele levará para ficar alegre novamente, isso é uma questão entre ele e Deus".

Cresci num lar problemático, onde ninguém era feliz. Por isso, sempre tentava fazer toda minha família se sentir alegre. Eu estava sempre fazendo o papel de pacificadora entre as pessoas que faziam parte da minha vida. Sempre perguntava: "O que posso fazer para que você fique feliz?" Sempre tentava consertar a vida dos outros e nunca aproveitava a minha própria vida. Então tive de aprender a me libertar e aproveitar a vida.

Temos de aprender a apreciar o que fazemos. Não importa que tipo de trabalho você tenha; aprecie-o. Não passe a vida esperando que as circunstâncias mudem para que você seja feliz. Aprenda a ser feliz agora.

Não saia por aí falando o tempo todo sobre como você se sente. Aprenda a tomar certas decisões. Faça determinadas coisas de propósito. Vá em frente, mesmo que não sinta vontade, e faça o que for necessário para ser feliz. Isso vai deixar o diabo morrendo de raiva. Em João 15, Jesus fala de permanecer nEle. E permanecer em Cristo significa ficar num lugar de descanso. No versículo 11 desse capítulo, Ele diz: *Tenho vos dito estas coisas para que o meu gozo esteja em vós, e o vosso gozo seja completo.*

Minha interpretação desse versículo é no sentido de que Jesus quer que sejamos alegres. Ele diz isso aqui e também em João 10.10. Em João 17.13, Ele orou ao Pai pelos seus discípulos dizendo: *Mas, agora, vou para junto de Ti e isto falo no mundo para que eles tenham o meu gozo completo em si mesmos [para que possam ser cheios do meu regozijo; que o meu júbilo seja aperfeiçoado na alma deles; que possam experimentar dentro de si a minha alegria enchendo-lhes o coração].*

Jesus quer que sejamos alegres. Ele quer que tenhamos um coração feliz. Ele quer que tenhamos um sorriso no rosto para que todos ao nosso redor se sintam alegres e confiantes. Mas às vezes somos egoístas demais para nos importar com a maneira como os outros se sentem. Mesmo assim, vamos à igreja, damos um tapinha no ombro das pessoas e dizemos: "Eu o amo com o amor de Jesus".

Na verdade, nosso amor fraterno se revela nas pequenas coisas que fazemos pelos outros – ou não fazemos porque não sentimos vontade. Que diferença poderíamos fazer em nossa casa, na igreja e no mundo se começássemos a ser um pouco mais agradáveis, simplesmente sorrindo uns para os outros, com um coração alegre!

10. Um coração novo

> *Dar-lhes-ei um só coração [coração novo], espírito novo porei dentro deles; tirarei da sua carne o coração de pedra [endurecido de forma anormal] e lhes darei coração de carne [sensível, que reage ao toque de Deus]* (Ezequiel 11.19).

A Bíblia diz que devemos ter um coração novo. Em Ezequiel 11, Deus promete dar a seu povo um novo coração para substituir o coração de pedra que há dentro deles. Esse novo coração será sensível e aberto a Ele.

Essa promessa se repete em Ezequiel 36.26, onde o Senhor diz: *Dar-vos-ei coração novo e porei dentro de vós espírito novo; tirarei de vós o coração de pedra e vos darei coração de carne.*

Ficamos sabendo o que é receber um coração novo no momento de nosso novo nascimento. O novo nascimento ou nascimento espiritual ocorre quando recebemos Jesus em nosso coração. O novo nascimento nos tira de nossa vida mundana e nos coloca "em Cristo", e passamos a ter uma nova forma de pensar, de agir e de falar.[3] Mas mesmo depois dessa experiência, lemos em Romanos 12.2 que precisamos ter a mente completamente renovada. Em Efésios 4.23, está escrito que devemos ser constantemente renovados em nossa mente, com uma atitude espiritual e mental nova. As atitudes começam na mente. Nossa mente é renovada pela Palavra de Deus. Ler a Palavra diariamente renova nossa mente e muda nossas atitudes.

Se quisermos ser líderes a serviço de Deus, devemos servir-Lhe adequadamente, demonstrando uma atitude mental e espiritual que Ele deseja que tenhamos e mantendo um coração novo todo o tempo.

Temos de fazer ajustes todos os dias, e geralmente muitas vezes ao dia, porque é muito fácil termos atitudes negativas. Deus não quer que tenhamos um coração incorreto, mas um novo coração.

11. Um coração compreensivo

> *Filho meu, se aceitares as minhas palavras e esconderes contigo os meus mandamentos, para fazeres atento à sabedoria o teu ouvido e para inclinares o coração ao entendimento [usando tuas forças para buscá-lo], e, se clamares por inteligência, e por entendimento alçares a voz, se buscares a sabedoria como a prata e como a tesouros escondidos a procurares, então, entenderás o temor do Senhor e acharás o conhecimento de Deus [onisciente]* (Provérbios 2.1-5).

Precisamos buscar a compreensão. Temos de compreender a Palavra e a vontade de Deus, compreender a nós mesmos e aos outros. Uma das razões pelas quais não compreendemos as pessoas é o fato de serem diferentes de nós. E achamos que se os outros são diferentes de nós, deve haver algo de errado com eles. Não conseguimos compreendê-los de modo algum.

Precisamos pedir a Deus um coração compreensivo, pois a compreensão é uma das condições do coração que todos temos de ter para ministrar aos outros. Como podemos ministrar aos outros se não fazemos ideia daquilo pelo que estão passando?

Uma das formas de compreender o que as pessoas estão passando é passarmos pela mesma situação. Não temos de passar exatamente pelas mesmas coisas, mas não creio que uma pessoa possa compreender a dor de outra sem ter passado por algum sofrimento semelhante.

É impressionante como nos importamos e temos compaixão de alguém que passa pela mesma situação pela qual já passamos, e como somos levianos e julgamos a pessoa quando nunca passamos pela mesma situação dela. Podemos até ter soluções prontas, como: "A irmã precisa apenas confiar em Deus". Como nossa reação é diferente quando estamos enfrentado meses de dor e alguém vem até nós com um problema semelhante. Damos um grande abraço na pessoa e dizemos: "Ah, eu compreendo o que você está sentindo".

Todos queremos compreensão. É uma das coisas que imploramos a Deus quando passamos por momentos difíceis. Queremos ser compreendidos, e Jesus nos compreende, como vemos em Hebreus 4.15-16:

Porque não temos sumo sacerdote que não possa compadecer-se das nossas fraquezas; antes, foi ele tentado em todas as coisas, à nossa semelhança, mas sem pecado. Acheguemo-nos, portanto, confiadamente, junto ao trono da graça (o trono do favor imerecido de Deus a nós, pecadores), a fim de recebermos misericórdia [devido às nossas falhas] e acharmos graça para socorro em ocasião oportuna [que chega exatamente no momento em que mais precisamos].

Jesus pode nos ajudar porque Ele sabe pelo que estamos passando. Sabemos que podemos nos abrir com Ele porque Ele compreende. Se tivermos medo de sermos julgados e rejeitados, não nos abriremos, e nem as pessoas se abrirão conosco.

Por isso, nós, como líderes, devemos ter um coração compreensivo. Devemos buscar a compreensão. E um dos modos de fazer isso é pararmos um pouco e nos colocarmos na pele das outras pessoas.

Sinceramente, creio que nas igrejas, hoje, somos muito egoístas, egocêntricos. Só pensamos em nós mesmos. Se realmente pensássemos nos outros, teríamos mais disposição de fazer algo por eles.

Creio que todas as vezes que Jesus orou por alguém, Ele o fez movido por compaixão. Recordo-me de um exemplo na Bíblia no qual um homem veio até Ele pedindo-Lhe que curasse seu filho, libertando-o de demônios que o possuíam e lhe causavam grande sofrimento. Jesus perguntou ao homem: "Há quanto tempo ele está assim?"[4] Isso não fazia diferença alguma para que Jesus pudesse curá-lo. Creio que Ele fez essa pergunta porque queria ter mais compaixão do que já sentia pelo homem e pelo seu filho.

Devemos nos preocupar com as pessoas perguntando-lhes a respeito da situação delas: "Há quanto tempo isso está acontecendo?" "Onde dói, e há quanto tempo?"

Quando alguns crentes perguntam a uma pessoa como tem passado e ela responde que está passando por grande dificuldade, temos a tendência de dizer: "Mesmo assim louve ao Senhor!" Mas quando somos nós que estamos magoados e numa situação difícil, não é uma resposta assim que queremos. Queremos que a pessoa sinta compreensão e compaixão.

Meu tio e minha tia eram cristãos maravilhosos, mas não tiveram a mesma experiência de vida cristã que a maioria de nossos amigos teve. Quando meu tio morreu, por consideração, algumas pessoas de meu ministério foram ao funeral. Uma delas pessoas viu minha tia chorando e disse, sem intenção de magoá-la: "Apesar disso, louve ao Senhor".

Minha tia ficou ofendida. Isso realmente a perturbou durante muito tempo. Ela dizia: "Por que é que alguém me diria para louvar ao Senhor porque meu marido morreu?"

Obviamente, em situações assim, devemos continuar a louvar ao Senhor, mas quando alguém está sofrendo, como minha tia estava, esse tipo de resposta não consola. Em 1 Coríntios 9.20, Paulo diz que, se estivesse com um judeu, agiria como um judeu; se estivesse com um grego, agiria como um grego; enfim, agiria conforme a circunstância com o objetivo de ganhá-los para Cristo, e não ofendê-los. Em parte, isso significa não sermos egoístas.

Em vez de sermos egocêntricos, pensando somente em nós mesmos, precisamos ser mais sensíveis e compreensivos com os outros. Tornamo-nos assim buscando a Deus, lendo sua Palavra, orando e falando com Ele diariamente. Buscar a vontade dEle nos leva a ter um coração compreensivo.

12. Um coração determinado

> *Este é o desígnio [de Deus] que se formou concernente a toda a terra; e esta é a mão que está estendida sobre todas as nações. Porque o Senhor dos Exércitos [que é onipotente] o determinou; quem, pois, o invalidará? A sua mão está estendida; quem, pois, a fará voltar atrás?* (Isaías 14.26-27).

Essa passagem nos fala que Deus é um Deus de propósitos, e que quando Ele determina seus propósitos eles se cumprirão.

Jesus conhecia seu propósito. Como já vimos em João 10.10, Ele disse que veio ao mundo para que tivéssemos vida. Em João 18.37, Ele disse a Pilatos: *Eu para isso nasci e para isso vim ao mundo, a fim de dar testemunho da verdade... Para isso se manifestou o Filho de Deus: para destruir as obras do diabo.*[5]

Creio que todos precisamos conhecer o propósito de Deus para nós, mas muitos não o conhecem. Ficamos frustrados porque sentimos que não há um propósito para nós. Se nos sentimos sem propósito, sentimo-nos inúteis e sem valor. Mas temos de compreender que passamos por diferentes fases em nossa vida.

É possível que neste exato momento você esteja passando por um momento de transição entre uma fase e outra. Se for o caso, não desanime. Deus lhe mostrará o que Ele deseja que você faça quando chegar à fase seguinte. Talvez seja necessário que você tome a iniciativa de fazer determinadas coisas para descobrir com qual delas se identifica mais. E seja ela qual for, pode ter certeza de que a sua vida tem, sim, um propósito, e você só se sentirá realizado quando descobri-lo e começar a agir no sentido de cumpri-lo.

Deus tem um propósito para cada um de nós. Ele deseja que nos alegremos e aproveitemos a vida que nos deu; contudo isso pode variar de pessoa para pessoa e de uma fase da vida para outra conforme o propósito específico de cada um.

De início, o propósito pode consistir em casar-se e constituir uma família. Esse é um chamado importante. Porém, depois que os filhos se tornarem independentes, o propósito para nós pode ser o de conduzir outros a Cristo por meio do louvor e adoração. Enfim, seja qual for o nosso propósito, precisamos conhecê-lo e nos empenhar para cumpri-lo.

Sou uma pessoa com propósitos e não reclamo disso, pois creio que quem tem propósitos alcança muitas realizações na vida. O líder precisa saber quais são os seus propósitos para, então, *de propósito, propor-se* a cumprir os seus propósitos. Se não agir assim, nunca conseguirá cumpri-los.

Até a prática do amor tem de ser *de propósito*. Não amamos simplesmente porque queremos amar; amamos porque fazemos o propósito de amar. O amor não é um sentimentalismo exacerbado que desenvolvemos pelos outros, mas uma decisão que tomamos com relação a eles.

O mesmo vale para o ato de contribuir. Não damos simplesmente porque sentimos vontade, e sim porque sentimos a convicção de que é isso que Deus quer que façamos. Por isso damos de propósito e com um propósito.

O mesmo se aplica também à pratica da misericórdia, da bondade e da obediência ao Espírito. Fazemos essas coisas não necessariamente porque sempre nos sentimos dispostos a tal, mas porque sabemos que para isso fomos chamados. O amor, a alegria, a paz, a paciência, a mansidão, a bondade e todos os outros frutos do Espírito [6] tornam-se marcas do Espírito Santo, que passa a habitar em nós quando recebemos Jesus como nosso Salvador. E só poderemos manifestar esses frutos se tivermos o propósito de fazê-lo.

Pela nossa vontade carnal, todavia, quase nunca estaremos dispostos a fazer essas coisas. É por isso que precisamos decidir que vamos amar de propósito, contribuir de propósito, estar em paz de propósito. Se quisermos ter paz, teremos de fazer o propósito de realmente estar em paz, pois todos os dias o diabo tentará roubá-la de nós inúmeras vezes.

Tudo o que formos fazer pelos outros teremos de fazê-lo de propósito, e a maneira de conseguirmos isso é tornando-nos pessoas com propósitos, o que é característico de um coração determinado.

13. Um Coração Reflexivo

> *Maria, porém, guardava todas estas palavras, meditando-as no coração* (Lucas 2.19).

Como vimos anteriormente, é importante ter um coração reflexivo, e não um coração questionador. Deus não quer que tenhamos um coração questionador. Ele não quer que encontremos uma resposta para tudo na vida. Mas Ele quer que reflitamos.

Podemos claramente saber quando estamos deixando de refletir para questionar quando nos sentimos confusos. Se estamos confusos, não refletimos no coração; estamos questionando com a mente.

Algumas coisas muito sérias estavam acontecendo na vida de Maria. Ela era uma jovem meiga que amava a Deus, quando um anjo do Senhor lhe apareceu e lhe disse que ela seria mãe do Filho de Deus.

Ela certamente começou a pensar em José, o homem com quem estava noiva. Deve ter começado a pensar nele e nos pais dela, imaginando como iria dar-lhes aquela notícia e como iriam reagir. Provavelmente começou a se perguntar se alguém iria acreditar em sua história.

Mas seja o que for que Maria tenha pensado ou sentido, ela controlou seus pensamentos e sentimentos e disse ao anjo: "Que se cumpra em mim conforme a tua palavra".[7]

Então, quando o nascimento finalmente aconteceu e os anjos apareceram aos pastores e lhes disseram que fossem à estrebaria adorar o Cristo, os pastores contaram a Maria, a José e a todos o que havia ocorrido. Essas são as coisas que Maria guardou no coração e sobre as quais refletiu, conforme Lucas 2.19.

Creio que quando Deus nos fala algo, muitas vezes, precisamos guardar para nós mesmos. Quando Deus nos fala algo, Ele nos dá a fé necessária para crermos no que Ele disse. Mas se tentarmos contar aos outros, provavelmente acharão que enlouquecemos.

Vocês nem imaginam as coisas que me disseram quando contei às pessoas que Deus havia falado ao meu coração chamando-me para o ministério. Conhecendo minha história familiar e a condição em que me encontrava naquela época, o que me disseram não foi nada encorajador.

Esse é um dos problemas quando compartilhamos coisas demais com os outros: nos desencorajam ao invés de encorajar. Há também aqueles que nem sempre têm fé para crer no que Deus nos falou.

Alguém já disse que eu e Dave mantemos o nosso ministério com o dom da fé. Percebo que isso é verdade mesmo. De fato recebemos o dom da fé para fazer aquilo que fazemos.

Quando Deus nos chama para fazer algo, Ele também nos dá a fé necessária para fazê-lo. Não precisamos ficar inquietos, com medo de não sermos capazes de fazer o que Ele nos mandou fazer.

Não tenho mais medo de multidões ou do que os outros pensam de mim. Não tenho mais medo em relação ao dinheiro de que precisamos para pagar nossas contas no ministério, embora sejam extremamente altas porque estamos no rádio e na televisão.

O ministério na mídia é muito caro. Mas isso não me deixa mais com medo. Já o tive, no passado, mas agora não mais. Agora, quando temos a oportunidade de ir para uma nova estação ou canal de televisão que custa muito dinheiro, eu simplesmente digo: "Claro que podemos!". Esse é o dom da fé.

Quando temos o dom da fé, as coisas parecem fáceis. Mas, para quem não tem esse dom, as mesmas coisas podem parecer impossíveis.

Quando Deus falou com Maria por intermédio do anjo, havia um dom de fé que veio com a palavra do Senhor para que ela fosse capaz de dizer: "Que se cumpra em mim conforme a Tua palavra". Além disso, ela também foi sábia ao não sair de porta em porta dizendo: "Acabei de ser visitada por um anjo que me disse que vou ter o Filho de Deus. Vou ficar grávida do Espírito Santo, e a criança que vou carregar será o Salvador do mundo". Se ela tivesse feito isso, provavelmente seria internada em algum lugar. Maria sabia manter a boca fechada e o coração aberto.

Mas quando Deus fala conosco em sua Palavra ou em nosso coração, a primeira coisa que queremos fazer é sair correndo e contar a todo mundo o que Ele nos disse. Precisamos entender, porém, que se Deus realmente nos falou algo, aquilo acontecerá exatamente como Ele nos disse. Então todos verão, e não teremos de tentar convencê-los de que ouvimos a voz do Senhor.

Quando Deus fala conosco e nos diz algo que não entendemos, coisas que não fazem sentido para nós, coisas que não conseguimos discernir bem, precisamos ponderar um pouco em vez de sair perguntando a todos: "Deus disse isso para mim. O que você acha?" Geralmente as pessoas a quem recorremos para pedir conselhos nem mesmo sabem o que estão fazendo, que dirá terem condições de nos dizer o que fazer.

Algumas vezes falamos demais e, como resultado, ficamos cada vez mais confusos. Quando Deus fala conosco, temos de ficar quietos, calar-nos e refletir a respeito do assunto no coração, dizendo: "Senhor, que seja feita a tua vontade. Dá-me clareza e compreensão para que eu saiba o que fazer nesta situação".

Não devemos ter um coração questionador; nosso coração deve ser reflexivo para que possamos ficar em paz.

14. Um coração perdoador

> *Então, Pedro, aproximando-se, lhe perguntou: Senhor, até quantas vezes meu irmão pecará contra mim, que eu lhe perdoe? Até sete vezes? Respondeu-lhe Jesus: Não te digo que até sete vezes, mas até setenta vezes sete* (Mateus 18.21-22).

Como líderes, não vamos chegar a lugar algum se não estivermos prontos a perdoar os outros. Isso é algo que teremos de fazer com frequência. O Senhor nos fala claramente na Bíblia que se não perdoarmos aos outros por seus erros contra nós, Deus não perdoará as nossas transgressões contra Ele.[8]

Em que situação estaríamos se Deus se recusasse a nos perdoar? Não poderíamos ter um relacionamento com Ele. Tudo em nossa vida perderia a razão de ser. Às vezes achamos que podemos guardar rancor contra alguém e, ainda assim, irmos a Deus para receber perdão pelos nossos pecados. Mas o Senhor nos diz na Bíblia que isso não é possível.

Jesus nos ensinou a orar desta forma: "Perdoa-nos as nossas dívidas, assim como nós temos perdoado aos nosso devedores".[9] Deus é um Deus de misericórdia, e a questão do perdão é muito importante para Ele. Em sua Palavra, Ele nos diz várias vezes que se quisermos alcançar misericórdia, devemos demonstrar misericórdia.

Em Mateus 18.21-22, Pedro pergunta a Jesus se devemos perdoar ao nosso irmão sete vezes. Jesus disse que devemos fazê-lo setenta vezes sete, e não sete vezes.

Não sei se, como eu, você fica feliz porque Deus não impôs um limite sobre a quantidade de vezes em que Ele nos perdoará. Quantos de nós fazemos a mesma coisa errada pelo menos setenta vezes sete, e Deus, ainda assim, nos perdoa? Queremos receber o perdão de Deus vezes sem fim, mas é impressionante como quase nunca queremos perdoar os outros. Aceitamos alegremente a misericórdia, mas é surpreendente como podemos ser rígidos, legalistas e sem misericórdia para com os outros, principalmente se eles nos fizeram algum mal. Mas a Bíblia diz que a dívida que temos com Deus é muito maior do que qualquer dívida que alguém possa ter conosco.

Em Mateus 18.23-35, Jesus conta a história de um servo que devia uma quantia enorme ao seu senhor e foi perdoado dessa dívida. Mas aquele servo saiu dali para pressionar outro servo que lhe devia uma quantia bem menor, ameaçando-o de mandá-lo para a prisão se ele não pagasse imediatamente o que devia. O outro servo começou a implorar para que tivesse mais tempo para pagar-lhe, mas o homem o mandou para a prisão. Quando os outros servos ficaram sabendo o que havia acontecido, contaram ao seu senhor, que chamou o servo impiedoso e disse-lhe: "Como ousa sair daqui depois de ser perdoado de uma quantia tão grande e ir diretamente cobrar e ser tão impiedoso com alguém que lhe devia uma quantia tão irrisória?"

Aprendemos na Palavra que há uma punição para esse tipo de comportamento. Creio que muito dos problemas que temos na vida resultam de uma atitude de falta de perdão para com os outros.

Uma de minhas filhas disse: "Não é fácil entrar na equipe do Ministério Vida na Palavra, mas depois que se entra, é muito difícil sair dela!". É verdade. Avaliamos nossos candidatos cuidadosamente. Eles passam por uma inspeção rigorosa antes de serem convidados a fazer parte de nossa equipe. Mas, assim que entram, trabalhamos com eles, tratamos deles e os corrigimos várias vezes.

Geralmente não tenho muito tempo para isso. Mas o Senhor sempre me lembra quanto tempo Ele fez isso por mim durante todos esses anos de ministério, principalmente no início, quando eu tinha tantos problemas. Ele não me dispensou quando não consegui fazer algumas coisas na primeira tentativa. Ao contrário, Ele acreditou em mim, me escolheu, trabalhou comigo, me aconselhou e me fez rodear as mesmas montanhas várias vezes.

É assim que agimos com nossos funcionários. Contanto que a pessoa esteja aberta à correção, trabalhamos com ela. As únicas pessoas com quem não temos como trabalhar são as que estão tão cheias de orgulho que acham que não podemos lhes orientar em nada. A única coisa que não podemos suportar em nossa organização é a contenda, pois ela destrói a unção. Dave e eu trabalhamos muito para manter uma forte unção no ministério, portanto não podemos permitir que alguém venha e a destrua com contenda.

Em resumo, se quisermos nos relacionar bem com as pessoas, teremos de perdoar inúmeras vezes.

O Perdão Libera a Unção

No versículo 34 de Mateus 18, Jesus disse que o senhor entregou o servo impiedoso aos torturadores, ou carcereiros, até que ele pagasse toda sua dívida. Creio que quando nos recusamos a perdoar outras pessoas, somos nós que acabamos numa prisão de tortura emocional. Magoamo-nos muito mais do que magoamos os outros, pois quando guardamos amargura, rancor e falta de perdão contra alguém, nos sentimos péssimos.

No final da história, Jesus alerta seus ouvintes: *Assim também meu Pai celeste vos fará, se do íntimo não perdoardes cada um a seu irmão.*

Se quisermos ser usados por Deus no ministério, devemos aprender a perdoar, porque essa é uma área na qual Satanás nos atacará constantemente. Ele quer que fiquemos encarcerados na amargura, na falta de perdão e no rancor, pois sabe que a contenda e a discórdia que essas coisas produzem podem destruir completamente um ministério.

Lemos na Bíblia que onde há unidade há unção.[10] Já vimos que a unção é o poder de Deus; é a capacitação que ele nos dá, ajudando-nos de forma que algo que poderia ser difícil de fazer torna-se fácil. É impossível ministrar sem unção. Sem unção pode-se praticar estelionato em nome de "Deus", mas é impossível ter um ministério verdadeiro. Se a unção não estiver sobre um ministério, as pessoas não virão. E se acaso vierem, não ficarão, porque a maioria sabe distinguir entre o engano e a unção.

Preciso de unção em meu ministério porque ela é a coisa mais importante que tenho. Só o que possuo é o dom da comunicação. Tudo o que sei que preciso fazer é ficar diante do público e buscar ser obediente a Deus. Não faço nada muito rebuscado. Simplesmente me levanto e faço a obra, pela fé e em oração, crendo que é Deus quem está operando, e Ele sempre é fiel para fazê-lo.

Aprendi que se deixar de perdoar, não terei unção. Também não posso permitir que haja contenda em meu ministério, em meu casamento, em minha casa e em meus relacionamentos com outros, pois deixaria de ter a unção sobre mim.

Se quisermos ter a unção, temos de aprender a ser mais afetuosos, relacionando-nos mais facilmente com os outros e perdoando imediatamente os que nos fazem algum mal.

10

As Condições Positivas do Coração — Parte 3

Neste capítulo, veremos várias outras condições positivas do coração, por meio das quais Deus nos ajuda a nos tornarmos líderes de êxito.

Conforme você vai colocando-as em prática na sua vida, creio que elas o ajudarão a levá-lo de sua atual situação para a posição de liderança que Deus reservou para você.

15. Um coração aberto

> *Certa mulher, chamada Lídia, da cidade de Tiatira, vendedora de púrpura, [que já era] temente a Deus, nos escutava; o Senhor lhe abriu o coração para atender às coisas que Paulo dizia. Certa mulher, chamada Lídia, da cidade de Tiatira, vendedora de púrpura, temente a Deus, nos escutava; o Senhor lhe abriu o coração para atender às coisas que Paulo dizia* (Atos 16.14).

Na cidade de Filipo, para onde Deus enviou Paulo e os que com ele viajavam, havia um grupo de mulheres que se reunia à beira de um rio para orar. Paulo começou a falar com elas, trazendo-lhes uma mensagem que nunca tinham ouvido antes. Elas estavam acostumadas a viver sob o regime da lei judaica, e Paulo lhes apresentou a mensagem da graça. Uma das mulheres, chamada Lídia, abriu o coração e recebeu a mensagem de Paulo.[1] Ter um coração aberto é muito importante porque, do contrário, nos recusamos a ouvir qualquer coisa que seja nova ou diferente. É impressionante constatar que há muitas coisas na Bíblia nas quais nos recusamos a acreditar porque não fazem parte daquilo que aprendemos no passado. Mas por que nossas convicções de fé não podem evoluir? Por que não aceitamos que existam certas coisas que não sabemos? Isso não significa que devemos ser tão abertos a ponto de acreditar em tudo o que o diabo joga sobre nós, mas significa que não devemos ter uma mente tão limitada que nos leve a rejeitar todo ensino novo. Não devemos ter medo de ouvir o que está sendo dito; apenas devemos verificar o assunto cuidadosamente na Bíblia e conversar com Deus a respeito para sabermos se é realmente verdade.

Devemos ter uma mente decidida, e não fechada. Fico preocupada com aqueles que acham que há somente uma forma de fazer as coisas, e que é sempre a forma deles. É difícil trabalhar com pessoas assim. Devemos ter um coração aberto. Ele nos dirá quando algo que estamos ouvindo é verdadeiro. Nossa mente pode até estar fechada, mas nosso coração deve estar sempre aberto a Deus para permitirmos que Ele faça coisas novas em nossa vida – não coisas esquisitas e bizarras, mas coisas novas.

Alguns líderes são tão orgulhosos que não querem nem ouvir o que alguém possa ter a lhes dizer. Mas o coração de um bom líder está sempre aberto à verdade.

Dispostos a Aprender Coisas Novas

> *No dia imediato, resolveu Jesus partir para a Galiléia e encontrou a Filipe, a quem disse: Segue-me. Ora, Filipe era de Betsaida, cidade de André e de Pedro. Filipe encontrou a Natanael e disse-lhe: Achamos aquele de quem Moisés escreveu na lei, e a quem se referiram os profetas: Jesus, o Nazareno, filho [legítimo] de José. Perguntou-lhe Natanael: De Nazaré pode sair alguma coisa boa? Respondeu-lhe Filipe: Vem e vê. Jesus viu Natanael aproximar-se e disse a seu respeito: Eis um verdadeiro israelita [um verdadeiro descendente de Jacó], em quem não há dolo!* (João 1.43-47).

Eu costumava ficar refletindo sobre esses versículos. Parecia que Natanael estava fazendo um comentário negativo quando disse: "De Nazaré pode sair alguma coisa boa?" Mas no versículo seguinte parece que Jesus o está elogiando, dizendo: "Eis um verdadeiro israelita, em quem não há dolo".

Então, um dia entendi. Natanael tinha uma opinião negativa a respeito de Nazaré, porque na época o pensamento corrente era que nada de bom acontecia nesse lugar.[2] Então, quando Natanael ouviu que Jesus era de Nazaré, estava inicialmente fechado à ideia de que Ele fosse o verdadeiro Messias pelo simples fato de que era de Nazaré que Jesus vinha.

Com muita frequência somos como Natanael. Achamos que a pessoa não pode ser boa por causa do lugar onde vive ou de onde vem. Somos muito preconceituosos e parciais, geralmente sem o perceber. Temos preconceitos que foram postos em nós por outros, devido às coisas que nos disseram. Por isso é que devemos examinar cuidadosamente nosso coração para ver se ele está verdadeiramente aberto.

O que Jesus talvez tenha gostado em Natanael foi o fato de que, embora tivesse uma firme opinião de que nada de bom poderia vir de Nazaré, estava disposto a rever seus conceitos. Mesmo tendo uma opinião definida, ele tinha um coração aberto. Felipe lhe disse: "Vem e vê". E ele foi. E o resultado foi que ele acabou tendo um relacionamento íntimo com Jesus:

> *Perguntou-lhe Natanael: Donde me conheces? [Como sabes essas coisas a meu respeito?] Respondeu-lhe Jesus: Antes de Filipe te chamar, eu te vi, quando estavas debaixo da figueira. Então, exclamou Natanael: Mestre, tu és o Filho de Deus, tu és o Rei de Israel!* (João 1.48-49).

Em Tiago 3.17, na *Versão Amplificada da Bíblia*, vemos alguns aspectos-chave da verdadeira sabedoria dada por Deus. Uma das coisas que esse versículo diz sobre a sabedoria é que ela está afinada com a razão (a qual se alinha com a verdade da Palavra de Deus, como vimos anteriormente). Se nos recusamos a ouvir a razão, não temos sabedoria, pois a sabedoria é aberta a ouvir. Quem tem sabedoria sabe que não sabe tudo. Tem humildade, e quem é humilde tem o coração aberto; sempre deseja aprender algo novo.

16. Um Coração Obediente

> *Mas graças a Deus porque, outrora, escravos do pecado, contudo, viestes a obedecer de coração à forma de doutrina a que fostes entregues* (Romanos 6.17).

Se não formos obedientes, nem devemos considerar a possibilidade de ser líderes no Corpo de Cristo. É impossível.

Nesse versículo, Paulo diz que os crentes de Roma eram obedientes de todo o coração. Deus revelou-me que as pessoas podem mostrar obediência com o comportamento mas não ser obedientes com o coração. Ele mostrou-me isso em relação à minha submissão a meu marido numa época em que eu estava tentando superar a minha atitude de rebeldia; estava começando um relacionamento com o Senhor no qual eu queria ser submissa. Eu sentia que isso era o que o Senhor exigia de mim: enquanto não resolvesse essa questão eu não conseguiria fazer mais nada em nosso ministério

Eu queria ser obediente a Deus, mas não a Dave. Queria ser submissa a Deus, mas não a Dave. Às vezes Dave queria que eu fizesse alguma coisa que eu não queria fazer. Sabia que Deus estava querendo me levar a ser submissa, então eu fazia o que Dave queria. Mas então Deus quis que eu desse um passo a mais, dizendo: "Você está fazendo o que ele diz, mas ainda não é submissa porque seu coração permanece com a atitude errada".

Para Deus, a atitude do nosso coração é tudo. Podemos fazer o que nosso chefe manda enquanto murmuramos e reclamamos por trás. Mas, se agimos assim, não somos o tipo de empregado que a Bíblia nos diz que temos de ser. Podemos achar que tudo dará certo no final, mas não receberemos nossa recompensa.[3]

Há recompensas reservadas para os obedientes. Segundo a Bíblia, o estilo de vida obediente traz recompensas.[4]

Descobri que se fizer o que Deus me pede a bênção do Senhor virá sobre mim e tomará conta de mim, mas somente se eu o tiver feito com uma atitude correta no coração. Não se trata de encenação, e sim de ter a atitude correta no coração.

Às vezes faço o que Dave me pede, mesmo não querendo fazê-lo. Talvez naquele momento eu esteja com raiva ou sinta vontade de me rebelar. Então, embora eu faça o que devo, tenho de me arrepender de minha atitude errada, e Deus me perdoa.

Algumas vezes tenho de orar assim: "Senhor, Tu sabes a verdade. Tu sabes que não quero fazer isso. Não acho que esteja certo. Acho injusto. Mas, porque eu Te amo, vou fazer. Peço-Te que me dês a graça de fazer isso com uma atitude correta no coração". Todos passamos por esse tipo de experiência. Jesus nos deu o exemplo da obediência, como podemos ver em Filipenses 2.5-8:

> *Tende em vós o mesmo sentimento que houve também em Cristo Jesus [permitindo que ele seja o nosso exemplo de humildade], pois ele, subsistindo em forma de Deus [tendo a plenitude dos atributos que fazem com que Deus seja Deus], não julgou como usurpação o ser igual a Deus; antes, a si mesmo se esvaziou, assumindo a forma de servo (escravo), tornando-se em semelhança de homens; e, reconhecido em figura humana, a si mesmo se humilhou [mais ainda], tornando-se obediente até à morte e morte de cruz.*

Quero encorajá-lo a alcançar níveis mais altos de obediência. Esteja disposto a obedecer; seja pronto em obedecer, obedeça integralmente; seja obediente até as últimas consequências. Não seja o tipo de pessoa que Deus tem de disciplinar durante três ou quatro semanas para que faça a coisa mais simples que Ele requer. Se houver alguma desavença entre você e outra pessoa e Deus o estiver mandando acertar a situação, obedeça a Ele. Se você possui algo que Deus quer que você doe, faça a doação. Não passe mais seis meses orando: "Senhor, se realmente essa é a Tua vontade..."

> *Um estilo de vida de obediência a Deus traz recompensas.*

Envolvemo-nos em situações assim porque, no íntimo, esperamos que não seja Deus que esteja falando para fazermos algo que não queremos. Mesmo que nossa carne não queira abrir mão de algo, ainda assim podemos obedecer a Deus.

Durante um tempo, possuí uma pulseira de pedras semipreciosas. Era uma antiguidade que alguém havia me dado. Gosto muito de adornos brilhantes e achava linda aquela pulseira.

Quando a usei pela primeira vez, uma moça que canta em nossas reuniões veio andando em minha direção, e o Senhor me falou ao coração: "Dê a pulseira para esta moça". Eu não queria fazer aquilo. Mas eu tinha temor e adoração reverentes pelo Senhor, e sabia que quando Ele diz algo é sempre por uma boa razão; portanto, querendo ou não fazer aquilo, eu tinha de confiar nEle. O "temor" de que falo não tem sentido negativo. Significa, na verdade, mostrar confiança reverente, amor e obediência a Ele.[5]

Depois, sempre que via a moça usando a pulseira, minha carne ainda murmurava um pouco. Mas precisamos entender a natureza carnal. Se formos esperar até termos vontade de fazer o que é correto, nunca tomaremos iniciativa alguma para fazê-lo.

Devemos ser obedientes a Deus, quer tenhamos vontade, quer não tenhamos, e devemos fazer com uma boa atitude o que Ele pede. Não devemos ficar de luto, nos lamentando, depois de termos cumprido a ordem dEle.

É hora de tirarmos nossas vestes de saco e cinzas. Muitas vezes obedecemos a Deus e depois ficamos deprimidos. Sentimo-nos desencorajados e com pena de nós mesmos. Ficamos pensando: **Sempre que consigo algo, Deus me manda dá-lo para alguém**. Mas devemos nos lembrar de que a obediência trará recompensas consigo.

Deus nunca deseja tirar nada de nós. Ele sempre quer fazer com que espalhemos as sementes necessárias para trazer mais bênçãos à nossa vida. Não podemos exceder a Deus em generosidade; é impossível.

17. Um Coração Que Crê

> *De fato, sem fé é impossível agradar a Deus, porquanto é necessário que aquele que se aproxima de Deus creia que ele existe e que se torna galardoador dos que o buscam* (Hebreus 11.6).

Se quisermos ser usados por Deus, uma das atitudes absolutamente vitais é termos um coração que crê.

Isso pode até soar estranho, já que somos chamados de "crentes". Se somos crentes, não temos, automaticamente, um coração que crê? Não, nem sempre. A igreja está cheia de "crentes que não creem".

De vez em quando, precisamos nos perguntar: "Até que ponto tenho facilidade de crer, confiar?" Por exemplo, quando vemos alguém ministrando a cura, realmente cremos que ela está acontecendo?

Em minha vida cristã, já passei por um período de descrença nessa área. Muitos anos atrás, no início daquela época do derramar de dons do Espírito, quando os dons eram bem mais visíveis em algumas áreas da igreja do que em outras, vi muita gente tentando forçar certas coisas a acontecerem, mas não aconteciam de fato. Esfriei tanto naquela época que, durante muito tempo, tive muita dificuldade de crer que qualquer manifestação semelhante àquelas pudesse ser verdadeira. Tive de me arrepender, pedir perdão a Deus, voltar e recomeçar do zero.

Conforme aumentava meu anseio de ver Deus operando milagres em meu ministério para que eu pudesse ajudar outras pessoas de forma mais profunda, principalmente aquelas que estavam doentes e sofrendo, Ele teve de me mostrar que, nessa área, eu tinha um "coração descrente". Meu coração tinha se endurecido de tanto ver a falsificação ou o mau uso dos dons do Espírito. Entre esses dons estavam o da cura e o da operação de milagres.

Precisamos manter um coração crente. Temos de nos tornar como crianças e simplesmente crer, como Jesus diz em Mateus 18.3: *Em verdade vos digo que, se não vos converterdes (deres meia-volta e fordes transformados) e não vos tornardes como crianças, de modo algum entrareis no reino dos céus.*

Há inúmeras coisas na Bíblia que são ligadas ao ato de crer.

Romanos 10.9-10 diz que para sermos salvos precisamos crer no coração e confessar com a boca. Portanto, a salvação tem dois lados. Para recebermos a salvação de Deus, primeiro precisamos crer; depois, temos de confessar com a boca. Na verdade, acabamos sempre falando daquilo em que cremos. Sabemos disso porque a boca fala do que está cheio o coração.[6]

Os cristãos do tipo "agente secreto" me preocupam. Fico irritada com as pessoas convertidas que querem viver a vida cristã em segredo. Dizem crer que "religião é um assunto particular".

Mas a fé não é algo particular. A Bíblia relata que a primeira coisa que os novos convertidos fizeram foi sair e falar da salvação a todo mundo. É impossível uma pessoa estar transbordante de Jesus e não dizer nada a ninguém.

Creio que Romanos 10.9 pode ser o referencial para nossa vida. As condições para recebermos qualquer coisa de Deus são crer com o coração e confessar com a boca.

Em Lucas 24.25, Jesus puniu aqueles que eram tardios em crer com o coração. Como líderes, devemos estar prontos a crer.

Em Mateus 8.13, um versículo muito significativo, Jesus diz: *Vá-te e seja feito conforme a tua fé.* É impressionante o quanto podemos fazer se crermos. É espantoso também como fazemos pouco se crermos que não somos capazes. Todos os dias, depois de nos levantar, precisamos afirmar várias vezes: "Creio que posso; creio que sou capaz".

Em Mateus 9.28, Jesus perguntou: *Credes que eu posso fazer isto?...* Mais adiante, em Marcos 5.36, Ele disse: *Não temas, crê somente.*

Houve muitas vezes em minha vida em que me senti desencorajada e não sabia o que fazer, ou senti que nada estava dando certo e que todos estavam contra mim. Quer fosse uma necessidade financeira não resolvida, quer fosse uma dor física contínua, o que eu dizia para Deus era: "O que o Senhor quer que eu faça?" A resposta que eu ouvia em todas essas ocasiões era: "Crê somente".

Hebreus 4.3 nos diz que o ato de crer nos faz entrar no descanso de Deus. Quando entrarmos nesse descanso será maravilhoso, pois embora ainda tenhamos problemas, deixamos de ficar frustrados com eles.

Em Marcos 11.24, Jesus disse: *Por isso, vos digo que tudo quanto em oração pedirdes, crede que recebestes, e será assim convosco. Mas, porque eu digo a verdade, não me credes. Em João 8.25, Ele diz: Mas, porque eu digo a verdade, não me credes.*

Em Atos 16.31 lemos: *Crê no Senhor Jesus e serás salvo, tu e tua casa.* Em Hebreus 11.6 lemos que quem se aproxima de Deus deve crer que Ele existe e é galardoador dos que o buscam.

Depois de ler essas passagens das Escrituras, você compreende a importância vital de crer? Se quisermos receber algo de Deus, devemos primeiro crer que Ele existe e depois devemos crer que Ele é bom.

Crer É Uma Questão de "Vencer ou Vencer"

Romanos 15.13 é um dos meus versículos favoritos. Ele diz que quando cremos encontramos o gozo e a paz.

Lembro-me de uma situação pela qual estava passando e havia perdido minha alegria e paz. Não sabia qual era o problema comigo, mas sabia que havia algum.

Certa noite eu estava bastante desesperada; então fui à minha Caixinha de Promessas e comecei passar por alguns dos cartõezinhos. Peguei um, e imediatamente o Senhor falou comigo por intermédio dele. Dizia simplesmente: *E o Deus da esperança voz encha de todo o gozo e paz no vosso crer* (Romanos 15.13.)

Assim que voltei a crer, a alegria e a paz voltaram. E o mesmo é válido para você. Assim que começar a duvidar, você irá perder a alegria e a paz, mas logo que voltar a crer, sua alegria e sua paz retornarão.

Deus nos proveu uma maneira de nos mantermos verdadeiramente felizes e em paz. Basta apenas crermos.

Claro que tão logo comecemos a crer o diabo vai começar a gritar em nossos ouvidos: "Que estupidez! E se você crer e não conseguir aquilo em que crê?" É aí que temos de dar uma resposta: "Não, não é estupidez. E se eu crer e obtiver aquilo no que creio? Mas, mesmo se não obtiver, ainda continuarei mais alegre e em paz do que estaria se estivesse duvidando".

Nessa situação temos duas possibilidades: vencer ou vencer. Não há como perder quando cremos, pois, se cremos, temos a possibilidade de obter aquilo em que cremos. Entretanto, se não o conseguirmos, ainda assim continuaremos felizes e em paz. Então, é fundamental que tenhamos um coração que crê.

Jesus disse que devemos ser como as crianças. As crianças creem em tudo que elas dizem. É impressionante como vamos ficando cada vez mais desconfiados à medida que ficamos mais velhos. Depois que passarmos por momentos difíceis, nos quais somos magoados ou decepcionados, fica mais difícil para nós sermos como as crianças e continuar a acreditar. Mas, mesmo como adultos, podemos retornar à fé da infância. Podemos ter um coração confiante se quisermos. Aliás, precisamos tê-lo, se quisermos que Deus nos use.

Moisés era um grande homem de Deus. Mas lembre-se: depois de peregrinar pelo deserto durante quarenta anos liderando os israelitas e levando a culpa pela estupidez e teimosia deles, chegou um tempo em que, já com idade avançada, tornou-se tardio de coração para crer. Então, para que se cumprisse o plano e a missão de Deus para a nação de Israel, Deus teve de tirar Moisés e colocar Josué no seu lugar. Josué tinha um espírito vigoroso e renovado de fé.

Há momentos em que precisamos de um espírito renovado, como havia no coração de Josué e no de Calebe, que disseram: "Subamos e possuamos a terra, porque, certamente, prevaleceremos contra ela".[7]

Precisamos ter o tipo de coração confiante que diz: "O que o Senhor deseja que eu faça, Senhor? O que quer que seja, farei!" Não precisamos ficar esperando três sinais de confirmação, dois anjos, três toques de trombeta e quatro profecias antes de agir. Precisamos apenas receber no coração a confirmação daquilo que Deus está nos dizendo.

Em 1 João 4.16, lemos que precisamos crer no amor que Deus tem para conosco. E em 1 Coríntios 13.7 lemos que o amor em tudo crê. Em outras palavras, uma das características do amor é um coração que crê.

18. Um Coração Alargado

> *Para vós outros, ó coríntios, abrem-se os nossos lábios [não escondemos nada], e alarga-se o nosso coração. Não tendes limites em nós [em nosso coração]; mas estais limitados em vossos próprios afetos* (2 Coríntios 6.11-12).

O texto diz, no versículo 11, que nosso coração pode ser alargado. É isso que precisamos ter: um coração alargado.

Algumas vezes não temos espaço em nosso coração para todos. Temos um coração tão pequeno que nele cabem somente aqueles que são parecidos conosco, aqueles que pensam e agem como nós. Mas o Senhor quer que tenhamos espaço suficiente em nosso coração para caber todo mundo, até mesmo aqueles que não são como nós, aqueles que pensam e agem diferentemente de nós, aqueles de quem não gostamos e que não gostam de nós, aqueles que têm opiniões diferentes das nossas.

19. Um Coração Puro

Bem-aventurados os puros de coração, pois verão a Deus (Mateus 5.8, NVI).

Deus está buscando líderes que tenham um coração puro. O líder que tem o coração puro, que serve a Deus de todo o coração, é verdadeiramente um líder eficaz. No Salmo 51.6, Davi nos fala que ter um coração puro significa ter a verdade em nós. A verdade interior de cada um corresponde à verdadeira pessoa. Isso está diretamente ligado ao cuidado que devemos ter com a nossa vida de reflexão, pois é dos pensamentos que saem nossas palavras, nossas emoções, nossas atitudes e nossa motivação.

Levei muito tempo para perceber que Deus não abençoa atos realizados com a motivação errada.

A pureza de coração não é uma característica natural nossa. É algo que deve ser trabalhado em quase todos nós. Em 1 João 3.3, vemos que devemos desejar e buscar a pureza de coração porque é a vontade de Deus.

Esse é um desafio que todo líder deve aceitar com alegria. Mas não temos de aceitá-lo sozinhos. Fomos criados por Deus para sermos dependentes dEle; podemos apresentar a Ele os nossos desafios e permitir que Ele nos ajude. Ninguém, a não ser Deus e a própria pessoa, sabe o que há no coração. Mas nosso Deus é especialista em remover as coisas inúteis de nós enquanto preserva o que é valioso.

Há um preço a ser pago para termos um coração puro, mas há também uma recompensa. Não temos de ter medo de assumir um compromisso com Deus para que Ele trabalhe profundamente em nós. Nem sempre nos sentiremos à vontade diante de certas verdades que Ele nos mostrará, mas devemos fazer nossa parte: encarar os fatos, aceitando e permitindo que Deus nos transforme. Deus irá cuidar para que sejamos abençoados.

20. Um coração Paternal

> *Porque, ainda que tivésseis milhares de preceptores (guias para vos orientar) em Cristo, não teríeis, contudo, muitos pais; pois eu, pelo evangelho, vos gerei em Cristo Jesus* (1 Coríntios 4.15).

Paulo tinha um coração paternal em relação aos crentes da igreja de Corinto. Um coração paterno é afetuoso, alimenta, treina, ensina, é carinhoso e não desiste das pessoas só porque não aprendem de imediato.

Um pai tem prazer em ensinar os filhos a andar ou a jogar bola. Ele não fica com raiva porque os filhos não conseguem dar os primeiros passos com firmeza quando começam a andar. O pai continua ensinando-os até que eles aprendam a fazê-lo.

Paulo diz que a Igreja está cheia de instrutores, cheia de mestres, cheia de pessoas que sabem pregar e orientar os outros. Mas ele também diz que há poucas pessoas com coração paterno na Igreja.

Se quisermos ser líderes no Corpo de Cristo, principalmente se queremos ser pastores, devemos ter um coração paternal. Não importa qual seja nosso chamado, não é suficiente fazer e dizer as coisas da forma correta exteriormente. Dentro de nós precisa haver uma atitude correta de coração.

Muitas vezes temos um conceito muito elevado de nós mesmos que, infelizmente, nem sempre corresponde à verdade. É ótimo aprender sobre essas condições do coração e dizer: "Sim, amém". Mas o fato é que, agora que sabemos dessas coisas, antes de começarmos a assumir a liderança Deus tem de nos testar para ver que tipo de coração temos. E por quê? Porque nosso verdadeiro caráter é revelado durante os momentos de teste.

Como veremos a seguir, há coisas em nós que nunca seríamos capazes de reconhecer se Deus não as fizesse aparecer para serem tratadas. Os testes nos revelam as áreas em que temos problemas, para que possamos cooperar com o Espírito Santo e trabalhar com Ele para nos corrigir nessas áreas. Por meio dos testes, Deus nos mostra que tipo de coração devemos ter para que Ele possa nos transformar nos líderes que deseja que sejamos.

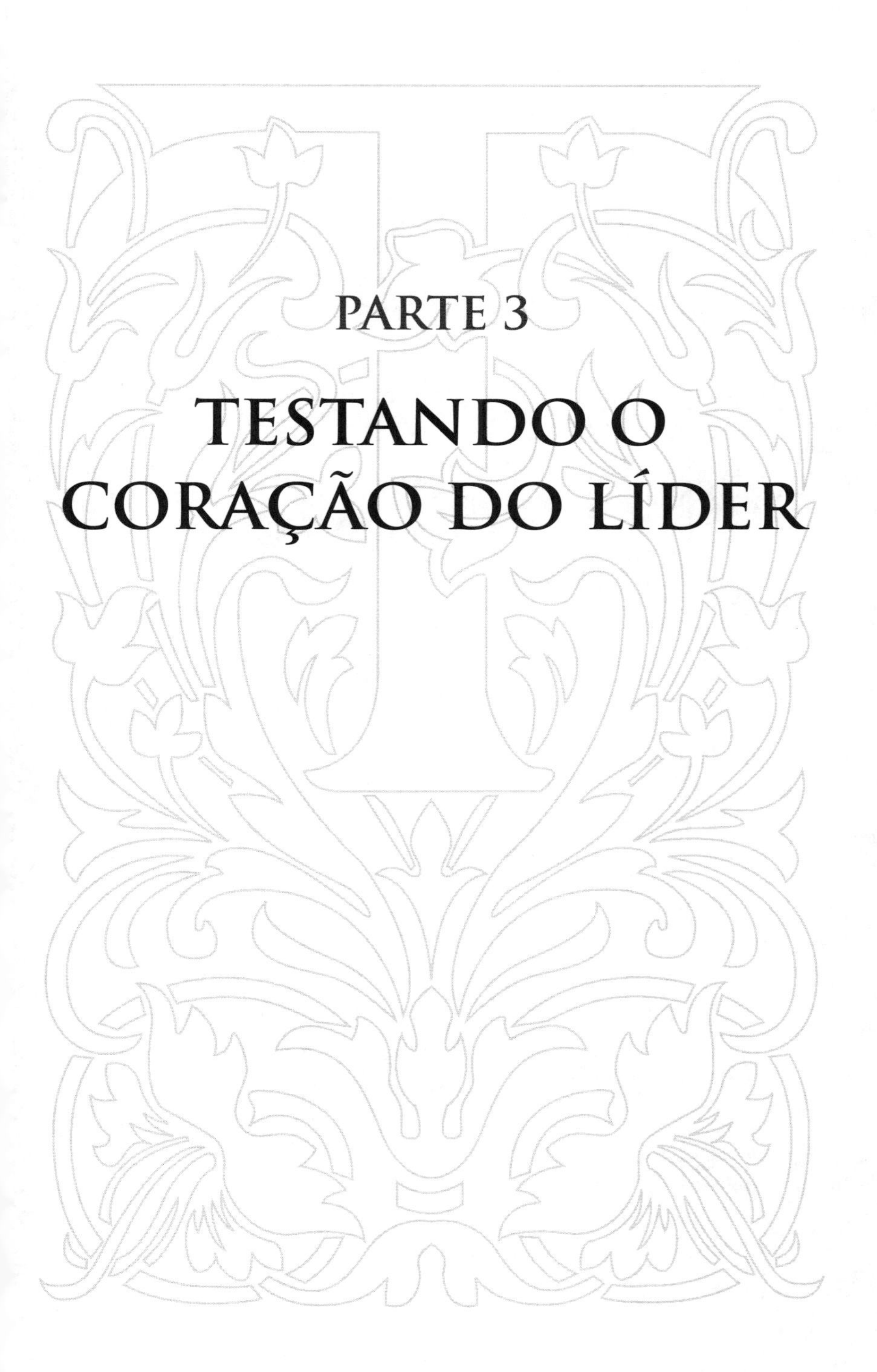

PARTE 3

TESTANDO O CORAÇÃO DO LÍDER

11 *Testes de Liderança — Parte 1*

Cesse a malícia dos ímpios, mas estabelece [sem fazer concessões] tu o justo [aqueles em harmonia contigo]; pois sondas a mente e o coração, ó justo Deus (Salmo 7.9).

Nessa passagem, o salmista nos fala que Deus testa (prova) nosso coração, nossas emoções e nossos pensamento. Em Jeremias 11.20, o profeta Jeremias diz que Deus testa o coração e a mente.

Como testamos algo? Colocando pressão sobre o que estamos testando para analisarmos se serve para aquilo a que se propõe; se irá suportar o *stress* do teste. Quando oramos pedindo a Deus que nos use e nos coloque em posição de liderança, sua resposta é: "Vou prová-lo primeiro. Vou colocá-lo sob teste".

Fico muito triste ao ver quantas pessoas nunca chegam a passar da fase de testes. Nunca conseguem passar. Passam a vida inteira caminhando em torno da mesma montanha. Mas na escola de Deus nunca somos reprovados em definitivo. Só temos de fazer a mesma prova quantas vezes for preciso até passarmos.

Uma das formas de Deus nos testar é exigindo de nós que manifestemos o que dizemos que sabemos. O conhecimento apenas teórico não é o suficiente. De nada vale se não produzir bons frutos.

O *Dicionário Houaiss da Língua Portuguesa* define a palavra *teste* como "exame crítico ou prova das qualidades de uma pessoa ou coisa".[1] O *Dicionário Aurélio Século XXI* diz que *testar* significa "submeter a teste ou experiência (máquina, instrumento, material, etc.); fazer funcionar experimentalmente; provar, experimentar".[2]

Em Deuteronômio 8.2, está escrito que Deus levou os israelitas para o deserto e lá os fez permanecer durante 40 anos para se humilharem, para serem provados, para Ele ver se cumpririam Seus mandamentos. O teste vem em momentos difíceis, não em bons momentos, porque nem tudo o que Deus pede que façamos é fácil. Antes de nos dar atribuições que exijam maior grau de responsabilidade, Ele nos testa para ver se estamos prontos para isso e se somos capazes.

Há muitas coisas que aparecem em nosso dia-a-dia que não são nada mais nada menos do que testes. Por exemplo, quando temos de esperar para pegarmos uma mesa num restaurante e depois descobrimos que a comida está horrível, é um teste. Algumas vezes, quando estamos tentando estacionar numa vaga e alguém rapidamente estaciona na nossa frente, é um teste. Às vezes, quando nosso patrão pede que façamos algo que não queremos fazer, é um teste.

Tiago 1.2-4 diz que os testes revelam o que há dentro de nós. É no momento de tribulação que nos autoconhecemos melhor e vemos o que somos capazes de fazer. Pedro achava que não iria negar Jesus, mas, quando foi posto à prova, fez exatamente o contrário do que dissera.[3] Deus não se impressiona com o que dizemos que vamos fazer; o que importa para Ele é o que provamos que fazemos quando estamos sob pressão. Não é porque a nossa Bíblia está toda sublinhada e marcada com cores diferentes que seremos promovidos no ministério, mas porque fomos testados e provados, e foi muito difícil, mas insistimos e passamos no teste.

Se você estiver frustrado hoje com o chamado de Deus para sua vida, digo-lhe que está passando por um teste. O modo como Deus irá usá-lo depois depende totalmente da maneira pela qual que você passa pelos testes agora.

Vamos analisar alguns versículos que falam sobre testes e o que eles fazem por nós.

Tiago diz: *Bem-aventurado (feliz, a ser invejado) o homem que suporta com perseverança a provação; porque, depois de ter sido aprovado, receberá a coroa da vida, a qual o Senhor prometeu aos que o amam* (Tiago 1.12.).[4]

Davi orou no Salmo 26.2 dizendo: *Examina-me, Senhor, e prova-me; sonda-me o coração e os pensamentos.* Nem todos oram para enfrentar testes, mas isso não significa que não terão de passar por eles.

Em 1 Pedro 1.6-7, Pedro diz: *Nisso, escutais, embora, no presente, por breve tempo, se necessário, sejais contristados por várias provações, para que o valor da vossa fé, uma vez confirmado, muito mais precioso do que ouro perecível, mesmo apurado por fogo, redunde em louvor, glória e honra, na revelação de Jesus Cristo.*

Em 1 Pedro 4.12, ele também nos diz para não nos surpreendermos nem desanimarmos com os testes pelos quais devemos passar, porque Deus nos testa por meio deles. Deus testa nossa "qualidade" ou nosso caráter. Nesse versículo, o que Pedro quis dizer à igreja foi: quando passarem por essas coisas e forem testados, não reajam como se isso se fosse algo de outro mundo. Todos passam por isso. Não precisam ficar confusos com o que está acontecendo. Deus está testando sua qualidade e o seu caráter. Ele o está testando para ver que tipo de pessoa você é. Está testando seu coração.

Sempre que Deus nos põe sob teste, podemos saber quanto já caminhamos e quanto ainda temos pela frente pela forma como reagimos ao teste. As atitudes do coração que até então nos eram desconhecidas podem aflorar quando passamos por testes e tribulações.

Depois, no versículo 13, Pedro diz que devemos nos alegrar com o triunfo no sofrimento para que a glória de Deus possa ser revelada em nós.

Em 1 Timóteo 3.10, Paulo diz que os líderes devem ser testados antes de assumir responsabilidades. Em outras palavras, alguém chamado para ser líder só se torna líder de fato depois de cumprir o que lhe foi determinado.

Na "empresa" de Deus, não se é promovido à liderança pelo que se sabe ou acha que se sabe, pelo grau de instrução, pelas boas maneiras ou pelo carisma, mas conforme a conduta durante o período de testes.

Os momentos de teste que Deus permite em nossa vida são, na verdade, para nosso benefício, mas, quando estamos passando por eles, nem sempre achamos que serão para nosso bem.

Tudo O Que Acontece É para o Nosso Bem

> *Sabemos que [tendo Deus como parceiro na obra] todas as coisas cooperam [encaixando-se num plano determinado] para o bem daqueles que amam a Deus, daqueles que são chamados segundo o seu propósito* (Romanos 8.28).

Esse é um de meus textos favoritos da Bíblia. Aprendi há muito tempo que não é porque não compreendo o que está acontecendo que Deus não tenha um propósito para aquilo, e que não é porque me sinta incomodada com algo que aquilo não será para meu bem.

Muitas pessoas tentam liderar sem nunca terem passado pelo processo de treinamento. Não creio que essas pessoas consigam permanecer na liderança por muito tempo ou que conseguirão ser os líderes que Deus quer que sejam, pois Deus sempre testa o coração do líder.

Neste capítulo, gostaria de apresentar uma lista com alguns dos testes pelos quais a pessoa deve passar antes de Deus colocá-la numa posição de liderança.

1. O Teste da Confiança

> *Mas ele sabe o meu caminho [ele se preocupa com ele, presta atenção a ele e o aprecia]; se ele me provasse, sairia eu como o ouro [puro e resplandecente]* (Jó 23.10).

Um dos testes que devemos esperar encontrar em nossa jornada com Deus é o da confiança. Devemos confiar em Deus quando não compreendemos o que está acontecendo em nossa vida.

Quantas vezes dizemos a Deus: "O que está acontecendo em minha vida? O que o Senhor está fazendo? O que está havendo? Não estou entendendo nada!".

Às vezes, parece-nos que as coisas que acontecem conosco estão nos levando numa direção totalmente oposta àquela que achamos que Deus nos revelou.

Um bom exemplo é nosso filho mais velho, David, que agora é diretor da área de evangelização mundial do nosso ministério. Ele viaja pelo mundo com a grande responsabilidade de nos ajudar a encontrar o lugar certo para investirmos o dinheiro do ministério e garantir que está sendo usado adequadamente.

Há algum tempo ele se casou com uma moça que sempre havia achado que iria ser missionária. Ela foi para Porto Rico, entrou num seminário e começou a aprender a língua local. Quando David a conheceu, apaixonaram-se e casaram-se. Logo depois, ele também foi para Porto Rico e começou a aprender a língua.

Víamos claramente que eles tinham um chamado, mas sentíamos um grande desejo de convidá-los para virem trabalhar em nosso ministério aqui para Saint Louis. Mas esse desejo não fazia sentido para nós, já que eles deveriam ser missionários. Por fim, eles sentiram que deviam voltar e trabalhar conosco, embora isso não fizesse sentido para eles também.

Às vezes Deus nos guia dessa forma, e devemos aprender a seguir sua orientação, caso contrário seremos levados por nossa própria vontade e não perderemos de vista a vontade de Deus para nossa vida.

Desse modo, embora tenham ficado confusos, nosso filho e a esposa voltaram para os Estados Unidos para ficar durante um tempo e se perguntavam: "Senhor, se voltamos para cá, por que então tivemos de aprender outra língua? Por que fomos para Porto Rico para nos preparar para o campo missionário?"

Mais adiante, onde abordamos o **teste do tempo**, falaremos sobre algumas das respostas a essas perguntas. Não é porque Deus nos diz para fazermos algo que devemos nos apressar e fazer aquilo no dia seguinte, ou no ano seguinte, ou mesmo em cinco anos. Ele quer que descansemos nEle e aguardemos seu tempo perfeito para agirmos. E por quê? Porque tudo o que fazemos nesse meio tempo será parte do que iremos fazer em definitivo, embora cada parte desse processo, se observada isoladamente, não faça sentido no momento.

Embora nós e outras pessoas tivéssemos percebido um chamado missionário na vida de nosso filho, não levamos em consideração o fato de que havia vários aspectos de sua vida que precisavam ser trabalhados antes de ele poder atender ao chamado. David era um rapaz maravilhoso, mas precisava ter seu caráter lapidado. Tinha uma personalidade muito forte e "pavio curto". Se não tivesse passado pela crucificação da carne, não estaria preparado para assumir o cargo que ocupa agora.

De fato havia um chamado missionário na vida de David, mas Deus tinha em sua obra uma vaga de Diretor de Evangelização Mundial para o Ministério *Vida na Palavra* em Saint Louis, Missouri. Havia muitas coisas pelas quais David tinha de passar antes de cumprir o chamado do Senhor. Ele tinha de passar por muitos testes, e um deles era o teste da confiança. Ele tinha de aprender a confiar em Deus mesmo que aquilo pelo que estava passando não fizesse sentido no momento.

É nesse ponto que muitas pessoas desistem e fracassam; ficam confusas, saem pela tangente e voltam a fazer algo mais fácil e prático para elas.

Se você estiver num ponto de sua vida em que nada faz sentido, confie em Deus mesmo assim. Diga a si mesmo: "Isto só pode ser um teste".

Uma das coisas que aprendi nesses anos é que **em toda relação de confiança com Deus sempre haverá perguntas não respondidas**. Afinal, se tivermos todas as respostas para todas as perguntas, não há necessidade de confiar, pois já sabemos de tudo.

Enquanto Deus continuar a nos preparar para que confiemos, sempre haverá algo em nossa vida que não compreenderemos. Por isso devemos aprender a dizer: "Senhor, não entendo o que está acontecendo, mas confio em Ti".

Devemos confiar em Deus quando não entendemos; quando o céu faz silêncio.

Você não acha ótimo quando Deus não está dizendo nada?

Dave e eu conversamos sobre quando Deus fala conosco e nos orienta, mas, sinceramente, não conversamos com Ele o tempo todo, recebendo respostas a cada minuto com instruções exatas para nossa vida.

Em certas ocasiões, passo até dois anos sem nenhuma instrução direta ou específica de Deus sobre um plano geral que Ele tem para minha vida ou ministério. Ouço-O me falar sobre o que devo pregar, como lidar com certas situações, que decisão tomar e coisas do gênero, mas não tenho uma palavra nova vinda dEle trazendo uma orientação que poderá mudar minha vida.

Às vezes começo a ficar frustrada e com vontade de dizer: "Diga-me alguma coisa, Senhor". Mas aprendi que, se Ele não me diz nada novo, preciso continuar fazendo a última coisa que Ele me disse para fazer, não importa o que seja, e continuar a confiar nEle. Talvez mais cinco anos se passem até que Ele me dê uma nova instrução. Se Ele fala algo diferente para mim, vou e faço. Mas, enquanto Ele não me fala nada novo, continuo fazendo o que Ele já me disse para fazer.

Sem confiança em Deus, a vida é horrível. Por isso devemos confiar nEle quando não entendemos, quando o céu silencia, quando não vemos a provisão para o amanhã.

Estamos sempre sentindo que precisamos de uma resposta para o dia de amanhã. Mas você já percebeu que as respostas para o amanhã geralmente só chegam no dia de amanhã? Nesse sentido, é como a história do maná, em Êxodo 16.

Quando Deus enviou o maná do céu, Ele proibiu os israelitas de pegarem mais do que necessitassem para aquele dia. Creio que esse tenha sido um teste de confiança.

Pense a respeito. Estamos no meio do nada, e Deus faz chover comida sobre nós. Há o suficiente para todos. Poderíamos pegar o suficiente para uma semana, mas Deus diz: "Não, não faça isso. Pegue somente o que precisar para hoje e deixe o restante no chão; não toque nele".

Nossa mente pequena imediatamente entra em ação, questionando: **Mas, se eu não pegar toda a comida, será um desperdício. Deus não é Deus de desperdício, então esta palavra não pode ter vindo dEle. Se eu pegar apenas o suficiente para hoje, o que acontecerá se não houver mais amanhã? Vou passar fome. É melhor eu pegar um pouquinho a mais, no caso de Deus não agir.**

Mas também nos lembramos do que aconteceu quando os israelitas pegaram mais do que o suficiente para um dia. A comida apodreceu e começou a cheirar mal.

Creio que muitos de nós temos coisas apodrecendo e cheirando mal em nossa vida porque ficamos muito ocupados tentando pegar hoje a provisão do dia seguinte. Mas seríamos muito mais felizes e aproveitaríamos mais a provisão de Deus se simplesmente aprendêssemos a confiar nEle.

2. O Teste da Segurança

> *Não confiamos [naquilo que somos] na carne (e privilégios exteriores, vantagens físicas e aparência)* (Filipenses 3.3).

Não devemos depositar nossa confiança no ser humano, seja em nós mesmos ou em outros. Em quem Deus quer que depositemos nossa confiança? Somente nEle.

Em João 15.5, Jesus disse: *Eu sou a videira, vós, os ramos. Quem permanece em mim, e eu, nele, esse dá muito fruto; porque sem mim nada podeis fazer.*

Deus se desagrada da autossuficiência humana. Ele quer que sejamos totalmente dependentes dEle e confiemos nEle. Ele quer que sejamos tão dependentes dele como o galho é da videira. Se for tirado da videira, vai murchar rapidamente. Ele quer que confiemos nEle em tudo na vida.

Como, então, Deus nos testa em relação à confiança que depositamos nEle?

Às vezes achamos que estamos muito seguros de nossa confiança no Senhor; então alguém nos rejeita e, subitamente, não entendemos o que está acontecendo e por que. (Se você acha que Deus não permite que tal coisa aconteça, está enganado, pois Ele permite.) Os outros podem até nos magoar no momento, mas, no final, eles nos ajudarão a entender em quem devemos depositar nossa confiança: não em quem não a merece, mas nAquele que faz jus a ela.

A triste verdade é que as pessoas nem sempre são confiáveis. Se você estiver num círculo de pessoas e colocar sua confiança nelas, posso assegurar-lhe que, cedo ou tarde, uma ou mais entre elas irão decepcioná-lo. Alguém vai desapontá-lo fazendo algo que você não esperava que fizesse ou não fazendo o que você esperava que fizesse. Isso faz parte da natureza humana.

Quando isso acontece conosco, Deus tenta nos poupar de um grande sofrimento dizendo: "Por que você não depositou sua confiança em mim desde o princípio?"

Claro que podemos ter relacionamentos com os outros. Podemos confiar nas pessoas, embora somente até certo ponto. Mas, quando depositamos nas pessoas a confiança que deveria ser depositada apenas em Deus, Ele acaba nos revelando as fraquezas delas, para que saibamos que colocamos nossa confiança em quem não deveríamos.

Como Deus prepara um líder? Ele nos dá uma série de testes, pois eles fazem com que as impurezas de nossa vida subam à superfície, de onde podem ser removidas. Nada melhor para mostrar quem realmente somos do que um teste.

Minha filha, certa vez, compartilhou algo sobre o ponto em que estava com relação à manutenção da paz interior. Estava buscando não ficar irritada com as pequenas coisas do dia-a-dia que saíssem errado. No dia seguinte, quando ia passar requeijão em sua torrada, derrubou-o no chão da cozinha. Ela o pegou e o jogou no lixo. Por esse teste ela viu onde se encontrava em sua tentativa de viver em paz. É verdade que ela não chegou a jogar o vidro no chão, como teria feito um ano antes. Mas também não reagiu do modo calmo como sabia que deveria naquela situação.

Os testes fazem com que as impurezas de nossa vida subam à superfície, de onde podem ser removidas.

Deus continua nos dando pequenos testes como esse e nos faz passar por eles várias vezes até que aprendamos. Os testes não mudam, mas nós mudamos. Não seria maravilhoso se chegássemos ao ponto de não nos irritarmos com as pequenas coisas da vida?

Eu mesma já tive um desejo tão grande de paz que finalmente decidi que faria qualquer ajuste necessário em minha vida para obtê-la, pois eu não queria mais ficar chateada o tempo todo. Descobri que não eram as circunstâncias que deveriam mudar, e sim eu mesma.

Na verdade, alguns passam a vida toda tentando mudar tudo e todos, tentando controlar os outros, tentando controlar o diabo e tentando controlar suas circunstâncias, sem perceberem a verdadeira fonte de nossa infelicidade e tristeza. Essas pessoas saem por aí dizendo: "Senhor, não sou feliz. O diabo está me incomodando. Os outros estão falhando comigo, me decepcionando. Preciso de certas coisas para me sentir feliz, e o Senhor não as dá a mim". Mas quem age assim nunca muda porque sempre espera que os outros ou as circunstâncias mudem.

Deus quer usar todas essas pessoas e coisas de que não gostamos para nos aperfeiçoar. E, quando mudamos, ou elas desaparecerão, ou não nos incomodarão mais; de qualquer forma, não fará mais diferença.

Em Quem Você Está Depositando Sua Confiança?

Afastai-vos, pois, do homem [fraco e moribundo] cujo fôlego [que dura pouco tempo] está no seu nariz. Pois em que é ele estimado? (Isaías 2.22).

Aqui Deus está nos perguntando: "Por que estão depositando sua confiança em frágeis mortais, que só vivem pouco tempo? Que valor eles têm em si mesmas? Ora, depositem sua confiança em mim".

No versículo seguinte, em Isaías 3.1, lemos: *Porque eis que o Senhor, o Senhor dos Exércitos, tira de Jerusalém e de Judá o sustento e o apoio, todo sustento de pão e todo sustento de água.* Aqui, o Senhor está dizendo que ele está tirando de seu povo todo apoio humano.

O que acontece conosco quando nossos apoios – escoras – são tirados de nós? Descobrimos em que estamos realmente nos apoiando; onde estamos enraizados e firmados. Vou dar um exemplo.

Meu marido, Dave, e eu jogamos golfe com frequência. No campo de golfe, há geralmente alguns galhos plantados que se transformarão em árvores algum dia. Essas pequeninas plantas são tão pequenas e fracas que, normalmente, têm algumas estacas pequenas presas ao lado delas para apoiá-las, porque elas não têm força ou raízes. Sem essas estacas para apoiá-las, o vento ou a chuva poderia destruí-las.

Quando somos recém-convertidos, também somos assim. Quando começamos a andar com Deus, precisamos de um sistema de apoio, algo que nos ajude a ficar firmes e fortes. Precisamos de um grupo de pessoas ao nosso redor para que estudemos a Bíblia, oremos e busquemos ao Senhor. Se não tivermos esse sistema de suporte, quando vierem as tempestades da vida contra nós, nos arrastarão para longe.

Esse sistema de apoio pode ter várias formas, mas seja ele qual for, logo Deus irá começar a tirá-lo de nós. Num primeiro momento, isso parece ser algo assustador porque não compreendemos direito e não gostamos muito disso. Começamos a dizer coisas como: "Oh, Senhor, tenho de desistir daquela reunião de oração? Não sei se consigo passar a semana sem ela. O Senhor quer mesmo que eu pare de ir ao aconselhamento e busque somente ao Senhor? O Senhor quer que eu pare de entrar na fila das pessoas que vão receber oração e confie somente no Senhor para me curar? Ah, não sei se consigo ficar firme sem isso".

Os suportes que Deus começa a remover de nós podem ser coisas que nos dão grande prazer ou satisfação; coisas como cantar ou tocar um instrumento musical, ou ser parte do grupo de louvor. Então, subitamente, por alguma razão, perdemos essa posição, ou Deus exige que a deixemos. É então que descobrimos o quanto nosso senso de valor depende das coisas que fazemos.

Durante uma época, fui co-pastora numa igreja em Saint Louis. Trabalhei lá durante cinco anos. Gostava do meu trabalho. Tinha meu grupinho de amigos lá. Todos me conheciam. Eu tinha uma cadeira reservada na fila da frente e uma vaga com meu nome para estacionar o carro. Eu me achava realmente importante.

Como tive um passado muito sofrido, no qual não recebera o tipo de amor e cuidado de que precisava para saber quem eu era em Cristo, não percebia que o meu senso de valor pessoal estava baseado nas coisas que eu fazia. Embora o meu chamado fosse aquele e Deus quisesse que eu o **cumprisse**, Ele não queria que eu **dependesse** daquilo. Ele queria que eu soubesse distinguir entre o que eu estava

fazendo para Ele e quem eu **era nEle**, para que, mesmo que eu não mais fizesse o que estava fazendo, meu senso de valor pessoal continuasse intacto. Ele não queria que eu pensasse que se não fosse mais professora e pregadora não seria ninguém.

Mesmo depois que deixamos de fazer coisas mundanas e passamos a fazer obras cristãs quando aceitamos a Jesus como Salvador, ainda trazemos parte da bagagem e do lixo antigo conosco; ainda fazemos o jogo mundano, porém colocando nele uma maquiagem "cristã". Ainda tentamos alcançar certos privilégios por meio de manipulação. Ainda tentamos nos associar às "pessoas certas" para garantir que estaremos no "grupo certo" que nos ajudará a chegar aonde queremos.

Precisamos aprender a parar de tentar nos promover e deixar que Deus nos coloque onde Ele quiser. Descobri que Deus não tem de me manter onde me colocou. Agora, se eu me colocar em algum lugar, então eu mesma tenho de "bancar" minha permanência ali. E isso não é nada fácil.

Na minha vida, Deus teve de derrubar muitas estacas nas quais eu me apoiava. Ele me tirou do trabalho onde eu estava, na igreja de Saint Louis. Depois de um tempo, quando eu ia para a igreja no domingo de manhã, já não tinha mais minha cadeira reservada nem minha vaga de estacionamento particular. Passado mais algum tempo, algumas pessoas passavam por mim, apresentavam-se e me perguntavam: "Você é nova aqui?" Eu ficava triste e irritada. Tinha vontade de dizer: "Estou aqui desde a época em que havia somente trinta pessoas. Eu era co-pastora desta igreja! Você não sabe quem eu sou?"

Eu era como aquelas arvorezinhas cujas estacas foram tiradas. Tinha um grupo de doze amigas naquela igreja e depositei muita confiança nelas. Durante minha estada lá, algumas delas se voltaram contra mim e disseram coisas que nunca deveriam ter dito. Começaram a me acusar de coisas que não fiz. Fiquei muito magoada e decepcionada. Não conseguia acreditar que aquilo estava acontecendo.

Deus precisa tirar tudo em que nos apoiamos que não seja exclusivamente Ele. E Ele é um Deus de restauração. Restaura nossa mente, nossas emoções, nossa alma e nossa saúde. Quando começamos a restaurar um móvel antigo, valioso e belo, temos primeiro de raspar a tinta velha ou o verniz antes de aplicar um novo acabamento. Se você sente que certas coisas, pessoas ou situações estão sendo retiradas da sua vida, não fique chateado. Apenas continue cooperando com a obra que o Senhor está realizando.

Não fique como o pequeno galho voando com o vento porque suas estacas foram tiradas. Ao contrário, firme a raiz para que um dia você possa tornar-se alto e estável e ser um carvalho de justiça.[5]

3. O Teste da Rejeição

> *Lembrai-vos da palavra que eu vos disse: não é o servo maior do que seu senhor [não é superior a ele]. Se me perseguiram a mim, também perseguirão a vós* (João 15.20).

As pessoas nos rejeitarão, assim como rejeitaram Jesus, Paulo e os outros apóstolos e discípulos. Seremos rejeitados porque Jesus disse que o servo não é maior que seu senhor, e que, assim como ele foi rejeitado, nós também o seremos.

É particularmente difícil quando somos rejeitados por aqueles que estão errados e que estão dizendo ou fazendo coisas erradas.

O Salmo 118.22 diz: *A pedra que os construtores rejeitaram, essa veio a ser a principal pedra, angular.* Essa passagem fala de Davi, que foi rejeitado pelos governantes judeus, mas logo foi escolhido pelo Senhor para reinar sobre Israel.[6] Em Mateus 21.42, Jesus citou esse versículo aos sacerdotes e fariseus, referindo-se à Sua rejeição por parte deles como Filho de Deus. Ele também referiu-se a Si mesmo como a pedra principal, angular da igreja.

Embora os outros nos rejeitem, se continuarmos firmes e fizermos com uma boa atitude o que Deus está nos ordenando, logo seremos a pedra principal onde quer que ele nos coloque. Deus pode nos promover e nos fazer líderes mesmo que todos pensem que não somos coisa alguma. Deus pode nos colocar num lugar elevado onde ser humano nenhum jamais poderá nos colocar.

Quando comecei a pregar, sentia-me muito insegura. Se alguém se levantasse e saísse do culto, o diabo me falava que a pessoa estava saindo porque não gostava de mulheres pregando. Isso aconteceu algumas vezes em igrejas onde preguei, e seus pastores já haviam me alertado com antecedência que os membros da igreja nunca tinham visto uma mulher no púlpito e não sabiam muito bem como eles iriam reagir. Quando isso acontecia, sempre me sentia mal e constrangida.

Então Deus me Deus uma passagem em Lucas 10.16: *Quem vos der ouvidos ouve-me a mim; e quem vos rejeitar a mim me rejeita; quem, porém, me rejeitar rejeita aquele que me enviou.*

O Senhor estava me dizendo simplesmente isto: "Eu mesmo a chamei. Não se preocupe com o que os outros pensam. Se você se preocupar, vai ficar assim a vida toda, porque o diabo nunca para de encontrar pessoas que pensam mal de nós".

Em Mateus 10.14, quando Jesus enviou seus discípulos a povoados e cidades para pregar, disse-lhes o que deveriam fazer se fossem rejeitados. Ele não disse que deveriam ficar chorando e magoados, sofrendo, feridos e envergonhados. Ele disse: *Se alguém não vos receber, nem ouvir as vossas palavras, ao sairdes daquela casa ou daquela cidade, sacudi o pó dos vossos pés.* E no versículo 23 Ele diz: *Quando, porém, vos perseguirem numa cidade, fugi para outra; porque em verdade vos digo que não acabareis de percorrer as cidades de Israel, até que venha o Filho do Homem.*

Desse modo, se houver um chamado em sua vida e se uma pessoa ou grupo o rejeitar, haverá outros que o aceitarão. Esqueça a rejeição e vá em frente.

Todos temos de aprender a nos desvencilhar de nossos problemas, decepções e rejeições.

Em Atos 28.1-5, lemos a história de Paulo e seus companheiros de viagem que sofreram um naufrágio na ilha de Malta. Eles juntaram gravetos para acenderem uma fogueira para se aquecerem, e uma cobra, fugindo do calor da fogueira, saiu e mordeu-lhe a mão de Paulo. Vendo isso, os nativos da ilha se convenceram de que Paulo era um assassino porque, embora ele tivesse sido salvo do mar, uma cobra venenosa o havia mordido. Criam que a deusa da justiça, em sua vingança, não permitiria que ele sobrevivesse.

No versículo 5, lemos: *Porém ele, sacudindo o réptil no fogo, não sofreu mal nenhum.*

Há uma mensagem importante nesse versículo: quando o diabo nos "morde", ele tenta entrar em alguma área de nossa vida, seja pelo medo, pela rejeição, pelo desânimo, pela decepção, pela traição, pela solidão ou por qualquer outra coisa. Mas a Bíblia nos diz o que fazer: simplesmente **"sacudir o problema no fogo" e seguir em frente**.

Geralmente essa rejeição vem de pessoas próximas de nós. Os próprios irmãos de Jesus o rejeitaram e ao seu ministério.[7] O mesmo pode acontecer com qualquer um de nós.

Se nos propusermos a seguir ao Senhor e a fazer coisas diferentes daquelas que todos fazem, eles sempre encontrarão falhas em nós e nos rejeitarão. Essa é a única forma que encontram de pensar que o que estão fazendo ou deixando de fazer é que está correto. Quando isso acontece, desvencilhe-se disso e continue realizando o que Deus lhe determinou.

4. O Teste do Beijo de Judas

> *Jesus, porém, lhe disse: Judas, com um beijo trais o Filho do Homem* (Lucas 22.48).

Outro teste com o qual podemos deparar é o que chamo de "teste do beijo de Judas", isto é, o teste de ser traído pelos amigos. Há algum tempo, andei com uma pessoa que acabara de passar por algo emocionalmente difícil porque envolvia rejeição e traição de pessoas que eram amigas chegadas e de confiança. Contei a essa pessoa a mesma coisa que vou compartilhar agora neste livro.

Houve certas coisas que Jesus já fez por nós, por isso não iremos passar por elas. Por exemplo, Ele carregou nossos pecados para que não tivéssemos de carregá-los.[8] Mas há outras coisas pelas quais Ele passou para servir de exemplo para nós. Nesses casos, teremos de passar por tais coisas e superá-las.[9] Uma delas é a rejeição, como já vimos. Outra é a solidão, que discutiremos mais tarde. Outra é ser obediente, fazer a vontade de Deus quando não queremos. Outra é a traição.

Sinceramente, conheço poucos líderes importantes que ocupam cargos de liderança há muito tempo que não tenham sofrido traição uma vez ou outra na vida, causada por alguém a quem realmente amava, respeitava e em quem confiava.

Quantos pastores tiveram pastores auxiliares que dividiram a igreja, levando parte da congregação para começar uma nova? Isso acontece com tanta frequência que já é praticamente lugar-comum.

Deus pode chamar alguém para começar uma nova obra, mas há a forma certa e a errada de se fazer isso. Nunca é sábio sair de um lugar se estiver em pé de guerra. Lembre-se sempre: a forma como você sai da antiga obra trabalho é a mesma como entra na nova: você leva consigo a atitude com que saiu do lugar anterior.

Já fiz parte de uma igreja cuja liderança achava errado eu ensinar em vez de meu marido. Eles se voltaram abertamente contra mim, nos envergonhando e magoando. Queríamos sair rapidamente daquele lugar e ir para qualquer outro, mas Deus colocou em nosso coração que não deveríamos sair dali com espírito de contenda. Esperamos um tempo, e fomos literalmente perseguidos durante a espera. Conforme esperávamos, a igreja começou a morrer. A frequência começou a cair rapidamente, o Espírito de Deus não operava mais, e era evidente que havia sérios problemas.

Os líderes tentaram exercer controle sobre os membros da congregação em vez de uma liderança saudável. Eles se sentiam magoados e ficavam com raiva quando alguém queria sair e fazer outra coisa. Agiam como se fossem "donos" da igreja, o que é uma atitude errada.

Em 2 Coríntios 1.24, o apóstolo Paulo disse à igreja de Corinto que não estava tentando ser o ditador da fé deles, mas o promotor de sua alegria, e é isso que os líderes devem ser.

Os líderes daquela igreja trataram muitas pessoas como nos trataram. Mas Deus não abençoa aqueles que maltratam os outros. Conforme esperávamos, Deus se encarregou da situação. Como diz sua Palavra, ele é nosso "Vingador".[10]

Se eu tivesse tentado resolver o problema com as próprias mãos e não seguido a direção do Espírito Santo, teria saído de lá irada, magoada e amargurada. Por eu ter esperado, fui capaz de sair com a atitude correta e ser abençoada na próxima obra em que coloquei minhas mãos. Dave e eu talvez não teríamos o ministério de hoje se não tivéssemos obedecido a Deus naquela época.

Satanás ama a traição porque, geralmente, quando estamos magoados por causa dela, sentimos que não podemos confiar em ninguém.

Temos vontade de desistir, largar tudo, ir para algum lugar solitário e "fazer o que der na telha", pois assim não teremos de passar por aquilo novamente. A traição é outra coisa da qual devemos aprender a nos desvencilhar e não permitir que nos incomode mais. Jesus não permitiu que ela o perturbasse, e nós não devemos permitir também.

Em Mateus 24.10, Jesus nos alerta que, nos últimos dias, coisas como traição, entre outras, irão crescer. Ele descreve estas épocas de provação na passagem a seguir, dizendo:

> *Nesse tempo, muitos hão de se escandalizar, trair e odiar uns aos outros [e deixar de confiar naquele em que devem confiar e ao qual devem obedecer]; levantar-se-ão muitos falsos profetas e enganarão a muitos. E, por se multiplicar a iniquidade, o amor se esfriará de quase todos. Aquele, porém, que perseverar até o fim, esse será salvo* (Mateus 24.10-13).

Se cremos que estamos nos últimos dias, então é melhor ficarmos atentos a alguns sinais do final dos tempos. Marcos 13.7-8 descreve alguns desses sinais como guerras e rumores de guerra, fome e terremotos em diferentes lugares, mas não é só isso. Um desses sinais é uma crescente traição, que é o que temos visto acontecer atualmente.

Mas Jesus diz que aqueles que, mesmo em meio a todas essas coisas, perseverarem até o fim, serão salvos. Portanto haverá algumas provações pelas quais teremos de passar; tribulações e aflições que teremos de suportar. Mas, quando passarmos por elas, como crentes fiéis sabemos que, com a ajuda de Deus, sairemos do outro lado do túnel. E podemos decidir de que maneira vamos reagir a essas coisas. Então, devemos optar por permitir que elas nos transformem em pessoas melhores, e não piores.

Não é o que acontece conosco que nos destrói, e sim nossa reação negativa ao fato. Mas não precisamos ter uma reação negativa; podemos optar por uma positiva. Como exemplo, vejamos o "cenário Judas-Jesus", o nome que dei ao teste seguinte.

Faça a Escolha Certa

Estava próxima a Festa dos Pães Asmos, chamada Páscoa. Preocupavam-se os principais sacerdotes e os escribas em como tirar a vida a Jesus; porque temiam o povo. Ora, Satanás entrou em Judas, chamado Iscariotes, que era um dos doze [apóstolos]. Este foi entender-se com os principais sacerdotes e os capitães sobre como lhes entregaria a Jesus (Lucas 22.1-4).

Judas foi um dos doze discípulos de Jesus, mas lemos que Satanás entrou nele. Temos de compreender que Satanás pode agir por meio de qualquer um, mesmo daqueles que são íntimos de nós há anos. É por isso que é muito perigoso esperar demais das pessoas ao nosso redor. A partir do momento em que cremos que em hipótese alguma elas irão nos magoar, corremos o risco de sofrer grandes decepções.

Isso não significa, todavia, que devemos adotar uma atitude cética, amarga e azeda em relação a todo mundo, dizendo: "É, não se pode confiar em ninguém hoje em dia".

Não é isso que estou dizendo. Gosto das pessoas e confio nelas. Não passo a vida suspeitando de todos que conheço. Mas também não passo a vida esperando nunca ser magoada por ninguém, porque sei que todos são humanos como eu, o que significa que irão falhar, assim como eu também falho. Por isso não coloco minha confiança nas pessoas, mas no "amigo que é mais chegado que um irmão".[11] Quanto a Ele, sei o que fará, mas não tenho certeza do que as pessoas farão. Elas podem nos amar num dia e nos odiar no outro.

As pessoas podem mudar muito rapidamente, assim como Judas mudou sua opinião sobre Jesus, e por isso começou a buscar um modo de traí-Lo. Jesus sabia de tudo; já sabia que Judas ia traí-Lo. Por que, então, não fez nada a respeito?

Umas das coisas que aprendi sobre Deus é que, embora Ele saiba o que iremos fazer, Ele nos dá a oportunidade de escolher.

Muitas vezes, Dave e eu trabalhamos com certas pessoas ajudando-as a passar por algumas situações ou dando-lhes a oportunidade de servir no ministério, e tudo sai errado e vira uma grande confusão.

Nessas ocasiões, fico tentada a dizer: "Bem, talvez não ouvimos a Deus". Mas Dave me fala inúmeras vezes: "Não, não é só porque isso tudo aconteceu que não demos ouvidos a Deus. Deus dá oportunidades às pessoas. O que elas fazem com a oportunidade é problema delas".

Jesus conhecia a predisposição de Judas de fazer o que era errado, mas lhe deu a oportunidade de escolher. Jesus queria ver se ele mudaria e faria a escolha certa.

Satanás Se Aproveita de Nossas Fraquezas

> *Seis dias antes da páscoa, estava Lázaro, a quem ele ressuscitara dentre os mortos. Deram-lhe, pois, ali, uma ceia; Marta servia, sendo Lázaro um dos que estavam com ele à mesa. Então Maria, tomando uma libra de bálsamos de nardo puro [um perfume raro], mui precioso, ungiu os pés de Jesus e os enxugou com os seus cabelos; e encheu-se toda a casa com o perfume do bálsamo. Mas Judas Iscariotes, um dos seus discípulos, o que estava para traí-lo, disse: Porque não se vendeu este perfume por trezentos denários, e não se deu aos pobres? Isto disse ele, não porque tivesse cuidado dos pobres; mas porque era ladrão e, tendo a bolsa, tirava o que nela se lançava. Jesus, entretanto, disse: Deixa-a! Que ela guarde isto para o dia em que me embalsamarem; porque os pobres sempre os tendes convosco, mas a mim nem sempre me tendes* (João 12.1-6).

Judas tinha extremo apego ao dinheiro. Foi por isso que traiu Jesus. Seu problema era a ganância.

O que Satanás faz quando quer atingir um líder? Ele encontra alguém que seja íntimo do líder e tenha uma fraqueza; então tenta usá-la para destruir o líder. Vi isso acontecer em minha própria vida.

Até mesmo meus filhos, que me amam muito, têm suas fraquezas de personalidade que me irritam bastante. É um desafio ter os próprios filhos trabalhando em seu ministério. Somos ao mesmo tempo seus pais, seus pastores e seus patrões. E eles são nossos melhores amigos. Então precisamos de jogo de cintura para alternar rapidamente os nossos papéis e lhes dizer: "Agora somos pais. Agora somos seus pastores. Agora somos os patrões. Agora somos seus amigos". Desse modo, Satanás tenta se aproveitar dessa situação e usá-la para causar problemas entre nós, assim como fez com Judas e Jesus.

Ele tenta até mesmo trazer discórdia e desarmonia entre mim e Dave. Como casal, Dave e eu nos damos bem quase sempre, mas há coisas que fazemos que irritam um ao outro.

Dave pode passar vários meses sem fazer nada para me irritar, mas, de repente, o diabo realmente tenta me irritar por meio de Dave. Embora o problema naquela área devesse estar morto e enterrado, é como se subitamente ele ressuscitasse e começasse a me irritar novamente.

Uma das coisas que me irritam em Dave, e ele sabe disso, é que ele dá muito valor a detalhes, enquanto eu dou importância ao contexto global. Assim, toda vez que conto uma história, ele me interrompe e me corrige. Quando estou falando, não gosto de ser interrompida; quero que ouçam o que tenho a dizer. Depois que começo, quero ir até o fim. Começo a falar e Dave diz: "Não, não foi bem assim". Aí ele volta ao início da história e começa a contá-la novamente, adicionando os detalhes que, para mim, não interferem em nada na história. Eu teria tempo de contar umas quatro histórias, enquanto ele ainda conta detalhes da primeira metade da primeira história.

Quem tem razão, eu ou Dave? Na verdade, nenhum de nós está certo nem errado; somos apenas diferentes. Temos pontos fortes e fracos, e Satanás se aproveita das fraquezas para criar problemas entre nós e as outras pessoas.

Nessa história de João, capítulo 12, observamos que a hora de Jesus morrer na cruz por nossos pecados está próxima. De repente, Satanás começa a agir usando a fraqueza de Judas por dinheiro, e usa-o para atingir Jesus.[12]

Devemos perceber que, quando Deus está prestes a nos promover, haverá ocasiões em que Satanás tentará nos impedir. Isso quase sempre acontece quando estamos para receber as maiores bênçãos. Ele tenta fazer com que manifestemos uma atitude errada ou com que tenhamos uma reação negativa para que Deus diga: "Acho que você não está pronto ainda; então, mais uma volta em torno da montanha".

O que devemos fazer quando isso acontece conosco?

Desvencilhar-nos do problema.

Podemos chorar e lamentar porque fomos traídos, mas isso não irá ajudar em nada. Na verdade, só irá piorar a situação. Em vez de fazermos isso, devemos estar determinados a não deixar que a traição nos impeça de prosseguir e continuar firmes com Deus.

Na cena real da traição, Judas encontrou Jesus no Jardim do Getsêmani e O traiu, entregando-O a seus inimigos com um beijo.[13]

Mas Jesus não é o único na Bíblia que foi traído por um amigo próximo ou parente. O próprio filho do rei Davi, Absalão, o traiu, liderando uma rebelião contra o pai, na tentativa de derrotá-lo.[14] José foi traído por seus irmãos, que o venderam como escravo para o Egito, onde foi jogado na prisão por um crime que não cometera.[15] A irmã de Moisés, Miriã, e seu irmão, Aarão, se voltaram contra ele e o traíram numa tentativa malsucedida de tomar seu lugar como porta-voz de Deus para os israelitas.[16]

Tais traições nos levam ao próximo teste.

12 Testes de Liderança — Parte 2

Nesta parte do livro, estamos falando dos diferentes testes que Deus usa para trazer as impurezas do coração à superfície em nossa vida. Se enfrentarmos essas impurezas e problemas, Deus poderá trabalhar em nós para removê-los, levando-nos a um contínuo aperfeiçoamento da nossa personalidade.

Deus sempre nos leva a um aperfeiçoamento da personalidade antes de nos promover a um nível mais alto na liderança.

Talvez você não tenha passado por todos esses testes de que falamos, mas provavelmente ainda irá enfrentá-los antes de chegar ao ponto em que Deus quer que esteja.

Lembre-se: Deus não nos testa para nos fazer mal, mas para nos transformar em pessoas melhores e, no futuro, em líderes melhores.

5. O Teste do Perdão

> *Mudou o Senhor a sorte de Jó, quando este orava pelos seus amigos; e o Senhor deu-lhe o dobro de tudo o que antes possuíra* (Jó 42.10).

Quando somos traídos ou fazemos algo errado, devemos passar pelo teste do perdão.

Não vou falar muito sobre esse teste porque já abordamos a questão do perdão em outros pontos do livro. Falamos sobre Moisés, Paulo, José, Estêvão, Jesus, e outros heróis na Bíblia que perdoaram outras pessoas. Mas quero salientar a passagem de Jó 42.7-10, na qual lemos que Jó orou por seus amigos, aqueles que não ficaram ao seu lado na dor e no sofrimento, quando perdeu tudo o que tinha, e eles o julgaram e criticaram. Como resultado de sua oração por eles e do perdão que concedeu aos amigos, ele recebeu porção dobrada de bênção do Senhor.

Vou transformar essa ideia num novo lema: **Faça o que Deus quer de todo coração, e toda sua aflição Ele compensará com bênçãos em dobrada porção.**

6. O Teste de Amar o Inamável

> *Porque, se amardes os que vos amam, que recompensa tendes? Não fazem os publicanos também o mesmo?* (Mateus 5.46).

Conhecemos algumas pessoas em nossa vida que são como esmeris para nós. Algumas são como um kit de pedras de esmeril, cada pedra mais abrasiva que a outra. Quando estão por perto, temos a sensação de estar cercados de esmeris por todos os lados. E quanto mais esmeris existem à nossa volta é sinal de que mais arestas há que devem ser aparadas em nós.

Quando Deus me chamou para pregar, eu tinha muitos problemas; estava "na pior". Quando comecei a ensinar a Palavra, me sentava no chão da sala de estar, de *short*, fumando e dando baforadas nas pessoas enquanto ensinava.

Bem, Deus vê não só onde estamos no momento, mas onde poderemos estar depois que Ele tiver nos lapidado e aperfeiçoado durante o tempo que for necessário.

Entenda que enquanto eu agia daquele jeito, Deus não me "soltou mundo afora". Ele me manteve no chão de minha sala com apenas vinte e cinco pessoas.

Apenas para que se tenha uma ideia de como eu era, vou relatar alguns dos meus problemas nessa época. Não sabia nada sobre caráter, integridade, maturidade, excelência, fruto do Espírito, etc. Para mim, isso era algo de outro mundo. Então uma das coisas que Deus fez foi me cercar de pessoas que me irritavam profundamente.

As três pessoas que mais passavam tempo comigo me deixavam totalmente maluca. Uma delas era Dave, outra era uma moça que morava na casa ao lado e outra, uma amiga íntima.

É verdade. A personalidade de Dave me deixava desesperada. Eu estava sempre bem à frente, enquanto Dave sempre agia num ritmo muito mais lento. Parecia que Dave tinha um "ministério de esperar em Deus". Eu, por minha vez, nunca esperava em Deus para nada. Eu decidia para onde ir e dizia: "Vamos lá, Senhor". Eu corria em disparada, e Deus, se quisesse, que me alcançasse.

Na verdade, nem eu nem Dave estávamos corretos. Eu estava bem à frente do ponto que Deus queria, e Dave, sempre atrás. O Senhor teve de trabalhar com nós dois para nos dar o equilíbrio necessário nessa área.

Talvez você seja casado com alguém que também o tire do sério. Mas isso não significa que esteja casado com a pessoa errada.

Se Deus não tivesse me dado Dave como marido, eu não estaria onde estou hoje, pois ninguém mais teria me aguentado. Ele simplesmente me amava incondicionalmente, e algumas vezes, quanto pior eu ficava, mais ele me amava. Ele até ria de mim. Às vezes, quando fico mal-humorada, ele me diz: "Ah, estou vendo aquele antigo brilho novamente em seus olhos". Algum tempo atrás, ele me disse: "Uma coisa é certa, querida: não posso nunca reclamar que é um tédio ficar casado com você".

Mas eu me sentia como se estivesse sendo esmagada. Eu estava casada com um homem que não fazia as coisas do modo que eu queria. Deus me dizia que eu tinha de me submeter a ele, mas nós nunca concordávamos em nada. Eu reagia dizendo a Deus: "Senhor, se tiver de me submeter a ele, nunca vou conseguir nada na vida!"

Eu tinha uma amiga que era perfeccionista e tinha uma personalidade colérica, e as pessoas de personalidade colérica e perfeccionista são irritantes. Também havia uma pessoa em minha vida que era totalmente vaga em relação a tudo o que queria fazer, e eu sempre tive alvos definidos e sabia o queria fazer. Parecia que para onde quer que me virasse, esbarrava no "esmeril".

Eu achava que todos eram problemáticos, exceto eu. Ficava resistindo a tudo o que agora sei que Deus colocou em minha vida.

Então, finalmente, entendi que Deus coloca pessoas irritantes em nossa vida e não temos como fugir. Se tentarmos fugir de uma, esbarraremos com mais duas iguais a ela na próxima esquina.

Eu costumava ficar cantando "Tudo, ó Cristo, a Ti entrego...". Porém, quando alguém não muito amável aparecia, eu ficava chateada novamente e queria fugir da pessoa.

Mas precisamos aprender a amar os não amáveis. Da próxima vez que você deparar com alguém irritante, diga a si mesmo: "Não entre em pânico, carne. Isso é somente um teste". Sacuda a poeira e vá em frente.

Em Gálatas 6.1-2, lemos:

> *Irmãos, se alguém for surpreendido nalguma falta, vós, que sois espirituais [sensíveis à orientação do Espírito e controlados por ela], corrigi-o com espírito de brandura; e guarda-te para que não sejas também tentado. Levai (suportai, carregai) as cargas uns dos outros e, assim, cumprireis a lei de Cristo.*

O que Paulo está nos dizendo nesse texto? Ele está dizendo que teremos de aprender a conviver uns com os outros. Teremos de aprender a suportar algumas coisas de que não gostamos. Nem todos vão pensar, falar e agir da forma que queremos. Mas, como membros do Corpo de Cristo, o que devemos fazer é perdoar-lhes. Nem todos vão ser ou fazer o que queremos, mas podemos perdoar-lhes e amá-los mesmo assim.

7. O Teste do Tempo

> *Há, todavia, uma coisa, amados, que não deveis esquecer: que, para o Senhor, um dia é como mil anos, e mil anos, como um dia* (2 Pedro 3.8).

Deus não se move no nosso ritmo. Ele nunca se atrasa, e também não costuma se adiantar. Geralmente Ele é o Deus da madrugada. Algumas vezes Ele espera até o último momento antes de nos dar aquilo de que precisamos. É como se estivéssemos nos afogando e, no último suspiro, Deus chegasse para nos resgatar.

Devemos aprender a confiar no tempo de Deus. Mas, antes de conseguirmos fazer isso, precisamos chegar a um ponto em que estejamos quebrantados diante dEle. O que quero dizer é que nossa vontade própria e o nosso espírito de não dependência de Deus devem estar quebrantados diante de Deus, antes que Ele esteja livre para operar Sua vontade em nossa vida e circunstâncias. Antes de intervir em nosso favor, Ele precisa ter a certeza de que não vamos querer resolver o problema por nossas próprias forças e fazer algo fora de Seu tempo perfeito.

Gálatas 6.9 diz: *E não nos cansemos de fazer o bem, porque a seu tempo ceifaremos, se não desfalecermos*. É interessante notar que as Escrituras sempre nos encorajam. Ainda assim, Deus não nos fala muita coisa nesse versículo, pelo menos em relação ao tempo exato em que algo irá acontecer, porque "a seu tempo" não indica algo muito específico. Se começarmos a procurar referências sobre o tempo na Bíblia, encontraremos descrições como "a Seu tempo, no tempo determinado". Muitas vezes, quando estou esperando em Deus em relação a uma situação e sinto-me desencorajada em relação ao tempo que Ele leva para responder, alguém me cita algum versículo desse tipo. Eles me encorajam, mas continuo sem saber, porque "a Seu tempo" é, na verdade, o tempo que Deus sabe ser o melhor.

O salmista Davi escreveu uma poderosa mensagem no Salmo 31.14-15: *Quanto a mim, confio em ti, Senhor. Eu disse: tu és o meu Deus. Nas tuas mãos, estão os meus dias; livra-me das mãos dos meus inimigos e dos meus perseguidores.* Como o salmista, devemos aprender a colocar nossa confiança no Senhor, crendo que Ele vai nos livrar de nossas circunstâncias difíceis a Seu tempo, que é perfeito.

O salmista também diz no Salmo 34.19: *Muitas são as aflições do justo, mas o Senhor de todas o livra*. Mas ele não diz exatamente quando Deus livra o justo, nem diz por que às vezes há um período de espera antes do livramento.

Creio que algumas vezes temos de esperar para que Deus nos livre e coloque compaixão em nós por aqueles a quem vamos ministrar.

Há alguns anos, fiquei muito doente durante certo tempo. Lembro-me de estar deitada na cama, orando e clamando ao Senhor. Não entendia por que ele não me livrava daquela aflição. Tinha medo de como a doença poderia evoluir e a que ponto chegaria.

De repente, Deus falou claramente comigo: "Essa doença não é para a morte, mas para a vida".[1] Embora não soubesse, por mim mesma, o que Ele queria dizer, por intermédio de Seu Santo Espírito em mim eu sabia que Ele queria dizer que estava operando mais vida em mim, mais confiança nEle, uma proximidade maior com Ele. Eu sabia que não tinha de temer a morte porque Deus me livraria na hora certa. E assim foi. Ele sempre o faz.

Em resumo, precisamos confiar no tempo de Deus, crendo que enquanto esperamos a cura, Ele trabalha em nós, pois tem um propósito para nós.

Crescendo na Fé

Em 2 Coríntios 12.7-9, Paulo fala do espinho na carne que lhe foi posto e diz que havia pedido a Deus três vezes que o livrasse desse espinho. Nós já imaginamos várias possibilidades quanto ao que seria esse espinho, por que ele foi colocado em Paulo e por que Deus se recusou a removê-lo. Creio que deixamos de compreender a verdadeira questão, pois o próprio Paulo respondeu a essas perguntas:

> *E, para que não me ensoberbecesse com a grandeza das revelações, foi-me posto um espinho na carne, mensageiro de Satanás, para me esbofetear, a fim de que não me exalte. Por causa disto, três vezes pedi ao Senhor que o afastasse de mim. Então, ele me disse: A minha graça te basta, porque o poder se aperfeiçoa na fraqueza. De boa vontade, pois, mais me gloriarei nas fraquezas, para que sobre mim repouse o poder de Cristo.*

No versículo 9, Deus diz a Paulo: *Minha graça é suficiente para você, pois o meu poder se aperfeiçoa na fraqueza* (NVI). Enquanto Deus não nos cura, Ele nos dá graça, força e habilidade para passarmos pelo problema e continuarmos andando no fruto do Espírito, agindo da forma que devemos agir.

Creio que há diferentes níveis de fé. Um nível da fé **nos livra das** tribulações, mas outro nos faz **passar pelas** tribulações e vencê-las. Algumas pessoas acham que a fé que nos livra das tribulações é maior. Não concordo. Creio que a mesma intensidade de fé é necessária tanto para orar por livramento quanto para orar para que continuemos a andar em fé, no poder libertador de Deus, quando ele não se manifesta. É no momento de teste que crescemos na fé.

Há momentos em que Dave e eu oramos por algo e recebemos a resposta imediatamente. Em outras ocasiões, temos de andar em fé durante um certo tempo antes de recebermos a resposta. Nessas ocasiões, temos de crer na Palavra de Deus, e não em nossa experiência. Esse é um dos testes de liderança e parte de nossa preparação para ela.

Quando Dave e eu fomos chamados para o ministério, eu tinha um emprego com um salário igual ao de Dave. Eu tinha um cargo de chefia numa grande distribuidora de alimentos. Quando deixei meu emprego para me dedicar totalmente ao ministério, nossa renda foi cortada pela metade. Precisávamos de um milagre financeiro todos os meses para pagar nossas contas.

Eu achava que só porque eu tinha feito um grande sacrifício ao largar meu emprego Deus iria imediatamente resolver nossos problemas financeiros. Mas durante seis anos tivemos de depender de um milagre a cada mês. A situação ficou tão ruim que eu tinha de crer em Deus até para obter utensílios domésticos, como panelas, panos de prato e outras coisas básicas, como tênis para as crianças. Eu não estava acostumada a pedir a Deus esse tipo de coisa, pois com o meu salário eu sempre havia sido capaz de prover o necessário para nossa família.

Essa situação não parecia ser muito justa para mim, pois dávamos o dízimo. Na verdade, dávamos mais do que já havíamos dado toda a nossa vida. Por que, então, Deus não estava nos abençoando? Na verdade, Ele estava. Ele não estava nos dando tudo o que queríamos, mas estava cuidando de nós. Tivemos de depender dEle mais do que nunca, crendo que Ele, a cada mês, faria um milagre até mesmo para pagarmos nossas contas. Essa lição foi muito difícil para mim, e eu só a aprendi depois de lutar muito.

Eu repreendia demônios, jejuava, orava com outras pessoas concordando em oração com relação às nossas finanças, mas parecia que nada mudava nossa situação. Não compreendia o que estava acontecendo. Mês após mês, era sempre a mesma coisa. Isso durou seis longos anos. Finalmente recebemos uma resposta, e as coisas começaram a melhorar. Começamos a prosperar mais, e, gradualmente, Deus começou a derramar mais bênçãos financeiras sobre nós.

Olho para trás agora e sei exatamente por que tivemos de passar por isso. Como poderíamos crer que teríamos aquilo de que precisamos hoje para um ministério de alcance internacional se não tivéssemos tido fé que Deus supriria pequenas coisas pessoais, como utensílios domésticos? Nunca precisei crer em Deus para receber essas pequenas coisas porque eu tinha condição de supri-las. Por isso Deus teve de me tornar totalmente dependente dEle.

Enquanto tudo isso estava acontecendo, eu não entendia que era uma época de teste. Passei os primeiros dez anos de meu caminhar cheio do Espírito de Deus aos pés de seu trono chorando com meus "por quês" e "até quando". Finalmente, comecei a crer.

Se você está passando por um momento difícil agora, talvez seja um pequeno teste. Se for, tenha a determinação de se manter fiel, confiando que Deus irá livrá-lo em Seu tempo perfeito.

8. O teste da Incompreensão

> *Não há quem entenda [não há quem tenha compreensão ou discernimento inteligente], não há quem busque a Deus* (Romanos 3.11).

Há momentos em que somos incompreendidos pelas pessoas que esperamos que nos entendam e nos consolem. Creio que sempre haverá pessoas que não nos compreendem, não compreendem nossa personalidade nem nosso chamado.

Lembro-me de quando as pessoas me diziam: "Por que você age dessa forma?" Isso foi antes de saber do meu chamado. Sempre fui um pouco estranha. O que quero dizer com isso é que nem sempre gostava do modo como as pessoas pensavam que eu devia me comportar. Sempre fui muito séria, e nem todos me compreendiam nem entendiam minha personalidade.

Hoje, quando olho para trás, percebo que todas as ferramentas de que precisava para esse ministério já estavam dentro de mim. Deus apenas teve de dar um polimento nelas e colocá-las para funcionar adequadamente.

Quando não sabemos em que Deus quer nos usar, sentimo-nos deslocados. Sentimos que não nos encaixamos no sistema, no que acontece ao nosso redor. Então, quando estamos nos sentindo estranhos, ficamos confusos e chateados quando as pessoas dizem coisas como: "Qual é o problema com você? Por que você age assim?"

Elas não entendem. Mas não entendiam Jesus também. Ninguém realmente O entendia ou compreendia o Seu chamado.

A incompreensão é outro teste pelo qual devemos passar para nos tornarmos líderes. Precisamos estar determinados a permanecer ao lado de Deus e fazer o que Ele diz, mesmo que ninguém compreenda ou apoie nossa decisão nem concorde com ela. Mas Jesus nos compreende, e isso basta.

Quando somos incompreendidos, temos uma grande oportunidade de praticar o perdão e manter uma atitude correta.

9. O Teste de Ser Servo

> *Depois de lhes ter lavado os pés, tomou as vestes e, voltando à mesa, perguntou-lhes: Compreendeis o que vos fiz? Vós me chamais o Mestre e o Senhor e dizeis bem; porque eu o sou. Ora, se eu, sendo o Senhor e o Mestre, vos lavei os pés, também vós deveis lavar os pés uns dos outros. Porque eu vos dei o exemplo, para que, como eu vos fiz, façais vós também* (João 13.12-15).

Deus nos dá oportunidade de sermos servos e observa nossa atitude, para ver se nos achamos bons demais para isso.

Até Jesus nos deu exemplo como servo ao lavar os pés dos discípulos dizendo: "Vocês devem fazer pelo próximo o que eu fiz por vocês".

Algumas pessoas não podem ser servas porque não sabem quem são em Cristo. Precisam estar sempre fazendo algo importante, do contrário sentem que não têm valor.

Creio que temos dificuldade de apreciar o valor das pessoas que fazem o que for preciso por causa do ministério, especialmente se o que fazem parece algo comum ou secular. Há muitas "prima-donas" no Corpo de Cristo, pessoas que fazem somente aquilo que pensam que foram ungidas para fazer.

Precisamos ter boa vontade de fazer o que Deus quer que façamos, ser usados da forma que Ele quer nos usar. Aqueles que têm esse tipo de atitude são os que alcançam o nível mais alto daquilo que Deus tem para sua vida.

A atitude de servo é muito importante, mas essa deve ser a nossa atitude em todas as áreas da vida, e não somente no ministério.

Alguns se sentem mais inclinados a ser servos na igreja do que na própria casa. Se tiverem de fazer em casa o que estão dispostos a fazer na igreja, diriam: "Acho que sou um escravo em minha própria casa". Entretanto, sentem-se contentes em servir à família da fé. Na verdade, quanto àquilo que estamos dispostos a fazer na igreja, deveríamos estar mais dispostos ainda a fazê-lo em casa, pois é aí que começa o verdadeiro ministério. Alguns de nós deveriam aprender a lavar os pés de alguns em casa (servir às pessoas da família) antes de sequer começarem a tentar lavar os pés dos outros na igreja.

Um bom exemplo da verdadeira natureza e preço do serviço pode ser encontrado em Mateus 20.20-22:

> *Então, se chegou a ele a mulher de Zebedeu, com seus filhos, e, adorando-o, pediu-lhe um favor. Perguntou-lhe ele: Que queres? Ela respondeu: Manda que, no teu reino, estes meus dois filhos se assentem, um à tua direita, e o outro à tua esquerda. Mas Jesus respondeu: Não sabeis o que pedis. Podeis vós beber o cálice que eu estou para beber? Responderam-lhe: Podemos.*

Esses dois homens não tinham a mínima capacidade de fazer o que Jesus lhes perguntou e, desse modo, eles não tinham o direito de pedir tal coisa. Por isso, Jesus lhes disse: "Vocês não têm a mínima ideia do que estão pedindo". Eles queriam a posição, mas não tinham ideia do que precisariam fazer para estarem prontos para ocupá-la. Quando Jesus lhes perguntou "Podeis beber vós o cálice que eu estou para beber?", em sua ignorância eles responderam: "Oh, claro, claro; amém; podemos sim!". Mas não podiam. De forma alguma.

Jesus, então, disse-lhes:

> *Bebereis o meu cálice; mas o assentar-se à minha direita e à minha esquerda não me compete concede-lo; é, porém, para aqueles a quem está preparado*

> *por meu Pai. Ora, ouvindo isto os dez [discípulos], indignaram-se contra os dois irmãos. Então, Jesus, chamando-os, disse: Sabeis que os governadores dos povos os dominam e que os maiorais exercem autoridade [e os tiraniza] sobre eles. Não é assim entre vós; pelo contrário, quem quiser tornar-se grande entre vós, será esse o que vos sirva; e quem quiser ser o primeiro entre vós será vosso servo* (Mateus 20.23-27).

Creio que não precisamos dizer mais nada sobre esses versículos. Neles, Jesus deixa bastante claro o que é necessário para nos tornarmos grandes líderes.

Creio que todo os dias temos a oportunidade de ser bênção para os outros. Até mesmo entre mim e Dave, muitas vezes temos a oportunidade de fazer algo um para o outro. Às vezes aproveito algumas dessas oportunidades e faço algo especial para Dave, mas acabo murmurando um pouco. Ocasionalmente, ele me pede para fazer algo para ele, mas, se eu me recuso ou até mesmo hesito porque não quero me levantar ou fazê-lo naquele momento, ele brinca comigo dizendo: "Bem, Joyce, você acabou de perder uma bênção".

Outras vezes, quando não quero fazer algo que minha família me pede, eles dizem: "É melhor você praticar o que prega!" Eles estão certos. Já que prego aos outros o que fazer, tenho de ter o cuidado de fazer o que prego.

Em resumo, o teste do servo consiste simplesmente do modo como agimos diante das oportunidades que Deus nos dá para sermos bênçãos aos outros. Ele revela se realmente queremos ajudar os outros ou se queremos apenas aparecer. Quando Deus unge uma pessoa, Ele não a unge para necessariamente ser famosa, mas para ser serva, como seu Filho Jesus.

10. O Teste do Desencorajamento

> *Porém Saul disse a Davi: Contra o filisteu não poderás ir para pelejar com ele; pois tu és ainda moço, e ele, guerreiro desde a sua mocidade* (1 Samuel 17.33).

A história da batalha de Davi e Golias é, provavelmente, um dos melhores exemplos de teste que encontramos na Bíblia.

Quando Davi se ofereceu como voluntário para lutar contra o gigante, ninguém o encorajou. Todos disseram: "Você é jovem demais. Você não tem a armadura certa. Ele é muito maior e mais experiente do que você", e assim por diante.

Até mesmo o rei Saul questionou a capacidade de Davi para derrotar o arrogante filisteu. Mas Davi se encorajou, lembrando-se das vitórias que Deus lhe dera no passado:

> *Respondeu Davi a Saul: Teu servo apascentava as ovelhas de seu pai; quando veio um leão ou um urso e tomou um cordeiro do rebanho, eu saí após ele, e o feri, e livrei o cordeiro da sua boca; levantando-se ele contra mim, agarrei-o pela barba, e o feri, e o matei. O teu servo matou tanto o leão como o urso; este incircunciso filisteu será como um deles, porquanto afrontou os exércitos do Deus vivo. Disse mais Davi: O Senhor me livrou das garras do leão e das do urso; ele me livrará das mãos deste filisteu. Então, disse Saul a Davi: Vai-te, e o Senhor seja contigo* (1 Samuel 17.34-37).

Se quisermos ser líderes e fazer algo para Deus, devemos compreender que haverá centenas, talvez milhares de vezes em que Satanás virá contra nós para nos desencorajar. Por que ele faz isso? Porque sabe que precisaremos ter coragem para superar os ataques que ele lança contra nós para não conseguirmos cumprir o plano perfeito de Deus para nossa vida. Quando nos sentimos desencorajados, ficamos fracos e perdemos a coragem de prosseguir. O que fazer em momentos de desencorajamento?

Sacuda a poeira!

Ter Autopiedade ou Ter Poder

Em 1 Reis 18 e 19, lemos a história do profeta Elias, que se sentiu desencorajado. Depois de derrotar 450 profetas pagãos de Baal num enfrentamento no Monte Carmelo para provar quem era o verdadeiro Deus, Jeová ou Baal, Elias recebeu a notícia de que a rainha Jezabel estava tentando matá-lo. Ele ficou tão abalado com a notícia que se escondeu no deserto.

Por que um homem de Deus que havia acabado de subir numa montanha, construído um altar para Deus, matado e cortado um touro, colocando-o num altar sobre o qual Deus enviaria fogo para consumi-lo, e, depois disso, matado 450 profetas de Baal a golpes de espada, repentinamente se sentia apavorado e fugia de uma única mulher?

Se você ler a história, verá que Elias estava totalmente desgastado. Exausto de tanto esforço, ele precisava de uma boa noite de descanso e uma ou duas refeições, e foi exatamente isso que Deus lhe deu.

Ele fugiu e encontrou um lugar para dormir. Um anjo do Senhor o acordou e o alimentou. Depois de descansar um pouco mais, o anjo o acordou novamente e o alimentou mais um pouco antes de seguir em frente.

O problema de Elias foi simplesmente o desencorajamento causado pela fadiga. Como resultado, ele ficou sozinho e se entregou à autopiedade. Ele se sentia tão mal que estava a ponto de desistir e morrer. Então, Deus permitiu que recuperasse as forças espirituais e físicas, o que mostra que até mesmo os grandes homens e mulheres de Deus se sentem desencorajados.

No início de meu ministério, sentia-me muito desencorajada. Não fico mais assim com tanta frequência, mas de vez em quando tenho de lutar contra o desencorajamento, assim como todo mundo.

Quando temos de esperar um pouco mais por algo, ou quando parece que tudo e todos estão contra nós e ficamos cansados e desgastados, algumas vezes não estamos tão preparados para enfrentar o desencorajamento com todas essas coisas. Aprendi que, quando passo por isso, preciso orar. Digo a Deus: "Senhor, preciso que me ajudes. Sinto que estou afundando". Então, levanto-me e sigo em frente.

Não espere que a autopiedade o domine durante vários dias para que sejam necessários vários crentes para ajudá-lo a se levantar do pó. Assim que começar a se sentir afundando no desencorajamento, peça a alguém que ore por você e com você, ou ore sozinho. De nada adianta ficar desencorajado. Isso não muda nada nem fará com que se sinta melhor. Ao contrário, quando você se recuperar, vai se sentir mal por ter-se permitido entregar a uma situação péssima como aquela. Aprenda a enfrentar o desencorajamento e diga: "Já passei por esta montanha antes, mas não vou desperdiçar o tempo de Deus passando por aqui novamente. Não importa como as coisas estão agora e como me sinto, vou me levantar e continuar caminhando ao lado do Senhor".

O interessante da história de Elias é que quando Deus finalmente, perguntou a Elias: "O que você está fazendo aqui, Elias?" Ele fez a mesma pergunta duas vezes.

Para mim, isso indica que precisamos ficar longe do desencorajamento. Quando nos sentimos desencorajados, Deus nos ajuda, mas não sente pena de nós. Não é da natureza de Deus sentir pena. Como mencionei, ele já me disse: "Você pode ter autopiedade ou poder, mas não ambos".

13

Testes de Liderança — Parte 3

Você conseguiu reconhecer alguns dos testes de que falamos até agora? Talvez esteja passando por um deles ou mais, mas, até então, não tinha a mínima ideia do que estava acontecendo em sua vida. Agora que aprendeu sobre eles, não é maravilhoso saber o que está realmente acontecendo?

Todos os que querem ser líderes têm de passar por testes se quiserem que Deus os use. Os testes nos preparam para as posições de liderança que Ele tem em mente para cada um. Creio que o aprendizado sobre os testes fará uma diferença fundamental em sua vida.

11. O Teste da Frustração

Não frustro a graça de Deus... (Gálatas 2.21, tradução livre).

Temos passamos por muitas situações em que nos frustramos. Sentimo-nos frustrados porque aquilo que queremos que aconteça parece estar demorando uma eternidade para acontecer; porque o que temos para fazer é muito difícil ou ninguém nos ajuda; porque o dinheiro de que precisamos não entra; porque as dores, fardos e sofrimentos sobre os quais oramos para serem removidos parecem não ter fim. Sei bem o que é a frustração, pois passei muitos anos de minha vida nessa situação. Não sabia nada sobre a graça de Deus. Descobri, então, que quando me sinto frustrada é geralmente porque tento fazer, por conta própria, com que algo aconteça instantaneamente, em vez de esperar no Senhor para que aquilo aconteça. Quando me sinto frustrada, é sinal de que não estou agindo sob a dependência de Deus.

Para passarmos no teste da frustração, temos de confiar que Deus irá fazer aquilo que somente Ele pode fazer.

Temos de deixar Deus ser Deus!

Você se sente frustrado com seu crescimento espiritual? Sente que vai continuar para sempre sendo do mesmo jeito que é hoje? Parece que, quanto mais você ora e busca a Deus, pior você fica? Tem tido lutas em áreas de sua personalidade que lhe causam problemas, ou existe algo em sua vida que o escraviza e de que você está tentando se libertar? Em caso afirmativo, talvez você se sinta tão frustrado assim porque esteja tentando mudar tudo sozinho em vez de confiar que Deus é que vai mudar isso. No momento em que diz "Senhor, não consigo resolver isso, então entrego-o em tuas mãos", se estiver sendo totalmente sincero, você poderá sentir, quase literalmente, Deus retirando da sua vida o peso da frustração.

A frustração surge quando tentamos resolver algo cuja solução está completamente fora do nosso alcance. Deus é o único que pode fazer com que as coisas aconteçam em nossa vida. Ele é o único que pode nos dar o que desejamos na vida. Ele é o único que pode abrir as portas do ministério para nós. Não vai adiantar tentarmos arrombar essas portas. Quanto mais tentarmos abri-las com nossas próprias forças, mais elas se fecharão; mas quando fazemos tudo de acordo com a vontade de Deus, quando menos esperamos, Ele começa a abrir portas importantes, e poderá fazê-lo numa sucessão tão rápida que talvez tenhamos até de correr bastante para conseguir alcançar e aproveitar todas as oportunidades que Ele está nos dando.

Como já mencionei, esperei durante muitos anos ensinando em pequenos grupos com sessenta, setenta e cinco ou cem pessoas. Se trezentas pessoas compareciam a uma de minhas reuniões, para mim era como achar uma mina de ouro. Eu jejuava, orava, acreditava e fazia anúncios das reuniões, e mesmo assim só um grupo pequeno comparecia. Não importava o que eu fizesse, nada acontecia. Tudo continuava na mesma. Aquilo me aborrecia, pois eu queria progredir.

Então, sem mais nem menos, certa manhã meu marido estava se aprontando para ir ao trabalho e eu, para um compromisso. Naquela época, estávamos em algumas estações de rádio e promovendo pregações no país, com uma frequência de trezentas, quatrocentas ou quinhentas pessoas.

Enquanto nos arrumávamos, Dave recebeu, literalmente, uma visitação de Deus. O Senhor lhe disse: "Durante esse tempo todo eu os estava preparando para o ministério na televisão, e chegou a hora de começarem. Se não aproveitarem esta oportunidade agora, vocês a perderão. Vão e tomem as providências agora".

Foi bom Deus ter falado com Dave e não comigo porque ele é o encarregado das finanças. Além disso, Dave estaria mais propenso a se retrair e dizer: "Vamos esperar um pouco para ver o que acontece". Desse modo, sei exatamente por que Deus falou com Dave: por causa do dinheiro envolvido e porque ele precisava ter certeza de que era algo que Deus queria antes de se envolver no projeto.

Então Dave se aproximou de mim e disse:

— Preciso falar com você.

— Não tenho tempo, respondi. Tenho um compromisso.

Ele insistiu:

— Preciso falar com você **agora**.

Vi que era algo importante, pois ele estava chorando discretamente. Só o vi fazer isso três vezes na vida. Ele disse:

— Deus abriu meu coração para ver a condição em que se encontram as pessoas no mundo.

E continuou:

— Joyce, temos a resposta de que precisam. Temos a Palavra. Deus acabou de me falar que preparou você todo esse tempo para pregar na televisão, e Ele quer que você faça isso agora.

Assim, numa breve visitação de Deus em nosso quarto, nossa vida mudou radicalmente.

Lá estava eu, escondida em Saint Louis, no Estado do Missouri. Naquela época eu já pregava com a mesma desenvoltura de hoje. Então por que Deus não me permitiu ir à televisão naquela mesma época para pregar aos milhões de pessoas a quem prego hoje? Bem, Ele não me permitiu fazê-lo porque eu ainda não estava preparada.

Não tinha um caráter desenvolvido o suficiente para fazer o que faço agora. Eu teria tido um daqueles ataques de desencorajamento que costumava ter e desistiria.

Antes de ir em frente com Deus, você precisa aprender a confiar que só Ele conhece o tempo certo para tudo e a não se sentir frustrado com as aparentes demoras.

12. O Teste da Vontade Egocêntrica

> *Como caíste do céu, ó estrela da manhã, filho da alva! Como foste lançado por terra, tu que debilitavas as nações [ó rei da Babilônia, satânico e cheio de blasfêmia]! Tu dizias no teu coração: Eu subirei ao céu; acima das estrelas de Deus exaltarei o meu trono e no monte da congregação me assentarei, nas extremidades do Norte; subirei acima das mais altas nuvens e serei semelhante ao Altíssimo* (Isaías 14.12-14).

Foi a vontade egocêntrica que destruiu Lúcifer. Numa atitude de autoexaltação, ele usou cinco vezes expressões de arrogância quanto ao que iria fazer: "eu subirei..."; "eu exaltarei o meu trono...", etc. Mas a resposta de Deus para ele foi: *Serás precipitado para o reino dos mortos (o Hades), no mais profundo do abismo (a habitação dos mortos).*[1] Ou, em outras palavras, "Você será jogado no inferno".

Quando Deus nos pede para fazer algo contrário à nossa vontade, temos de nos lembrar que Jesus disse: *Pai, se possível, passe de mim este cálice! Todavia, não seja como eu quero [aquilo que prefiro], e sim como tu queres.*[2]

Talvez esse seja o teste mais difícil e longo pelo qual alguém possa passar. Não conseguir as coisas do modo como queremos é uma das experiências mais duras desta vida. Quando queremos alguma coisa, vamos em frente, e não desistimos facilmente. É preciso muito tempo e muito quebrantamento para nos tornarmos moldáveis nas mãos de Deus, a ponto de poder dizer: "Bem, Senhor, eu prefiro que faças isto, mas estou disposto a fazer aquilo que o Senhor quiser".

Há muitas ocasiões em que quero lidar com algum funcionário de determinada forma, mas Deus não me deixa fazê-lo. Então, tenho de dizer: "Sim, Senhor, se queres que eu continue trabalhando com essa pessoa, é o que farei".

Às vezes desistimos das pessoas antes de Deus querer que o façamos. Há outras ocasiões em que insistimos em manter certos relacionamentos com algumas pessoas porque achamos que irão mudar. Mas, se realmente ouvirmos nosso coração, Deus está nos dizendo: "Fuja delas!".

A questão central é: temos de estar prontos para fazer o que Deus diz, e não o que queremos ou sentimos. Talvez Ele esteja pedindo que abramos mão de coisas das quais não queremos desistir; ou para irmos para algum lugar a que não desejamos ir; fazer coisas que não queremos fazer; lidar com pessoas com as quais não queremos lidar. Talvez Ele queira que fiquemos em silêncio quando temos muito a dizer. Talvez ele queira que desliguemos a televisão no meio do programa ou do filme por causa de seu conteúdo profano quando queremos vê-lo até o fim.

O que quer que Deus queira que façamos, para liderar bem, precisamos estar sempre dispostos a colocar a vontade dEle acima da nossa.

13. O Teste do Deserto

> *Ó Deus, tu és o meu Deus forte; eu te busco ansiosamente; a minha alma tem sede de ti; meu corpo te almeja, como terra árida, exausta, sem água* (Salmo 63.1).

Outra forma de Deus nos testar é nos permitindo passar por momentos de aridez; épocas em que parece que tudo em nossa vida está num período de seca; fases em que parece que nada que nos é ministrado tem significado nem alivia a sede de nossa alma desértica. Vamos à igreja e sentimos que saímos como entramos. Lemos um livro ou ouvimos uma música, e nada disso nos faz bem algum.

Já passei por esses momentos em minha vida e em meu ministério. Já passei por momentos de vales e montanhas. Já tive momentos de seca em minha vida de oração e louvor. Às vezes vou às pregações e conferências e me sinto ungida; em outras, não sinto nada. Às vezes ouço Deus claramente e sei que ouvi uma "palavra em boa hora"; em outras, não ouço nada.

Fazendo um retrospecto da minha vida espiritual, percebo que já passei por momentos bons e momentos maus. No primeiro caso, sentia-me salva; no segundo, sentia que estava perdida. Nos bons momentos, sentia que tinha sido chamada por Deus; nos maus, não sentia esse chamado. Quando passava por momentos áridos, permitia que eles me afetassem. Na época eu não sabia o que estava acontecendo comigo ou o porquê de tudo aquilo. Agora percebo que Deus estava trabalhando todas as questões emocionais em mim, preparando-me para não alicerçar minha fé naquilo que eu sentia.

Falando francamente, hoje não passo mais por esses momentos. Amo a Deus, e é isso que importa. Eu o adoro, e é isso que importa. Oro, creio que Ele ouve, e é isso que importa. Sei que tenho um chamado e vou em frente, fazendo aquilo que fui chamada para fazer, e não tenho mais os altos e baixos que costumava ter. E por quê? Porque parei de basear tudo em minhas emoções. Não permito que minhas emoções determinem se creio que Deus está comigo ou não; simplesmente decido crer que Ele está.

Pode haver longos períodos em que não sinto a unção, o que gosto de sentir quando oro pelas pessoas ou imponho minhas mãos sobre elas. E, então, tenho de acreditar que, sentindo ou não a unção, ela está sobre mim.

Creio que Deus bloqueia muitas experiências emocionais que tivemos na vida porque as emoções têm um poder muito grande de nos influenciar. Se começar a sentir o poder de Deus com intensidade demais, posso achar que sou melhor do que realmente sou. Assim sendo, Deus me protege do emocionalismo para poder continuar a me usar.

Precisamos aprender a confiar que Deus sabe o que faz. Se sentirmos algo, não há problema. Se não sentirmos nada, também não há problema. Precisamos nos lembrar de que nossa jornada na vida cristã é longa. Não estamos neste caminho somente para aproveitar os momentos em que nos sentimos bem e ficamos animados, mas também para passar por aqueles em que não sentimos nada.

O salmista Davi passou por momentos áridos, como podemos verificar no Salmo 63.1: *Deus, tu és o meu Deus forte; eu te busco ansiosamente; a minha alma tem sede de ti; meu corpo te almeja, como terra árida, exausta, sem água.* Passamos por momentos de deserto; momentos em que nossas orações parecem secas e os céus parecem impermeáveis; épocas em que não conseguimos ouvir ou sentir nada de Deus. Há momentos em nossa jornada em que Deus nos usa durante um determinado tempo e depois sentimos que Ele nos "colocou na reserva". Por alguma razão que não entendemos, Ele nos deixa lá durante algumas semanas, meses ou até mesmo anos. Esses são momentos de teste. Ele nos testa para verificar se cremos que de fato temos um chamado ou uma visão.

No início do meu ministério, eu tinha um grupo de estudo bíblico que permaneceu ativo durante cinco anos. Então, Deus disse: "Quero que você deixe de dar esses estudos. Eis que faço coisa nova". A "coisa nova" que tinha para mim na ocasião era ficar sem fazer nada durante um ano inteiro! Aquela época foi difícil e confusa para mim. Aquele ano longo e árido me testou e purificou o chamado de Deus em minha vida, revelando se eu realmente cria que era chamada por Deus.

Uma época árida pode ser um período no qual o líder acha que não consegue realizar nada que deseja. Ele fica cansado de se sacrificar e deseja desesperadamente algum tipo de manifestação de algo em sua vida. Mas tudo permanece árido: sua fé, suas orações, seu louvor, sua adoração e suas ofertas. Nem mesmo os amigos podem consolá-lo.

Nessas ocasiões, a palavra de Deus em Isaías 43.18-19 vem a calhar: *Não vos lembreis das coisas passadas, nem considereis as antigas. Eis que faço coisa nova, que está saindo à luz; porventura, não o percebeis? Eis que porei um caminho no deserto e rios, no ermo.* Para quem está sedento, ouvir essa passagem é como tomar um grande gole de água fria e refrescante, e a pessoa diz a si mesma: **Sim, há esperança para mim!**

14. O Teste da Solidão

> *Logo a seguir, compeliu Jesus os discípulos a embarcar e passar adiante dele para o outro lado, enquanto ele despedia as multidões. E, despedidas as multidões, subiu ao monte, a fim de orar sozinho. Em caindo a tarde, lá estava ele, só* (Mateus 14.22-23).

Creio que todo líder passa por momentos em que se sente sozinho. Não sei o que você acha de estar no topo, mas vou compartilhar um segredo: às vezes o topo é um lugar muito solitário.

No tipo de posição que ocupo, quase todas as pessoas com quem me relaciono diariamente trabalham para mim. O relacionamento de um patrão com seus empregados é diferente do relacionamento entre um patrão e outras pessoas que não trabalhem para ele. Algumas vezes os empregados não percebem esse fato e acham que o patrão mantém certa distância por se achar superior a eles.

Analisando a situação friamente, se tento ser mais aberta com as pessoas que trabalham para mim, elas criam um espírito de intimidade que faz com que tomem certa liberdade comigo que não deveriam e tiram conclusões sobre nosso relacionamento que não são corretas. Nos meus anos de experiência, aprendi que não posso ser amiga íntima da maioria de meus funcionários porque isso, inevitavelmente, causa problemas.

Quando estamos na posição de liderança, as pessoas tendem a nos respeitar e a ter algumas expectativas a nosso respeito que não são realistas. Elas sabem que somos tão humanos quanto elas, mas não querem ver nossas falhas e fraquezas. Elas não querem nos ver perdendo a paciência ou falando alguma coisa negativa de algo ou de alguém. Na primeira vez que isso acontece, o diabo sussurra no ouvido delas: "Alguém que age assim tem autoridade para ministrar sobre você?"

Independentemente do cargo de liderança que ocupa, é necessário que você entenda que precisa depender de Deus para lhe dar o que chamo de "vínculos divinos" em sua vida; isto é, as pessoas certas com quem você possa ter uma amizade íntima; pessoas que compreendam seu chamado e saibam como devem se relacionar com você e com seu ministério.

Deus me deu vários "vínculos divinos". Algumas dessas pessoas trabalham para mim, mas elas precisam ter sido preparadas por Deus para ocupar aquela posição específica. Elas geralmente são dotadas de sabedoria, e parecem saber instintivamente como se comportar em todas as situações quando estão comigo.

Uma das coisas sobre liderança que precisamos aprender é: se quisermos ser líderes-chave, devemos saber passar pela solidão. Não podemos ser "amiguinhos" de todos e, ao mesmo tempo, líderes deles.

Eventualmente podemos sair para almoçar, ir a uma festa ou a outros eventos sociais com as pessoas sobre as quais temos autoridade. Podemos amá-las, importar-nos com elas e até mesmo fazer parte da vida delas até certo ponto. Mas, para ganharmos e mantermos o respeito delas como seu líder, devemos fazê-las ver que existem certas reservas e limites. Mantenha certa distância entre você e elas. Foi o que Jesus fez, e Ele é o nosso exemplo.

Por não compreenderem isso, muitos líderes acabam se envolvendo em problemas. Isso também faz com que os seus subordinados os julguem com relação a coisas que não compreendem.

Já passei por vários momentos de solidão, principalmente depois de deixar meu trabalho na igreja de Saint Louis. Um dia, Deus falou algo comigo em espírito algo que realmente me ajudou: "Os pássaros voam em bandos, mas as águias voam sozinhas". Isso quer dizer que se quisermos ser como uma águia para Deus, precisamos nos acostumar a fazer determinadas coisas sozinhos, não precisando sempre se envolver com cada grupo à nossa volta.

15. O Teste da Fidelidade

> *Também sejam estes primeiramente experimentados; e, se se mostrarem irrepreensíveis, exerçam o diaconato* (1 Timóteo 3.10).

Todos seremos testados. Sem exceção, todos passamos por diferentes testes em vários momentos de nossa vida. Só seremos aprovados quando passarmos nos testes. Mas todos esses testes são "com consulta" ao Livro; as respostas estão lá. Seja o que for que estivermos vivendo, podemos abrir a Bíblia e receber a revelação que Deus colocou ali para nós. Ele sempre terá coisas novas e maravilhosas para nos ensinar.

Muitos dos requisitos para o líder podem ser encontrados na Bíblia. Por exemplo, em 1 Timóteo 3.2-7, aprendemos que os líderes devem ser irrepreensíveis, prudentes, moderados, controlados, sensatos, de boa conduta e dignos. Devem ter uma vida organizada e ser hospitaleiros, cordatos, não violentos, mas inimigos de contentas e pacificadores. Não devem ter amor ao dinheiro. Devem ter a própria casa em ordem antes de desejar colocar a igreja em ordem. Não devem ser novos na fé, pois correriam o risco de se tornar orgulhosos. E, por fim, devem ter boa reputação.

Todas essas exigências apontam para a qualificação máxima que o líder deve ter: fidelidade. Assim como Deus testou os israelitas no deserto, devemos aprender a ser fiéis no deserto, fiéis em momentos difíceis. Devemos ser fiéis fazendo o que é correto, mesmo quando a bênção que estamos esperando ainda não tenha sido concedida.

Creio que quando os resultados levam mais tempo para acontecer é porque Deus está realizando uma obra muito mais profunda em nós, preparando-nos para algo futuro; algo de que talvez não façamos nem ideia.

Então, devemos ser fiéis, cingir nossa mente e estar preparados para a adversidade e a oposição que sempre surgem lado a lado com a oportunidade.[3] Essas épocas de teste fazem parte da preparação que Deus realiza em nós. Se quisermos que Deus nos use, Ele fará a obra em nós primeiro. Isso significa que teremos de passar por um período de preparação. Mas Deus nos diz em sua Palavra para não desanimarmos (NVI) em nossa mente e não desistirmos enquanto Ele remove as impureza em nós.[4]

Mas Satanás quer que desanimemos em nossa mente. Na verdade, ele ataca nossa mente, dizendo coisas como: “Isso não dá certo. Isso não está dando resultado e nunca vai dar. É melhor desistir e fazer outra coisa”.

Desse modo, muitas pessoas desistem de Deus antes de receber a resposta dEle.

Durante os momentos de teste, devemos ser realmente fiéis, pois nunca sabemos quando Deus irá nos usar.

Devemos estar preparados também para o autossacrifício e para algumas lições difíceis de aprender, pois não nascemos equipados com o conhecimento.

Eu costumava pensar que a preparação para a liderança consistia em estudar a Palavra e aprender o máximo possível. Mas, além do estudo da Palavra, boa parte de minha preparação veio pelas experiências.

Ser Fiel na Longa Jornada

Deus abençoa aqueles que são fiéis, tanto quando estão no deserto como quando estão na Terra Prometida, e opera por meio deles. Ser fiel significa ser dedicado e leal, sempre oferecendo apoio. Vale a pena confiar e acreditar nas pessoas fiéis. Elas são confiáveis, coerentes, constantes e generosas, o que significa que ficarão onde Deus as colocar e serão fiéis àqueles que Deus colocou para trabalhar com eles. Há uma recompensa reservada para tais pessoas.

Se quisermos exercer autoridade, devemos nos submeter à autoridade. Devemos aprender a ser fiéis e ficar onde Deus nos colocou até que Ele nos remova dali. Devemos respeitar as autoridades e ser obedientes a elas. Devemos fazer o que é certo simplesmente porque é certo, mesmo quando não entendemos o porquê. Isso é um verdadeiro teste da nossa fidelidade e obediência. Devemos ser fiéis e permanecer sob aquela autoridade mesmo quando não parece ser o correto a fazer, pois pode ser que, no final, a nossa bênção provenha dali.

Nunca desista de nada que Deus lhe deu para fazer, a menos que Ele próprio o libere.

Davi permaneceu leal e fiel ao rei Saul, reconhecendo e respeitando a unção de Deus sobre ele mesmo quando Saul tentou matá-lo.[5] Em seu treinamento de liderança, Davi aprendeu a ficar sob a mão protetora de Deus. Ele não se levantou contra Saul; ele esperou em Deus para livrá-lo.

Jó foi fiel ao Senhor, apesar de todos os testes e provações por que passou em seus dias tenebrosos. A parte mais difícil de sua provação deve ter sido o fato de não conhecer ou não entender o porquê daquele sofrimento.[6]

Moisés foi fiel ao liderar o povo de Deus durante os quarenta anos de peregrinação no deserto. Ele também foi submetido a testes de fidelidade muitas vezes. Antes de Deus lhe dar a responsabilidade de comandar o povo hebreu, ele já tinha tido anos de preparação. Havia passado quarenta anos perto do deserto aprendendo a ser fiel. Não sabemos o que se passou ali, mas aquilo foi o que o preparou para conduzir todas aquelas pessoas para longe do cativeiro.

João Batista foi testado e permaneceu fiel ao seu chamado como precursor de Jesus, mesmo que isso pudesse lhe custar a vida.[7]

Tais exemplos nos encorajam a ser fiéis, até quando ninguém nos conhece ou não se importa com o que estamos fazendo ou pelo que estamos passando. Apesar das dificuldades, devemos ficar onde estamos e continuar a fazer o que nos foi dado por Deus, pois Ele está realizando uma obra profunda em nós. Está moldando nosso caráter, equipando-nos para uma longa jornada.

Nunca, em momento algum, desista de nada que Deus lhe deu para fazer, a menos que Ele mesmo o libere.

Seja Fiel nos Anos Silenciosos

Em Hebreus 3.1-2, lemos: *Por isso, santos irmãos, que participais da vocação celestial, considerai atentamente o Apóstolo e Sumo Sacerdote da nossa confissão, Jesus, o qual é fiel àquele que o constituiu, como também o era Moisés em toda a casa de Deus.*

Em sua vida na Terra, Jesus foi fiel Àquele que o escolheu. Mas Jesus passou por alguns anos de silêncio em sua vida. Depois do seu maravilhoso nascimento e batismo profético, não lemos mais nada sobre Ele até a idade de doze anos, quando foi encontrado debatendo com os mestres no templo.[8] Só o que sabemos desses anos de silêncio é descrito resumidamente assim: *Crescia o menino e se fortalecia, enchendo-se de sabedoria, e a graça (favor e bênçãos espirituais) de Deus estava sobre ele.*[9]

Depois dessa experiência no templo, com a idade de doze anos, novamente não encontramos nada na Bíblia sobre o que transcorreu na vida de Jesus, exceto que *crescia Jesus em sabedoria, estatura e graça, diante de Deus e dos homens.*[10]

Jesus passou trinta anos[11] em preparação para os três anos de ministério, durante os quais ele foi fiel e obediente aos seus pais na terra como ao seu Pai, no céu.[12] Foi durante esses anos de silêncio que ele cresceu em sabedoria, força e conhecimento.

A sociedade imediatista em que vivemos hoje está destruindo as pessoas, pois obtemos tudo tão rápida e facilmente que achamos que tudo que vem de Deus também deve ser instantâneo e fácil. Mas a força, a sabedoria e o conhecimento divinos da maturidade e do caráter são desenvolvidos em nós à medida que vamos passando por testes e continuamos a fazer o que é correto mesmo quando não nos parece correto ou quando nos desagrada. Se quisermos crescer em Deus e fazer aquilo para que fomos chamados, simplesmente devemos ficar tranquilos e ser fiéis.

Não há "maturidade de micro-ondas". O caráter é preparado nas panelas de barro e nos fogões a lenha da vida, que parecem levar uma eternidade para cozinhar algo.

PARTE 4

OS REQUISITOS DA LIDERANÇA

14

O Desenvolvimento do Caráter

Porquanto aos que de antemão conheceu [aos que ele amou desde sempre], também os predestinou para serem conformes à imagem de seu Filho [compartilhando interiormente a sua imagem], a fim de que ele seja o primogênito entre muitos irmãos (Romanos 8.29).

Na Parte 3, consideremos os testes que moldam o caráter de um líder. "O que há de tão importante no caráter?", alguém poderia perguntar.

O caráter é importante porque é ele que define a imagem que apresentamos aos outros.

No texto que citamos, Paulo nos diz que devemos ser transformados à imagem e semelhança de Jesus Cristo, o filho de Deus. Em Gálatas 4.19, Paulo escreve: *Meus filhos, por quem, de novo, sofro as dores de parto, até ser Cristo formado em vós*. Isso significa que nosso caráter deve ser transformado e se assemelhar ao de Cristo. Devemos ter o mesmo caráter que Jesus teve. Assim poderemos refletir para todos a sua imagem e semelhança.

À semelhança de Cristo

Também disse Deus: Façamos [Pai, Filho e Espírito Santo] o homem à nossa imagem, conforme a nossa semelhança (Gênesis 1.26).

Quando Deus disse "Façamos o homem à nossa imagem", essa imagem não se refere a uma semelhança física, mas à semelhança de caráter. Ele não quis dizer que nos pareceremos com Ele fisicamente, mas que teríamos Sua própria natureza, Seu caráter, como refletido por seu Filho Jesus.[1]

Em Colossenses 1.15, Paulo afirma que Jesus é *a imagem [representação visível] do Deus invisível, o primogênito de toda a criação.* Como crentes, devemos ser transformados à Sua imagem e semelhança. Como já vimos, devemos seguir Seus passos.

O maior objetivo do crente e, certamente, daqueles que querem ser usados por Deus em posição de liderança, é ser semelhante a Cristo. Devemos querer lidar com as situações do mesmo modo como Jesus fez e tratar as pessoas como Jesus as trataria. Devemos querer fazer as coisas do modo como Ele fez. Esse deve ser nosso objetivo.

Jesus é nosso exemplo. Em João 13.15, Ele disse a seus discípulos, depois de lavar-lhes os pés como faria um servo: *Porque, eu vos dei o exemplo, para que, como eu vos fiz, façais vós também.* E Pedro nos fala em 1 Pedro 2.21: *Porquanto para isto mesmo fostes chamados [é indissociável de vossa vocação], pois que também Cristo sofreu em vosso lugar, deixando-vos [Seu próprio] exemplo para seguirdes os seus passos.*

O chamado máximo do crente, a sua "soberana vocação", é ser transformado à imagem de Jesus Cristo. Deus vai continuar a obra em cada um de nós até que cheguemos a agir como Jesus agiria em cada situação da vida; até que manifestemos o mesmo tipo de fruto do Espírito que Ele manifestou.

Moldados à sua imagem

E todos nós, com o rosto desvendado, contemplando [na Palavra de Deus], como por espelho, a glória do Senhor, somos transformados, de glória em glória, na sua própria imagem, como pelo Senhor, o Espírito (2 Coríntios 3.18).

A *Edição Contemporânea de Almeida* traduz a parte final desse versículo assim: Somos transformados de glória em glória na mesma imagem, como pelo Espírito do Senhor.

Mas como, exatamente, essa transformação acontece?

Em Romanos 8.29, lemos que quanto àqueles que Deus conheceu de antemão e amou, Ele predestinou e ordenou que fossem moldados. Deus não quer que sejamos *mofados*, mas que sejamos *moldados*. Moldados de que forma? Conforme a imagem de Seu Filho. Por quê? Para nós podermos *[partilhar interiormente da sua imagem, para que] Ele seja o primogênito entre muitos irmãos.*

Segundo a Bíblia, Deus é o oleiro e nós, o barro.[2] Nós somos uma massa fria e dura de barro, difícil de ser trabalhada. Mas Deus nos coloca em sua olaria e começa a nos remodelar e a nos refazer, pois Ele não se agrada daquilo em que nos transformamos.

Às vezes esse processo de reconstrução, de remodelagem, é muito doloroso para nós. Dói muito, porque não nos encaixamos no molde que Deus está usando. Desse modo, Deus vai retirando certas partes de nós – um pedaço aqui, uma parte inteira ali.

"Mas, Senhor, eu gosto desta parte minha!", protestamos. "Ela é minha há anos, e quero mantê-la. O que o Senhor está fazendo comigo?", perguntamos. "Está doendo. Pare!"

Deus, porém, continua trabalhando em nós, aparando nossas atitudes más e nossa mentalidade incorreta, nos moldando e remodelando até que, gradualmente, sejamos transformados à Sua imagem, de glória em glória.

Tenha Paciência Consigo Mesmo

> *Estou plenamente certo de que aquele que começou boa obra em vós há de completá-la até ao Dia de Cristo Jesus [até o momento exato da sua volta]* (Filipenses 1.6).

Não se sinta desencorajado porque ainda não chegou aonde quer. O Senhor não ficaria irado se voltasse hoje e o encontrasse do jeito que é se você estivesse demonstrando uma atitude de perseverança. Contanto que você acorde todos os dias e faça o melhor que puder para cooperar com Deus, Ele se agradará de você.

Lembre-se: Deus continuará a trabalhar em nós até o dia em que Jesus voltar.

Ensino a Palavra de Deus há mais de vinte anos. Nesses anos todos, passei muito e muito tempo estudando a Palavra. Já fui a tantos cultos que até perdi a conta. Passei inúmeras horas estudando e escrevendo. Vejo que fazer isso me ajudou a mudar muito, mas ainda preciso mudar mais.

Preocupo-me com certas coisas que ainda preciso mudar em minha vida, pois realmente quero mudá-las. Mas sei que essa mudança acontece gradualmente, à medida que vou caminhando de glória em glória.

A maioria das pessoas está tão ocupada se esforçando para alcançar o próximo estágio de glória que não aproveita a fase em que está no momento.

Aproveite o lugar onde está agora nesse caminho por onde está indo. Seja paciente consigo mesmo à medida que vai sendo transformado à imagem Deus.

Os Hábitos Desenvolvem o Caráter

Deus quer restaurar completamente o nosso caráter divino. O hábito é, na verdade, o caráter.

Os hábitos são formados mediante a disciplina ou a falta dela. Nosso caráter é, basicamente, aquilo que fazemos rotineiramente. É o que os outros naturalmente esperam de nós, como sermos pontuais, por exemplo. Se costumamos ser pontuais em tudo, as pessoas naturalmente esperarão isso de nós. Elas sabem que podem contar conosco nessa área. Desse modo, a pontualidade se torna uma das características de nosso caráter.

Da mesma forma, se estamos sempre atrasados, a falta de pontualidade se torna parte de nosso caráter. A pontualidade é uma das áreas de meu caráter que preciso melhorar. Há situações em que chego na hora, mas há outras em que não chego. Há algumas que fogem ao meu controle; por exemplo, quando fico presa no trânsito.

Não devemos ser legalistas sobre essas questões de caráter, mas precisamos, sim, nos esforçar para desenvolver o caráter nas áreas em que temos problemas. Devemos nos lembrar de que o caráter é desenvolvido com os hábitos, e as mudanças no caráter acontecem quando desenvolvemos novos hábitos. Se sabemos que temos o hábito de chegar atrasados em todos os compromissos, então precisamos aperfeiçoar o caráter nessa área, aprendendo a cumprir nossa palavra e passando a chegar na hora certa todas as vezes.

O que me deixa irritada é que muitos cristãos atualmente parecem achar que as coisas do dia-a-dia, como a pontualidade, nada têm a ver com espiritualidade. Acham que espiritualidade é flutuar em uma nuvem, cantando "Aleluia", e ter em casa todos os livros, fitas e CDs evangélicos.

O desenvolvimento do caráter tem muito mais a ver com a disciplina e com os hábitos que formamos. Por exemplo, assim como podemos desenvolver o hábito de ser pontuais, creio que podemos desenvolver o hábito de ouvir outras pessoas ou compartilhar problemas. Interessante é que quando aprendemos a ouvir os outros, eles sempre nos contam o que querem ou do que precisam.

Se formos realmente ouvintes e generosos, tentaremos ajudar as pessoas a receber aquilo de que precisam, sendo uma bênção na vida delas. Mas geralmente nosso problema é que passamos tempo demais tentando abençoar a nós mesmos, e nos sobra pouco tempo para procurar abençoar os outros.

Termos um caráter santificado é de grande importância no mundo em que vivemos atualmente, pois achamos cada vez mais traços satânicos e diabólicos nas pessoas do que traços divinos.

É interessante constatar que, há cerca de cem anos, o mundo todo, até mesmo aqueles que não serviam a Deus com tanta convicção, tinham valores morais suficientes para gerar neles um caráter razoavelmente decente. Mas hoje isso não acontece.

Lemos em Isaías 60.1-2 que nos últimos dias haveria escuridão e trevas. Mas Deus diz: "Minha glória resplandecerá sobre o meu povo".

Devemos nos expor e ser luz na escuridão. Para isso, temos de ser pessoas com integridade, pessoas de caráter.

Como veremos a seguir, caráter não é o mesmo que carisma.

Carisma não É Sinônimo de Caráter

Segundo o *Dicionário Houaiss da Língua Portuguesa*, uma das definições de *carisma* é: "Conjunto de habilidades e/ou poder de encantar, de seduzir, que faz com que um indivíduo [...] desperte [...] a simpatia das massas".[4] Mas *caráter* é "firmeza moral, coerência nos atos; honestidade".[5] Há muitas pessoas com carisma, mas sem caráter.

Podemos ter dons que nos levem a situações nas quais, pela nossa fraqueza de caráter, não poderemos permanecer. Nosso caráter é visto no esforço que temos de fazer para realizar o que é certo mesmo quando não estamos dispostos a fazê-lo ou não o queremos.

Nosso caráter se revela por meio daquilo que fazemos quando ninguém está nos observando.

Essa foi uma questão-chave em minha vida.

Muitas pessoas vivem para agradar os homens, mas não vivem para agradar a Deus.[6] Elas fazem o que é correto quando os outros estão olhando, mas não o fazem quando ninguém, além de Deus, está vendo.

Como cristãos, nosso compromisso deve ser: "Vou fazer o que é correto simplesmente porque é correto".

O caráter também é visto quando fazemos pelos outros aquilo que é certo mesmo quando os outros não estão agindo de modo correto para conosco.

Um dos testes de nosso caráter é: trataremos o outro de forma correta mesmo que ele não nos trate corretamente? Abençoaremos alguém que não está nos abençoando ou alguém que está nos amaldiçoando?

Foi o que Jesus fez, como lemos em 1 Pedro 2.22-23: *O que não cometeu pecado, nem dolo (culpa) algum se achou em sua boca; pois ele, quando ultrajado, não revidava com ultraje; quando maltratado, não fazia ameaças, mas entregava-se àquele que julga retamente.*

Devemos ser pessoas de caráter, pois ter bom caráter é muito importante no mundo de hoje.

O Bom Caráter Vale!

Posto que miríades de pessoas se aglomeraram, a ponto de uns aos outros se atropelarem, passou Jesus a dizer, antes de tudo, aos seus discípulos: Acautelai-vos do fermento dos fariseus, que é a hipocrisia [que produz confusão e agitação violenta]. Nada há [tão bem] encoberto que não venha a ser revelado; e oculto que não venha a ser conhecido. Porque tudo o que dissestes às escuras será ouvido em plena luz; e o que dissestes aos ouvidos no interior da casa será proclamado dos eirados (Lucas 12.1-3).

É muito importante o que acontece entre quatro paredes.

Uma pessoa que não desenvolveu o caráter vai agir de uma forma na igreja, com amigos crentes, e de outra quando está em casa, com a família.

Devemos estar atentos, pois há muitos que agem como "santinhos" quando estão querendo impressionar os outros, mas, assim que são colocados à prova, perdem a cabeça rapidamente.

É fácil reconhecer as pessoas que têm caráter e as que não o têm. Nas páginas finais deste livro, gostaria de compartilhar uma lista de áreas nas quais os líderes devem ter caráter.

O Caráter do Líder

1. Vida Espiritual

A pessoa que aspira à liderança deve ter bom caráter em sua vida espiritual. Isso significa que deve ter um relacionamento pessoal profundo com Deus, o que implica colocar Deus em primeiro lugar em cada área da vida.

Devemos ter o cuidado de não achar que, pelo fato de já trabalharmos para Ele, não precisamos gastar tempo com Ele.

Só porque passo minha vida ministrando aos outros não significa que depois de me levantar todas as manhãs não precise passar um tempo a sós com o Senhor. Não posso dizer: "Bem, já que trabalhei tantas horas para o Senhor, Pai, vou tirar duas semanas de férias a partir de amanhã".

Claro que, periodicamente, tiro férias de meu trabalho no ministério. Mas, quando o faço, não "tiro férias de Deus". É impossível.

Há algum tempo visitei um homem chamado Don Clowers, que está no ministério há bastante tempo. Embora ele seja hoje pastor numa igreja em Dallas, no Texas, ele tinha sido um evangelista de cura que fazia seus cultos em uma grande tenda. Era amigo íntimo de A. A. Allen e conhecia muitos dos evangelistas de cura nas décadas de 1940 e 1950. Gosto de me encontrar com ele de vez em quando e fazer-lhe algumas perguntas sobre aqueles tempos. Ele me diz como as coisas eram no passado e me ensina muito sobre ministério.

Uma vez estávamos conversando a respeito do que fazia com que a pessoa fosse promovida à liderança e o que fazia com que fosse retirada. Ao longo da conversa, perguntei-lhe o que as pessoas podem fazer para manter a posição que Deus lhes deu.

Fiz essa pergunta porque Dave e eu estamos no ministério há muito tempo. Não queremos estar nesse lugar de forma passageira, desaparecendo de uma hora para outra sem que ninguém saiba o que aconteceu conosco.

Deus nos levou a essa posição de modo muito gradual. Na verdade, foram vinte e dois anos até estarmos completamente estruturados para estarmos no rádio e na televisão e sermos conhecidos mundialmente, com todo tipo de compromissos e oportunidades. Ambos queremos continuar nessa posição. Se chegarmos à idade de noventa e cinco anos, queremos continuar fazendo algo importante para Deus.

Assim, perguntei a Don Clowers como poderíamos manter essa posição de proeminência onde Deus nos colocou. Ele disse: "Sabe, Joyce, um dos maiores erros que vi as pessoas cometendo foi achar que, uma vez no topo, não precisam mais fazer as mesmas coisas que faziam antes de chegar lá".

Ele continuou explicando que aqueles que chegaram ao auge no ministério tinham temor reverente e adoração pelo Senhor; foram aqueles que gastaram tempo com Ele, trataram os outros corretamente e andaram genuinamente no fruto do Espírito. As coisas que Deus viu no caráter dessas pessoas foi o que o levou a promovê-las.

Mas, quando alcançam posições elevadas na obra de Deus, subitamente começam a achar que são muito importantes; tão importantes que não precisam mais fazer todas aquelas coisas, e, consequentemente, caem.

Devemos nos lembrar de que aquilo que sobe pode descer. Deus nos "promove", mas pode nos "rebaixar" também.[7] Se quisermos ser os líderes em seu reino, devemos manter o caráter em nossa vida espiritual. Devemos manter uma boa vida de oração e permanecer em íntima comunhão e constante relacionamento com Deus.

2. Vida Pessoal

Quem quer ser líder deve ter um bom caráter na vida pessoal.

O que acontece quando o líder não está no púlpito determina o que será produzido no púlpito. Isso é verdadeiro para qualquer área de liderança – o que acontece em sua vida pessoal determina o produto de sua vida profissional.

Por exemplo, a unção que Dave e eu temos sobre nós quando estamos ministrando no nome do Senhor dependerá daquilo que estivemos fazendo nos bastidores. Se houver muitas coisas negativas acontecendo em nossa vida particular, nos cultos não seremos capazes de ministrar com eficácia aos outros.

Podemos até ter carisma e ser capazes de produzir animação, mas sem caráter não seremos capazes de ministrar com unção.

O que acontece na vida particular sempre influencia o que acontece em público.

3. Vida Social

A pessoa que quer ser líder deve ter um bom caráter na vida social.

O tipo de lazer que o líder escolhe – o que lê, o que faz para descansar, o que conversa com os amigos e com a família, os filmes a que assiste no cinema, o que escolhe na Internet ou na televisão – revela seu caráter. Essas coisas são muito importantes, assim como a fé que possui, quantas horas passa em oração, quantos versículos tem memorizado. Nenhuma dessas coisas "espirituais" fará diferença alguma se o líder as cancela com pensamentos, palavras e atividades erradas.

Uma necessidade excessiva de diversão revela falta de caráter. Nossa sociedade atualmente é louca por diversão. Se não estivermos continuamente nos divertindo de algum modo, ficamos deprimidos. Precisamos ler novamente o que Deus diz em Êxodo 20.9-10: *Seis dias trabalharás e farás toda a tua obra. Mas o sétimo dia é o sábado do Senhor, teu Deus; não farás nenhum trabalho.*

Não que Deus não queira que descansemos, relaxemos e nos divirtamos, mas a quantidade de trabalho deve ser superior à de diversão.

O mundo ocidental é viciado em diversão. Precisamos ter cuidado com o que levamos para dentro do templo do Espírito, que somos nós. Jesus disse aos seus seguidores: "Vede, pois, como ouvis".[8] Precisamos também ter cuidado com o que lemos. Os jornais e revistas podem conter artigos, propagandas e fotos imorais. Devemos também ter cuidado com os programas de televisão e com filmes a que assistimos, para evitar que eles nos envenenem e destruam nosso testemunho.

Tenho uma coleção de antigos clássicos em vídeo. Tenho cerca de setecentos filmes do gênero. Meus filhos não vão à locadora; eles pegam seus vídeos na "Locadora Joyce".

Quando quero assistir a um bom filme, o que gosto de fazer para desligar minha mente do que está à minha volta, não tenho dificuldade de encontrar um que não seja puro lixo, que não quero e ao qual não tenho de assistir.

Li que quando a criança chega aos dezoito anos, normalmente já terá assistido a milhares de atos de violência. Até mesmo os desenhos animados hoje são cheios de violência. E ainda ficamos nos perguntando por que as pessoas em nossa sociedade agem como agem.

Estou dizendo que nós, cristãos, não devemos ver televisão ou filmes? Não; estou dizendo que devemos ser seletivos com aquilo a que assistimos. Devemos nos lembrar de uma regra básica da computação: **o lixo que entra tem de sair.** Se colocarmos lixo em nosso "sistema", de algum modo esse lixo precisará sair dele. Não sei o que você acha, mas prefiro ficar a noite toda sentada e entediada, se necessário, a envenenar meu "sistema" pessoal e destruir minha vida espiritual.

4. Vida Conjugal e Familiar

A pessoa que quer ser líder deve ter um bom caráter na vida conjugal e na vida pessoal. Deve tratar o cônjuge corretamente, cuidar das responsabilidades familiares, gastar tempo com os filhos, acertar suas prioridades, manter a vida sexual saudável e a casa em ordem.

Talvez você ache que isso seja loucura, mas o líder deve manter a grama aparada e a casa limpa por dentro e por fora.

Como vimos em 1 Timóteo 3.1-5, deve também manter os filhos sob controle e viver uma vida disciplinada. Deve manter a vida em ordem, com boa reputação no mundo.

5. Vida Financeira

A pessoa que quer ser líder deve ter um bom caráter com relação à vida financeira.

Sabe quantas instituições de crédito não emprestam dinheiro para igrejas porque descobriram que a maioria delas não paga suas contas? Claro que nem todas as igrejas são assim. Há igrejas maravilhosas e líderes de igreja que têm um ótimo caráter. Mas há também quem não tenha caráter, e Satanás usa essas pessoas para sujar a imagem de todos os crentes.

Os que estão em posição de liderança espiritual devem pagar suas contas em dia. Não devem ter dívidas. Isso não significa que nunca podem comprar coisas a prestação, e sim que não devem viver de cartão de crédito, gastando mais do que ganham.

O diabo está facilitando cada dia mais o endividamento, dizendo: "Compre agora e só pague no ano que vem". E, assim, quando a conta chega, nem mesmo lembramos o que fizemos com aquilo que compramos!

Geralmente murmuramos e resmungamos: "Odeio todas essas dívidas. Eu o repreendo, Satanás". Entretanto, não foi o diabo que nos endividou; fomos nós mesmos, por causa de nossa própria ignorância e estupidez.

O líder espiritual deve ser dizimista e até mesmo dar além do dízimo. Ele deve ser generoso e desejoso de suprir necessidades conforme Deus lhe dá oportunidades de fazê-lo.

Sinto-me abençoada por ver meus filhos crescendo nessa área. É emocionante vê-los se tornando pessoas grandemente generosas. Fico extasiada vendo-os ser uma bênção aonde quer que vão. Como resultado de sua generosidade, vejo as bênçãos de Deus seguindo-os, exatamente como Ele disse que seguiriam.[9]

Aquilo que a pessoa está disposta a dar mostra muito de seu caráter. O líder dá generosamente, e dá com sabedoria. Ele usa a sabedoria em suas finanças. Sabe o que está acontecendo com seu dinheiro.

6. O Falar

A pessoa que quer ser líder deve ter caráter em seu falar; deve falar a verdade.

Essa é uma área importante. Há falta de caráter naqueles que enfeitam tanto uma história para torná-la mais atraente que ela acaba não sendo mais verdadeira.

Houve épocas em que fomos convidados para reuniões em igrejas cujos pastores nos garantiram que havia lugar para mais de duas mil pessoas. Íamos lá e víamos que havia espaço para, no máximo, novecentas pessoas. Ou víamos que havia lugar para duas mil pessoas, mas estacionamento para somente quarenta carros. Algumas vezes a polícia tinha de fazer as pessoas tirarem os carros de lugares onde era proibido estacionar.

Esse tipo de coisa não é um testemunho positivo para o mundo em relação ao nosso caráter.

Às vezes exageramos a verdade para conseguirmos o que queremos, ou omitimos parte da verdade porque não queremos causar má impressão.

Dizer a pura verdade em todas as circunstâncias é um grande desafio. Alguns líderes inseguros dizem às pessoas qualquer coisa que querem ouvir porque têm medo de perder a popularidade se disserem a verdade.

7. *Integridade*

Quem deseja ser líder deve ter caráter ao lidar com os outros. Deve cumprir a palavra. Deve ser uma pessoa íntegra.

Em Mateus 21, lemos sobre um incidente na vida de Jesus:

> *Cedo de manhã, ao voltar para a cidade, teve fome; e, vendo uma figueira à beira do caminho, aproximou-se dela; e, não tendo achado senão folhas, disse-lhe: Nunca mais nasça fruto de ti! E a figueira secou imediatamente* (Mateus 21.18-19).

Eu costumava ter pena da figueira. Não compreendia a história de forma alguma. Pensava: **Não foi culpa da figueira se não deu frutos. Por que Jesus a amaldiçoou?**

Tempos depois, Deus me mostrou a razão. Numa figueira, os frutos aparecem ao mesmo em tempo que as folhas. Assim, quando Jesus viu que a figueira tinha folhas, ele foi até ela esperando achar frutos. Quando não viu nenhum, ele a amaldiçoou. Por quê? Porque ela era uma farsa; ela tinha folhas e não tinha frutos.

No Corpo de Cristo, devemos ser cuidadosos para não darmos só folhas e nenhum fruto. Não ganharemos o mundo com um adesivo no para-choque do carro, com um alfinete de lapela com o nome de Jesus, com um gravador debaixo do braço, carregando uma Bíblia enorme e inúmeras fitas ou CDs de palestras evangélicas. O que de fato precisamos fazer é dar frutos, porque Jesus disse que é pelos frutos que seremos conhecidos.[10]

15

A Importância de uma Vida Equilibrada

Sede sóbrios e vigilantes [equilibrados, sóbrios na mente]. O diabo, vosso adversário, anda em derredor, como leão que ruge [com fome violenta], procurando alguém para devorar (1 Pedro 5.8).

Creio que vivemos num mundo desequilibrado. Creio também que a maioria das pessoas que nele vivem se encontram sem equilíbrio.

Uma das coisas mais fáceis de acontecer é alguém perder o equilíbrio. Entretanto, uma das coisas que menos se ensina é a importância do equilíbrio.

O apóstolo Pedro disse muitas coisas a esse respeito. Disse que devemos ser equilibrados e sóbrios, o que significa que devemos ser disciplinados e sérios. Ele também disse que devemos ser vigilantes e cautelosos porque temos um inimigo, Satanás, que está ao derredor pronto para nos devorar.

Em Efésios 4.27, Paulo enfatiza essa mesma questão quando nos diz para controlarmos nossa ira, alertando-nos para *não darmos lugar ao diabo [não lhe dar oportunidade]*.

Muitas vezes, quando o inimigo entra em certas áreas de nossa vida e nos causa problemas, tentamos repreendê-lo, mas nunca nos preocupamos em descobrir de que modo, lá no início, abrimos a porta para ele entrar. Se o soubéssemos, poderíamos tomar as medidas preventivas necessários para ele não voltar mais pela mesma porta.

Esse versículo é um daqueles que dizem: "Feche a porta na cara do diabo". Ele nos alerta no sentido de que o diabo está procurando alguém que esteja se desviando ou esteja sem equilíbrio, alguém que esteja dando atenção excessiva a uma área de sua vida e negligenciando as demais; alguém cujas prioridades estejam desajustadas. Quando o diabo encontra esse tipo de pessoa, ele sabe que pode entrar e fazer seu trabalho sujo.

O diabo sempre tentará nos causar problemas, mas ele não teria nem uma fração do sucesso que tem se aprendêssemos a manter a porta fechada para ele. Algumas vezes essa porta não é uma grande questão espiritual que precisamos identificar. Muitas vezes se trata de uma área simples e prática de nossa vida, pois talvez tenhamos ficado espirituais demais para prestar atenção a ela.

É Possível Ficarmos Espirituais Demais?

Honestamente, creio que algumas vezes as pessoas que se convertem e são cheias do Espírito ficam tão radicais que se tornam espirituais demais.

Alguém poderá perguntar: "Mas como alguém pode ficar espiritual demais?"

Vou explicar o que quero dizer. Temos um lado natural e prático em nossa vida do qual temos de cuidar. Se não o fizermos, ele acabará afetando nosso lado espiritual.

Por exemplo, se não cuidarmos de nosso corpo físico, ficaremos doentes. Quando estamos fisicamente doentes, isso nos afeta espiritualmente. Quando ficamos doentes, não temos vontade de orar, liberar nossa fé, crer no Senhor ou cumprir o chamado de Deus para nossa vida. Assim o diabo busca meios de nos deixar doentes para que possa nos impedir de fazer o que Deus quer façamos.

Quando temos um problema, nem sempre é porque alguma uma área espiritual da nossa vida está em desordem. Muitas vezes o problema se origina de uma área natural de que não cuidamos porque estamos tão voltados para as questões espirituais que acabamos nos esquecendo das coisas terrenas.

Nessas ocasiões, só precisamos de equilíbrio.

Mantenha-se Equilibrado

Uma das muitas definições do *Dicionário Houaiss da Língua Portuguesa* para equilíbrio é "distribuição, proporção harmoniosa; harmonia".[1] No *Dicionário Aurélio Século XXI*, o verbo equilibrar é definido como "manter a igualdade, absoluta ou aproximada, entre forças opostas".[2]

Desse modo, mantemo-nos equilibrados regulando as diferentes áreas de nossa vida para mantê-las na proporção correta entre si.

Recebemos poder e capacidades, mas temos de mantê-los regulados. Se temos trabalho demais e pouco descanso, perdemos o equilíbrio. Tornamo-nos viciados em trabalho e ficamos sem energia.

Meu trabalho e minhas realizações me proporcionam muita satisfação. Por eu ser uma pessoa séria, não gosto muito de coisas que considero tolice ou desperdício de tempo em minha vida. Mas, por causa da minha natureza, sou propensa a perder o equilíbrio nessa área. Preciso ter certeza de que também vou descansar em vez de só trabalhar. Mas é possível ir ao outro extremo, descansando demais e trabalhando menos que o necessário.

Eclesiastes 10.18 diz: *Pela muita preguiça desaba o teto, e pela frouxidão das mãos goteja a casa.*

Em outras palavras, quem descansa demais acaba tendo problemas. A casa, o carro, as roupas, o corpo e tudo o mais na vida dessa pessoa se torna uma bagunça, porque não faz o trabalho necessário para manter as coisas limpas e bem cuidadas. Ela não consegue regular as diferentes "forças" que estão à sua disposição. O resultado é a perda do equilíbrio.

O Equilíbrio Requer Sabedoria

As pessoas têm o poder de gastar dinheiro e de guardar dinheiro. Algumas tentam economizar todo o seu dinheiro. Não gastam nada consigo ou com a família. Ou são gananciosas, ou temem o futuro, pensando que precisam economizar tudo para se protegerem de uma calamidade imprevisível. Mas agindo assim, ficam sem equilíbrio.

Outros gastam dinheiro com a família, mas nunca consigo mesmos. Mas um dia terão de acordar e perceber que, se não fizerem o mesmo com eles próprios, ficarão ressentidos, sentindo-se mártires. O mártir é a pessoa que faz tudo para os outros, mas com uma atitude de quem foi lesado. As pessoas com esse tipo de atitude também estão sem equilíbrio.

Outras ficam sem equilíbrio em relação ao próprio dinheiro por gastarem tudo. Quando isso acontece, elas começam a usar o cartão de crédito, estourando o limite. Então, tentam saldar as dívidas repreendendo o "demônio das dívidas". Querem um milagre para corrigir a falta de disciplina.

Geralmente esse é nosso problema. Envolvemo-nos numa enrascada e tentamos sair dela por meio de algum recurso miraculoso. Então, caímos em outra enrascada e tentamos fazer a mesma coisa novamente. E assim vamos de enrascada em enrascada, nunca assumindo a responsabilidade por nosso próprio erro. Precisamos de equilíbrio, exercitando a autodisciplina.

Não podemos andar em estupidez e passar a vida inteira ignorando as consequências. Deus nos dá sabedoria para que a usemos.

Creio em resistir ao diabo, como Tiago 4.7 nos diz para fazer, mas também creio em nos submetermos a Deus como a Bíblia nos ensina. Não podemos desobedecer a Deus, tendo consequências indesejadas, e depois resistir ao diabo, achando que isso fará com que as consequências do que fizemos desapareçam.

Levei muito tempo para aprender essa lição. Como nova convertida, fui ensinada sobre minha autoridade sobre Satanás. Aprendi que deveria exercer essa autoridade para não permitir que ele trouxesse coisas ruins para minha vida. Entusiasmada por saber disso, imediatamente comecei a dar ordens ao diabo o tempo todo. Mas percebi que não estava obtendo resultados e, finalmente, aprendi que não podia abrir a porta ao inimigo e depois simplesmente resistir às circunstâncias que eu mesma tinha causado. Tive de aprender a me submeter a Deus. Então, e só então, eu poderia ter autoridade para resistir ao diabo.

Essa é uma preciosa lição para todos nós. Se nos comportarmos sem sabedoria e colhermos consequências negativas, precisamos assumir as responsabilidades por nossa conduta incorreta e fazer o que for necessário para corrigir o erro que cometemos.

Por exemplo, se alguém não consegue organizar bem sua vida financeira e contrai uma dívida, precisa saldá-la. Talvez isso exija muita disciplina e um período de tempo sem comprar nada além do essencial. Não é hora de sentirmos autopiedade ou nos sentirmos desencorajados. Gastar demais causa problemas, e somente gastando menos poderemos corrigir o erro.

Leva tempo para que nos endividemos, e também leva tempo para saldarmos as dívidas. Levamos anos para nos colocar numa enrascada, e depois ficamos impacientes com Deus se em poucas semanas Ele não nos livrar de uma forma miraculosa.

Deus é misericordioso. Às vezes Ele nos tira de imediato dos problemas que causamos. Mas há outras vezes em que Ele não nos livra tão depressa porque se o fizer, nunca iremos aprender a não criar problemas para nós mesmos.

O Equilíbrio Precisa de Cuidados e "Manutenção"

O equilíbrio requer cuidados e "manutenção". Não é algo que, uma vez obtido, permanece inalterado para sempre. Podemos estar equilibrados na segunda-feira e desequilibrados na quarta-feira.

Também não é possível alcançarmos o equilíbrio em todas as áreas da vida de uma só vez. Há milhares de áreas em nossa vida, e cada uma delas precisa ser equilibrada e mantida assim mediante cuidado e manutenção regulares.

Um carro não continua funcionando adequadamente se não cuidarmos dele e não fizermos manutenção nele regularmente. As rodas se desalinharão e os pneus se desgastarão de forma irregular. O motor poderá se desregular e sofrer desgaste anormal. O óleo baixará e ficará sujo, causando fricção indevida e desgastando certas partes do motor. O fluido do limpador de para-brisa secará e o para-brisa ficará sujo sob chuva, o que pode ocasionar um acidente. Os pneus ficarão descalibrados e baixos, deixando o carro pesado e rodando de forma irregular. No fim, o veículo todo se desgastará e ficará inutilizado.

Faça Ajustes

> *Irmãos, quanto a mim, não julgo havê-lo alcançado [ainda]; mas uma coisa faço [que é minha aspiração]: esquecendo-me das coisas que para trás ficam e avançando para as que diante de mim estão, prossigo para o alvo, para o prêmio da soberana vocação de Deus em Cristo Jesus* (Filipenses 3.13-14).

Se desejamos ter uma vida equilibrada, devemos, regularmente, examinar e fazer ajustes nas várias áreas de nossa vida para mantê-las em equilíbrio. O equilíbrio é mantido por meio de ajustes, o que implica mudanças.

Às vezes é difícil conseguirmos fazer as coisas de forma diferente. Vemos áreas em nossa vida que precisam ser mudadas, mas quando Deus tenta mudá-las ficamos muito nervosos.

Mas a verdade é que, para continuarmos, precisamos aprender a ceder.

Nada na vida é tão imutável quanto a mudança. Sempre haverá mudanças que precisam ser feitas, e não gostamos muito disso. Queremos avançar em direção ao que vem a seguir, mas não queremos abrir mão do que ficou para trás porque nos sentimos confortáveis com as coisas como estão. Sentimo-nos seguros com o modo como sempre fizemos as coisas, até mesmo quando nossa forma de fazê-las nos prejudica. Se for esse o caso, chegou a hora de mudar!

Quando nos dispomos a abandonar o modo como fazemos as coisas e aceitamos a forma de Deus fazê-las, então estamos no caminho que conduz à mudança que nos tornará como Deus quer que sejamos.

Ninguém É Invencível

O sogro de Moisés, porém, lhe disse: Não é bom o que fazes. Sem dúvida, desfalecerás, tanto tu como este povo que está contigo; pois isto é pesado demais para ti; tu só não o podes fazer (Êxodo 18.17-18).

Não me surpreenderia se Deus estivesse falando a mesma coisa a mim e a você.

Às vezes imaginamos que somos invencíveis. Não gostamos que ninguém nos diga que algo é demais para controlarmos sozinhos.

Quando Deus disse a Moisés, por intermédio de seu sogro, que o trabalho que Moisés estava tendo com os israelitas era pesado demais, foi exatamente assim que ele se expressou: "Isso é demais para você. Você não consegue cuidar disso sozinho".

Sempre fui o tipo de pessoa que achava que poderia fazer qualquer coisa a que me dispusesse. Estava totalmente convencida de que poderia fazer tudo em Cristo, que me fortalece.[3] Se alguém tentasse me convencer do contrário, eu ficava ainda mais determinada a continuar.

É verdade que nós, cristãos, precisamos de muita determinação se quisermos fazer alguma coisa para Deus, porque Satanás sempre se aproximará para se opor a nós e tentar nos impedir de qualquer forma. Mas, se tivermos a convicção de que podemos tudo, seja o que for, estamos sem equilíbrio, e em algum momento Deus irá provar isso para nós, dizendo: "Não, você não pode fazer tudo. Você só pode fazer aquilo que eu o ungi para fazer".

Quando Deus chama um líder, Ele não só o unge para fazer determinado trabalho, como também o cerca de pessoas ungidas para cuidar de outros aspectos daquele trabalho. Foi isso o que Ele quis dizer quando falou a Moisés, por intermédio de seu sogro: "Tu só não o podes fazer".

Durante muitos anos fiz tudo sozinha em meu ministério, com exceção do louvor, pois não canto bem o suficiente para fazê-lo. Mas fazia tudo o mais sozinha. Eu pregava, orava pelas pessoas ao final do culto e ficava lá para impor as mãos sobre todos os que viessem, mesmo se houvesse mil ou mil e quinhentas pessoas, como acontecia. Nos intervalos entre os cultos, saía de meu lugar para ir cumprimentar as pessoas na mesa onde vendíamos as fitas, autografar livros e fazer quase tudo o que me pediam, porque eu tentava lhes dar tudo de que precisavam. Finalmente percebi que se eu continuasse a fazer aquilo, acabaria morrendo.

Uma das formas de perdermos o equilíbrio é tentar agradar aos homens em vez de agradar a Deus. Como Moisés, tive de aprender que não podia fazer tudo – e nem deveria tentar – porque Deus havia ungido outras pessoas para me ajudar.

Peça Ajuda

Vendo, pois, o sogro de Moisés tudo o que ele fazia ao povo, disse: Que é isto que fazes ao povo? Por que te assentas só, e todo o povo está em pé diante de ti, desde a manhã até ao pôr do sol? (Êxodo 18.14).

Quando Deus falou com Moisés por intermédio de seu sogro, ele perguntou-lhe: "Por que está trabalhando sozinho?"

Muitas pessoas ficam sozinhas em sua posição de liderança, tentando fazer tudo sem ajuda. Porém, se Deus nos chamou para algum tipo de ministério, Ele também nos dará a ajuda de que precisamos para continuar.

Entretanto, talvez esses líderes auxiliares não façam tudo o que gostaríamos que fizessem. O trabalho deles pode não sair perfeito como pensamos que sairia se nós o fizéssemos.

Em meu próprio ministério, até mesmo minha família e meu marido, que me amam profundamente, diziam: "Você precisa anunciar as fitas porque ninguém sabe fazer isso melhor do que você". Então eu anunciava. Às vezes achavam que eu era quem deveria recolher as ofertas, e eu o fazia.

Sabe o que aconteceu? Por fazer tantas coisas sozinha, comecei a ter problemas de saúde. Desesperada, comecei a fazer algumas mudanças. É impressionante como, quando temos de mudar alguma coisa, aprendemos que Deus irá ungir outra pessoa para fazer o que não conseguimos mais fazer. Ainda anuncio minhas fitas em alguns de nossos encontros, mas agora quase sempre é nossa filha que as anuncia antes de cada culto, e nossas vendas não caíram nem um pouco. Ela também me ajuda com as ofertas, e elas também não diminuíram.

Sabe por quê? Porque Deus me tirou algumas responsabilidades que eram minhas e as deu à minha filha, assim como fez com Moisés.[4] Ele fez isso porque eu não conseguia mais fazer tudo sozinha.

Algumas vezes Deus não nos envia ninguém para ajudar porque insistimos em querer achar alguém perfeito e acabamos sem ninguém. Então Deus precisa dizer: "Acorde e encare a realidade. Como você era quando eu comecei a trabalhar com você?"

Suporte a Pressão

> *Ouve, pois, as minhas palavras; eu te aconselharei, e Deus seja contigo; representa o povo perante Deus, leva as suas causas a Deus, ensina-lhes os estatutos e as leis e faze-lhes saber o caminho em que devem andar e a obra que devem fazer. Procura dentre o povo homens capazes, tementes a Deus, homens de verdade, que aborreçam a avareza; põe-nos sobre eles por chefes de mil, chefes de cem, chefes de cinquenta e chefes de dez; para que julguem este povo em todo tempo. Toda causa grave trarão a ti, mas toda causa pequena eles mesmos julgarão; será assim mais fácil para ti, e eles levarão a carga contigo. Se isto fizeres, e assim Deus to mandar, poderás, então, suportar [a pressão]; e assim também todo este povo tornará em paz ao seu lugar. Moisés atendeu às palavras de seu sogro e fez tudo quanto este lhe dissera* (Êxodo 18.19-24).

Quantas vezes eu já disse a Deus: "Não sei quanto tempo mais vou suportar esta pressão!"

Aprendi que se eu deixar alguém me ajudar, encarregando-se de parte da pressão, então conseguirei suportar por mais tempo. Também aprendi que, se não ficar tentando agradar às pessoas, tentando manter todos felizes e lhes dando tudo o que querem, então eu conseguirei resistir por mais tempo. Aprendi que se eu agradasse somente a Deus, Ele me ungiria para fazer o que faço, mas se eu começasse a querer agradar as pessoas, isso Ele não ungiria.

Deus não é obrigado a ungir nada que façamos sem que Ele tenha nos pedido. Jesus é Autor e Consumador,[5] mas Ele não tem de consumar, de terminar algo que não foi Ele que começou.

O sogro de Moisés lhe disse que se fizesse o que Deus mandara, suportaria a pressão. Deus não nos dá mais atribuições do que podemos aguentar. Se Ele nos dá um trabalho, nos dá a capacidade para fazê-lo. E não estou dizendo que iremos fazer nosso trabalho nos arrastando, semimortos, o tempo todo. Lembre-se: Jesus disse que veio para que tivéssemos vida, e vida em abundância, até que transborde.[6]

Note a segunda metade de Êxodo 18.23: *Poderás, então, suportar; e assim também todo este povo tornará em paz ao seu lugar.*

Creio que isso significa que, quando Deus coloca pessoas ao nosso redor para nos ajudar, se não lhes dermos uma oportunidade, elas ficarão frustradas; não terão paz. Mas, se as usarmos como Deus planejou, poderemos suportar a pressão, e elas ficarão felizes e realizadas, porque seus dons foram desenvolvidos e elas progrediram.

Olhe ao seu redor. Há algum ajuste que precisa fazer para se manter equilibrado? Se você fizer esses ajustes, como foi o caso de Moisés, então você terá mais alegria e paz, e fechará a porta na cara do diabo.

O Que É Podado Produz; O Que É Cortado Não Produz

> *Criou Deus, pois, o homem à sua imagem, à imagem de Deus o criou; homem e mulher os criou. E Deus os abençoou, e lhes disse: Sede fecundos, multiplicai-vos, enchei a terra e sujeitai-a; dominai [usando todos os recursos a serviço de Deus e do homem]...* (Gênesis 1.27-28).

A falta de equilíbrio nos impede de ter uma vida frutífera. E se há algo que Deus deseja de nós é que produzamos frutos. A primeira coisa que Deus disse a Adão e Eva depois de os criar foi: "Sede fecundos".

Deus quer que sejamos crentes que produzam frutos. Em João 15.8, Jesus diz: *Nisto é glorificado meu Pai, em que deis muito fruto, e assim vos tornareis meus discípulos*. Do mesmo modo, nos versículos 1 e 2, Jesus fala sobre podar e cortar, dizendo: *Eu sou a videira verdadeira, e meu Pai é o agricultor. Todo ramo que, estando em mim, não der fruto, ele o corta; e todo o que dá fruto limpa, para que produza mais fruto ainda.*

Para nós, a palavra *podar* tem um significado negativo porque significa "aparar", "tirar". Ninguém gosta de palavras que descrevem cortes.

Algumas vezes as copas das árvores ficam pesadas e envergadas, e temos de podá-las. Da mesma forma, algumas vezes nossa vida fica pesada e envergada, e Deus precisa nos aparar.

Em certa época tínhamos uma pequena árvore em frente à nossa casa. Todos os anos ela dava alguns galhinhos lindos, cheios de folhas verdes na base do tronco. Esses galhinhos são chamados de sugadores, porque sugam a seiva da árvore. Não lhe acrescentam nada, mas tiram-lhe a nutrição e a impedem de crescer como deveria. Então, tínhamos de pegar a tesoura e podá-los.

Deus às vezes precisa cortar algumas coisas de nossa vida que parecem belas; coisas que gostaríamos de manter e nutrir por muito tempo. Mas Ele sabe tudo o que tem em mente para nós. Quando Ele começa a trabalhar conosco para que abramos mão de algo, a melhor coisa que podemos fazer é justamente abrir mão, porque Ele sabe o que está fazendo.

"Mas Senhor, se eu parar de fazer isso, serei o único no grupo que não o farei mais". Deus pode estar cortando algo de nossa vida para que possamos ter mais tempo com Ele. Se passarmos aquele tempo com Deus, talvez recebamos o que estamos realmente buscando.

Também temos um arbusto em nosso quintal que fica com muitos galhos bonitos apontando em todas as direções. Precisamos pegar a tesoura e podá-los.

Deus faz a mesma coisa conosco. É doloroso ver essas partes sendo tiradas, mas há um segredo sobre esse tipo de corte que quero compartilhar com você.

Em João 15.1-2, Jesus diz que se não produzirmos fruto Deus irá nos podar para sermos produtivos. E se dermos frutos, Ele irá nos podar para que produzamos ainda mais frutos; frutos excelentes e preciosos.

O segredo é que, dando frutos ou não, seremos podados! Não sei o que você acha, mas prefiro ser podada para dar mais frutos a não dar fruto algum.

Domine-se

Todo atleta em tudo se domina; aqueles, para alcançar uma coroa corruptível; nós, porém, a incorruptível (1 Coríntios 9.25).

Esse versículo nos diz que todos os que lutam para se aperfeiçoar em algo devem se dominar em tudo.

Como poderemos alcançar o equilíbrio em nossa vida se não nos dominamos?

Tive de lutar para alcançar o equilíbrio em meu trabalho. Algumas vezes, fico na frente do computador durante doze horas, só me levantando para ir ao banheiro ou beber alguma coisa. Isso não é bom para mim, porque quando estou trabalhando em algo como um seminário ou um livro, fico muito envolvida. Envolvo-me com qualquer coisa que esteja fazendo e gasto muita energia espiritual e emocional naquilo.

Dave já me disse várias vezes: "Não fique sentada aí o dia todo. Trabalhe somente sete ou oito horas, mas faça intervalos. Quando trabalhar o dia todo, pare um pouco e faça outra coisa. Se não fizer isso, haverá consequências".

Ele tem razão. Se eu não me dominar, vou ficar sentada ali até a exaustão ou até que pegue no sono na cadeira. Preciso de bom senso para me levantar a cada duas horas, mais ou menos, e me alongar. Mas por que não faço isso? Porque quero concluir o projeto. Detesto parar, mesmo que por pouco tempo, para descansar. Embora parte de mim queira continuar, a outra parte sabe que isso não é sábio.

Só teremos sucesso verdadeiro na vida quando usarmos a sabedoria. Que sabedoria? Como disse anteriormente, um dos dicionários que mencionei diz que é bom senso. E o bom senso nos diz que, se não aprendermos a nos dominar, vamos ter problemas.

Áreas Que Precisam de Equilíbrio

Fiz uma lista de áreas em que precisamos ter domínio, áreas em que precisamos de equilíbrio.

A primeira delas é a **alimentação.**

Se eu não fizer uma dieta razoável, vou achar algo de que eu goste e vou comer sem parar. Claro, isso não é sábio porque o corpo humano não foi feito para viver de doces e salgadinhos. Não podemos comer somente sorvete, bolo, doces, batatinha frita e achar que continuaremos saudáveis.

Há muitas dietas passageiras por aí atualmente. Uma delas é a dieta da proteína. Outra é a dieta sem carboidratos.

Não estou dizendo que se você seguir uma dessas dietas não vai perder peso, mas não creio que lhe será saudável uma alimentação desequilibrada. Se Deus não quisesse que comêssemos alimentos de gêneros variados, Ele não os teria criado.

Cada um de nós precisa conhecer o próprio corpo e saber do que ele precisa e o que é melhor para ele.

Aprendi que quando preciso perder uns quilinhos rapidamente posso planejar uma dieta com baixo teor de gordura. Também aprendi que meu corpo precisa de muita proteína. Talvez tenha a ver com o tipo de trabalho que faço e a quantidade de energia que gasto. Já me disseram que quando o culto em que ministrei foi muito intenso, isso equivale a oito horas de trabalho pesado por causa de todo o estresse emocional e mental envolvido. Quando termino cinco ou seis palestras, gastei muita energia. Descobri que, para me sentir bem e me recuperar de tais reuniões, preciso de muita proteína.

Enquanto faço uma dieta de baixo teor de gordura, perco peso, mas não me sinto bem, porque a taxa açúcar em meu sangue cai demais.

Certa vez quase desmaiei num quarto de hotel. Não sabia o que havia de errado comigo. Quando comecei a orar, buscando a Deus, percebi que não tinha comido proteína havia muito tempo.

Mas eu amo massas e salada. Poderia comer isso sete dias na semana. Poderia passar a vida toda sem comer carne. Mas preciso dela.

Lá estava eu, doente, repreendendo o diabo. Mas meu problema não era o diabo; era a massa!

Vejamos outro exemplo sobre a necessidade de se manter uma dieta balanceada adequada.

Minha gerente geral pesa quarenta e sete quilos e é linda. Como precisa evitar o açúcar e cuidar da alimentação, ela descobriu umas barras de cereal balanceadas e me falou a respeito delas.

"Ah, tem tudo de que precisamos", ela disse. "Pouca gordura, muita proteína e energia. Elas me fazem muito bem".

Então, comprei algumas barras e comecei a carregá-las nas viagens, para comê-las quando ficasse com fome e precisasse de algo que me desse energia.

Algum tempo depois, a moça que me falou das barras começou a comer três ou quatro delas por dia e teve uma reação alérgica. Acontece que, além de comer as barras de mel e amendoim, ela também começou a comer amendoim e manteiga de amendoim.

Aparentemente ela era alérgica a amendoim e teve aquela reação. Brincamos com ela, dizendo que ela perdera o equilíbrio com as "barrinhas equilibradas".

Portanto, é possível perder o equilíbrio numa dieta. Como já vimos, podemos perder o equilíbrio nos **gastos** ou até mesmo numa **atividade espiritual**.

Uma mulher casada com um descrente ou com um novo convertido pode destruir seu casamento envolvendo-se excessivamente em atividades espirituais como oração, estudo da Bíblia e conversas sobre Deus a toda hora, quando deveria estar prestando atenção às necessidades do marido. Não que ela não deva falar sobre o Senhor com ele, mas é recomendável conversar sobre outras coisas também, porque ele ainda não está no mesmo nível espiritual dela.

Os homens têm muita necessidade de lazer, e querem uma parceira no lazer. Em outras palavras, eles gostam de se divertir.

Em nosso casamento, posso passar muito mais tempo sem jogar golfe do que Dave. Mas descobri que, se quero ter um bom casamento, preciso jogar golfe com meu marido de vez em quando, porque isso é o que ele gosta de fazer.

Dave é um grande homem de Deus, mas ele não ficaria nada contente se eu não fizesse mais nada a não ser ficar de lá para cá lhe falando de coisas espirituais o tempo todo. Ele precisa de outras coisas na vida além de oração, leitura da Bíblia e sermões.

Para ser honesta, creio que nós todos precisamos de outras coisas. Algumas pessoas, em virtude de sua personalidade, têm maior necessidade do que outras.

Se você é casado com alguém que não é tão espiritual como você, se tentar ser espiritual o tempo todo, terá problemas, pois perderá o equilíbrio nessa área.

O equilíbrio é necessário na área da **mente**. Algumas pessoas não pensam muito enquanto outras pensam demais.

Lembro-me de que, anos atrás, quando Dave e eu nos levantávamos pela manhã, ele queria ouvir música, enquanto eu queria refletir. Então eu ficava pensando. Por fim, Dave ficava feliz enquanto eu me sentia péssima. Mas eu não percebi que aquilo era uma pista.

Algumas pessoas planejam demais e outras não planejam o suficiente.

O equilíbrio é necessário em relação à nossa **língua**. Algumas pessoas não falam o suficiente e outras falam demais.

Fico nervosa com pessoas que não conversam porque não querem dizer muita coisa. De fato, é trabalhoso para mim porque, quando estou com essas pessoas, sinto que tenho que ficar puxando conversa o tempo todo. Fico desgastada tentando arrumar assunto para conversar.

Assim como preciso me disciplinar para não falar demais, algumas pessoas precisam se disciplinar para falar mais. Elas precisam interagir com os outros para que não tenham de ficar puxando conversa.

Finalmente, precisamos de equilíbrio em relação à nossa **opinião pessoal sobre nós mesmos**. Algumas vezes, temos um conceito muito elevado de nós mesmos e outras vezes, um conceito muito negativo.

Em Romanos 12.3, lemos que não devemos ter um conceito elevado demais sobre nós mesmos, tampouco uma opinião exagerada quanto à nossa importância, mas devemos avaliar nossa capacidade com um julgamento ponderado. Entretanto, em 2 Samuel 9.8, vemos um jovem chamado Mefibosete que tinha uma péssima autoimagem, e em Números 13.33 vemos os dez espias que tinham uma autoimagem horrível.

Podemos gastar muito tempo conosco sendo egoístas e egocêntricos. Mas, em outras, podemos também nos ignorar e ignorar nossas próprias necessidades a ponto de nos causar problemas emocionais.

Algum tempo atrás, conversei com uma conhecida pastora que tem um ministério muito eficaz. Ela disse que durante trinta anos trabalhou constantemente com ministração, aconselhamento, ajudando dependentes do álcool e moradores de rua, enquanto cuidava de sua própria família e muitas outras coisas.

Durante todo esse tempo ela falava para si mesma: "Estou bem, estou bem". Mas um dia, de repente, ela desmoronou porque não estava bem. Algumas vezes determinada pessoa pode passar um longo período fazendo tudo para todos e subitamente um grito surge dentro dela: "E **eu**? O que aconteceu **comigo**?"

De vez em quando, precisamos fazer um pouco por nós mesmos, algo especial que nos faça sentir melhor. Para nós, mulheres, pode ser algo simples, como fazer as unhas ou comprar um par de brincos, algumas coisas para nos mimar. Para os homens, pode ser comprar algo para melhorar sua atividade ou passatempo preferidos. Com alguma frequência, Dave gosta de comprar novos tacos de golfe. Ele já tem muitos, mas gosta de comprar outros.

Às vezes precisamos fazer alguma coisa por nós mesmos. Ao final de uma longa série de conferências, fico física, mental, emocional e espiritualmente exausta. Nessas horas, descobri que uma das coisas que me ajuda (e você pode até rir disso se quiser) é fazer compras.

Claro que não saio comprando tudo descontroladamente, vendo quanto dinheiro posso gastar, ou contraindo dívidas ou coisa parecida. Algumas vezes, nem compro nada para mim mesma. Compro para outras pessoas. Mas isso me ajuda a me desligar do trabalho e a fixar minha mente em outra coisa. A mudança me faz voltar ao equilíbrio novamente.

Como a maioria das mulheres, gosto de fazer compras; isso ajuda a equilibrar minhas emoções. Deus nos deu emoções, e, embora não devamos ser controlados por elas, não podemos ignorar o fato de que as temos. Devemos fazer o que é necessário para nos manter emocionalmente saudáveis física, mental e espiritualmente.

Os Dois Lados da Vida

Recebei-o [em casa], pois, no Senhor, com toda a alegria, e honrai sempre a homens como esse; visto que, por causa da obra de Cristo, chegou ele às portas da morte... (Filipenses 2.29-30).

Em Filipenses 2.25-30, vemos um homem chamado Epafrodito que ficou doente de tanto trabalhar no ministério. Ele ficou emocionalmente esgotado e com saudade de casa. Provavelmente, ele tivesse passado muito tempo longe de casa e se sentia solitário.

Ele ficou tão doente que quase morreu. Mas o apóstolo Paulo nos diz que Deus teve compaixão dele e poupou-lhe a vida. Nessa passagem, Paulo estava escrevendo aos Filipenses dizendo-lhes que estava enviando Epafrodito para casa para se recuperar.

Acho interessante que, embora Deus tivesse curado esse homem, ele ainda precisava tirar algum tempo para descansar.

O mesmo princípio fica evidente na história de Jesus ressuscitando uma garota. Em Lucas 8.40-56, lemos que um líder religioso chamado Jairo aproximou-se de Jesus e lhe pediu que fosse à sua casa e curasse a filha de doze anos, que estava morrendo. Quando chegaram à casa de Jairo, a garota já estava morta, mas Jesus a ressuscitou. E, logo que ela se levantou da cama, a primeira coisa que Jesus disse aos pais dela foi: "Deem-lhe algo para comer".

Tanto o lado espiritual quanto o lado secular da vida precisam ser mantidos em equilíbrio.

A partir dessas duas histórias, recebi uma revelação de que há o lado espiritual e o lado natural, secular da vida, e ambos precisam de equilíbrio. Jesus cuidou do lado espiritual da vida da garota, mas depois ele instruiu seus pais para que cuidassem do lado natural da vida dela.

Para mim, isso significa que Deus espera que usemos tanto o bom senso como a espiritualidade. Vemos esse princípio bíblico demonstrado num incidente que aconteceu na vida de um dos grandes profetas do Antigo Testamento.

A Perda de Equilíbrio Causa Problemas

Acabe fez saber a Jezabel tudo quanto Elias havia feito e como matara todos os profetas [de Baal] à espada. Então, Jezabel mandou um mensageiro a Elias a dizer-lhe: Façam-me os deuses como lhes aprouver se amanhã a estas horas não fizer eu à tua vida como fizeste a cada um deles. Temendo, pois, Elias, levantou-se, e, para salvar sua vida, se foi, e chegou a Berseba, que pertence a Judá [que fica a mais de dez quilômetros, fora do alcance e Jazabel]; e ali deixou o seu moço (1 Reis 19.1-3).

Por que será que um homem como Elias, que no dia anterior tinha desmoralizado 450 profetas de Baal e pessoalmente matado todos eles, subitamente se permitia ficar tão intimidado com as ameaças de uma única mulher chamada Jezabel a ponto de correr de medo?

Duvido muito que Jezabel fosse tão apavorante que Elias tivesse de fazer aquilo. Creio que posso provar que ele reagiu de forma tão desequilibrada porque estava totalmente desgastado e exausto.

Um homem recentemente me falou que tirou várias semanas de folga de seu ministério. Ele disse que, depois de descansar sete dias, notou que sua criatividade começava a voltar. Ele viu, com isso, que até mesmo nossa capacidade criativa seca quando estamos exageradamente exaustos. Sei por experiência pessoal que minha fé é afetada quando estou cansada demais; até orar é difícil nesses momentos.

Quando estamos totalmente desgastados e exaustos, reagimos às pessoas de forma diferente da que agiríamos se estivéssemos descansados. Reagimos somente com a emoção. Ficamos magoados facilmente. Ficamos mais sensíveis, propensos a nos chatear e a desmoronar se uma coisinha qualquer der errado.

Muitos dos problemas que as pessoas têm nos relacionamentos atualmente resultam da falta de equilíbrio, e geralmente essa falta de equilíbrio é resultado do desgaste.

Em muitas das famílias atuais, tanto o marido quanto a esposa precisam ter um emprego para sustentar a casa. Depois de um longo dia de trabalho, em casa, precisam cuidar das crianças, fazer o jantar, lavar a roupa, limpar a casa, fazer compras, cuidar do jardim, e assim por diante.

Mais cedo ou mais tarde, eles começam a ficar ainda mais exaustos porque, se forem cristãos, ainda assumem compromissos na igreja – inclusive alguns compromissos que não foram guiados pelo Espírito. Talvez sejam coisas que acham que precisam fazer. Mas, se não forem cuidadosos, eles podem acabar tentando ser tudo para todos, o que não é possível. Eles podem começar a sentir que estão se despedaçando porque, para onde quer que olhem, há alguém querendo que façam algo.

Sei muito bem disso porque já passei por essa situação na minha vida. Não só sou uma pastora com um ministério de âmbito internacional para desenvolver, mas também sou esposa, mãe de quatro filhos criados, avó e amiga com muitas responsabilidades, deveres e relacionamentos dos quais preciso cuidar. Tenho tantas coisas para fazer que algumas vezes me sinto partida em pedaços.

Na verdade, uma de minhas netas me escreve bilhetes e cola no meu carro: "Vó, estou com saudade, quero passar um tempinho com você". Uma vez, na escola, ela teve de escrever uma redação com o tema: "Se você pudesse dar um presente invisível a alguém que você ama, o que seria?" Ela respondeu: "Eu daria para minha avó o tempo, porque ela está sempre ocupada".

É verdade. Sou extremamente ocupada. Todos são. Por isso é que precisamos de equilíbrio em nossa vida, o que pode significar ter de cortar algumas coisas de que não queremos nos livrar, mas que irão nos causar problemas se não permitirmos que Deus as remova de nossa vida.

Em alguns casos, isso pode significar largar um segundo emprego que aceitamos dizendo que seria para dar mais conforto material à família. A verdade pode ser que a família pode precisar de nós ou nos querer mais do que qualquer outra coisa que poderíamos lhe dar.

Há um equilíbrio que precisa ser mantido em todos os aspectos da vida – físico e mental, emocional e espiritual –, como podemos observar na vida do profeta Elias.

Elias e os Profetas de Baal

Vamos examinar mais detalhadamente a história de Elias, que já vimos resumidamente num capítulo anterior.

Então, Elias se chegou a todo o povo e disse: Até quando coxeareis entre dois pensamentos? Se o Senhor é Deus, segui-o; se é Baal, segui-o. Porém o povo nada lhe respondeu. Então, disse Elias ao povo: Só eu fiquei dos profetas do Senhor, e os profetas de Baal são quatrocentos e cinquenta homens. Dêem-se-nos, pois, dois novilhos; escolham eles para si um dos novilhos e, dividindo-o em pedaços, o ponham sobre a lenha, porém não lhe metam fogo; eu preparei o outro novilho, e o porei sobre a lenha, e não lhe meterei fogo. Então, invocai o nome de vosso deus, e eu invocarei o nome do Senhor; e há de ser que o deus que responder por fogo esse é que é Deus. E todo o povo respondeu e disse: É boa esta palavra (1 Reis 18.21-24).

Nessa história, Elias, o profeta do Senhor, havia dito ao rei Acabe, marido da rainha Jezabel, que reunisse 450 profetas de seu deus Baal no topo do Monte Carmelo.

Quando todos eles e o povo de Israel estavam reunidos ali, Elias lançou um desafio aos profetas de Baal. Em 1 Reis 18.25-29 (transcrito a seguir), Elias faz os preparativos para que o Deus Único e Verdadeiro demonstrasse Seu poder. Elias gastou muita energia física no processo para preparar o desafio.

Elias Lança um Desafio

Disse Elias aos profetas de Baal: Escolhei para vós outros um dos novilhos, e preparai-o primeiro, porque sois muitos, e invocai o nome de vosso deus; e não lhe metais fogo. Tomaram o novilho que lhes fora dado, prepararam-no e invocaram o nome de Baal, desde a manhã até ao meio-dia, dizendo: Ah! Baal, responde-nos! Porém não havia uma voz que respondesse; e, manquejando, se movimentavam ao redor do altar que tinham feito. Ao meio-dia, Elias zombava deles, dizendo: Clamai em altas vozes, porque ele é deus; pode ser que esteja meditando, ou atendendo a necessidades, ou de viagem, ou a dormir e despertará.

E eles clamavam em altas vozes e se retalhavam com facas e com lancetas, segundo o seu costume, até derramarem sangue. Passado o meio-dia, profetizaram eles, até que a oferta de manjares se oferecesse; porém não houve voz, nem resposta, nem atenção alguma (1 Reis 18.25-29).

Depois de Elias fazer o desafio aos profetas de Baal, estes começaram a tentar fazer com que o deus deles respondesse. Durante toda a manhã, clamaram a Baal que lhes respondesse, mas não houve resposta.

Ao meio-dia, Elias começou a zombar deles dizendo: *Clamai em altas vozes... pode ser que esteja meditando, ou atendendo a necessidades, ou de viagem, ou a dormir e despertará.*[7]

O fato é que Elias gastou muita energia nessa disputa. Ele realmente estava fazendo de bobos os profetas de Baal, o que despendeu muita energia.

A Vez de Elias

> *Então, Elias disse a todo o povo: Chegai-vos a mim. E todo o povo se chegou a ele; Elias restaurou o [antigo] altar do Senhor, que estava em ruínas [destruído por Jazabel]. Tomou doze pedras, segundo o número das tribos dos filhos de Jacó, ao qual viera a palavra do Senhor, dizendo: Israel será o teu nome. Com aquelas pedras edificou o altar em nome do Senhor; depois, fez um rego em redor do altar tão grande como para semear duas medidas de sementes. Então, armou a lenha, dividiu o novilho em pedaços, pô-lo sobre a lenha e disse: Enchei de água quatro cântaros e derramai-a sobre o holocausto e sobre a lenha. Disse ainda: Fazei-o segunda vez; e o fizeram. Disse mais: Fazei-o terceira vez; e o fizeram terceira vez. De maneira que a água corria ao redor do altar; ele encheu também de água o rego* (1 Reis 18.30-35).

Quando chegou a vez de Elias, ele primeiramente teve de consertar o altar que Jezabel tinha derrubado. Depois, teve de cavar uma vala em volta do altar. No processo de preparação do desafio, ele matou um touro, cortou-o em pedaços e os colocou no altar. Se eu tivesse de matar um touro, cortar a carne e colocar os pedaços no altar, ficaria completamente exausta! Só isso já bastaria para acabar com as minhas energias. Mas Elias fez o trabalho de consertar o altar e preparar o touro depois de ter zombado dos profetas de Baal o dia todo.

Depois, ele pediu às pessoas que enchessem os cântaros com água e a derramassem no altar e no sacrifício – não uma, mas três vezes. Fiquei contente por ele ter pedido a outra pessoa que fizesse isso, pois, a essa altura, eu já estava sentindo pena dele por causa de todo o trabalho que já tinha feito.

Depois de tudo isso, Elias orou e clamou no nome do Senhor, o que já é, por si só, um trabalho árduo. E ele ainda não tinha terminado.

O Senhor Respondeu com Fogo

No devido tempo, para se apresentar a oferta de manjares, aproximou-se o profeta Elias e disse: Ó Senhor, Deus de Abraão, de Isaque e de Israel, fique, hoje, sabido que tu és Deus em Israel, e que eu sou teu servo e que, segundo a tua palavra, fiz todas estas coisas. Responde-me, Senhor, responde-me, para que este povo saiba que tu, Senhor, és Deus e que a ti fizeste retroceder o coração deles. Então, caiu fogo do Senhor e consumiu o holocausto, e a lenha, e as pedras, e a terra, e ainda lambeu a água que estava no rego.
O que vendo todo o povo, caiu de rosto em terra e disse: O Senhor é Deus! O Senhor é Deus! Disse-lhes Elias: Lançai mão dos profetas de Baal, que nem um deles escape. Lançaram mão deles; e Elias os fez descer ao ribeiro de Quisom e ali os matou (1 Reis 18.36-40).

Depois de ler tudo isso, você não se sente exausto?

Eu me sinto.

Nunca havia percebido quanta coisa Elias tinha feito naquele dia. Depois de passar aquele longo dia de confronto com os profetas de Baal, ele ainda levou todos eles até o vale, onde matou todos os 450 profetas, que era a punição prevista para falsos profetas naquela época.[8]

Depois de tudo isso, ele certamente estava esgotado, física, mental, emocional e espiritualmente.

Mas, como se não bastasse, ele ainda teve de profetizar para o rei Acabe e orar pedindo chuva.

Elias Vai em Frente

Então, disse Elias a Acabe: Sobe, come e bebe, porque já se ouve ruído de abundante chuva. Subiu Acabe a comer e a beber; Elias, porém, subiu ao cimo

> *do Carmelo, e, encurvado para a terra, meteu o rosto entre os joelhos, e disse ao seu moço: Sobe e olha para o lado do mar. Ele subiu, olhou e disse: Não há nada. Então, lhe disse Elias: Volta. E assim por sete vezes. À sétima vez disse: Eis que se levanta do mar uma nuvem pequena como a palma da mão do homem. Então, disse ele: Sobe e dize a Acabe: Aparelha o teu carro e desce, para que a chuva não te detenha. Dentro em pouco, os céus se enegreceram, com nuvens e vento, e caiu grande chuva. Acabe subiu ao carro e foi para Jezreel. A mão do Senhor veio sobre Elias, o qual cingiu os lombos e correu adiante de Acabe, até à entrada de Jezreel* (1 Reis 18.41-46).

Depois de tudo o que Elias já tinha feito, ainda correu quase trinta quilômetros até a entrada de Jezreel, e isso à frente de Acabe, que ia de carruagem!

Algumas vezes a unção pode vir sobre uma pessoa e ela pode fazer coisas impressionantes, como aquelas que Elias fez neste capítulo. Mas isso não significa que ela não fica cansada quando tudo termina.

Algumas pessoas já me disseram que fazem exatamente as mesmas coisas que eu faço no ministério e nunca se cansam. Não quero chamar ninguém de mentiroso, mas fico me perguntando como isso é possível, pois eu me canso, da mesma forma como todos os que possuem um corpo físico.

Não sou exatamente uma senhora idosa que precisa ficar sentada numa cadeira de balanço, mas já sou avó. Há momentos em que a unção de Deus vem sobre mim de tal forma que sinto que poderia passar por um batalhão e saltar sobre uma muralha.[9] Há momentos em que me sinto como se pudesse correr trinta quilômetros, como Elias fez nesse texto. Mas você pode imaginar o meu estado depois de ter feito tudo isso!

Nenhum de nós, não importa o quanto sejamos ungidos, pode seguir em frente ininterruptamente, sem nunca descansar nem parar por um tempo para recuperar as forças. Mas tentar fazer isso seria um convite ao colapso total.

Foi esse o problema de Epafrodito. Ele chegou ao esgotamento total ao fazer o seu trabalho para Deus.

O mesmo aconteceu com Elias.

Quando o rei Acabe voltou ao palácio real, disse à rainha Jezabel tudo o que tinha acontecido e o que Elias tinha feito e falado. Então Jezabel mandou uma mensagem a Elias dizendo que lhe tiraria a vida.

Qual foi a reação desse grande homem de Deus que havia matado 450 profetas de Baal e corrido trinta quilômetros na frente de uma carruagem? Ficou com medo e fugiu de uma simples mulher. Ele percorreu cerca de 130 quilômetros para fugir dela, e, deixando seu servo numa cidade, fugiu para mais longe ainda.

Elias havia perdido o seu equilíbrio. Estava cansado, por isso ficou desanimado. Ficou deprimido e queria ficar sozinho. Essa é uma lição importante para nós. Quando ficamos muito cansados e sem equilíbrio, as primeiras coisas que podem surgir em nós são a depressão e o desânimo.

Nada Parece Estar Bem Quando Estamos Cansados

Ele mesmo, porém, se foi ao deserto, caminho de um dia, e veio e se assentou debaixo de um zimbro; e pediu para si a morte, e disse: Basta; toma agora, ó Senhor, a minha alma, pois não sou melhor do que meus pais (1 Reis 19.4).

Nesse ponto Elias ficou realmente mal, o que é algo que frequentemente sentimos quando estamos cansados.

Nada na vida parece bom quando estamos exaustos. Parece que ninguém nos ama; ninguém nos ajuda; ninguém se preocupa conosco. Achamos que temos de fazer todo o trabalho. Achamos que estão abusando de nós, nos maltratando, nos confundindo. Muitas vezes, quando achamos que estamos grandes problemas, a única coisa que temos, na verdade, é excesso de cansaço.

Elias estava tão exausto que queria apenas morrer e mais nada. Então ele orou a Deus pedindo que lhe tirasse a vida. Mas Deus não atendeu à oração de Elias porque sabia que aquela não era a solução para o problema dele.

A resposta de Deus para Elias

Deitou-se e dormiu debaixo do zimbro; eis que um anjo o tocou e lhe disse: Levanta-te e come. Olhou ele e viu, junto à cabeceira, um pão cozido sobre pedras em brasa e uma botija de água. Comeu, bebeu e tornou a dormir.Voltou segunda vez o anjo do Senhor, tocou-o e lhe disse: Levanta-te e come, porque o caminho te será sobremodo longo. Levantou-se, pois, comeu e bebeu; e, com a força daquela comida, caminhou quarenta dias e quarenta noites até Horebe, o monte de Deus (1 Reis 19.5-8).

Quando um de meus seminários de uma semana de duração termina e volto para casa tarde, no sábado à noite ou no domingo pela manhã, geralmente estou com fome. Não quero comer só um sanduíche ou uma tigela de frutas. Quero uma refeição completa, pois só ela me ajuda a me recuperar.

Como o Senhor, por intermédio de seu anjo, fez Elias se recuperar e voltar a se sentir forte o suficiente para começar a fase seguinte de seu ministério? Ele lhe deu duas boas refeições e um longo período de sono.

Foi só isso que Deus lhe deu. E 1 Reis 19.8 nos diz que, com a força que a comida lhe deu, Elias fez uma viagem de quarenta dias e quarenta noites ao monte Horebe! Não havia nada de incrível, espiritual ou sobrenatural nisso. Elias estava exausto de tudo o que tinha feito no dia anterior e de tudo pelo que havia passado desde então. Fisicamente ele estava completamente esgotado; emocionalmente estava arrasado. Ele não estava se controlando da forma que sempre o fez. Estava com medo, deprimido, desanimado e até mesmo desejando a morte!.

O Senhor lhe disse: "Você está exausto. Você precisa de alimento e uma boa noite de sono". E depois de Elias se recuperar e viajar até Horebe, a palavra do Senhor veio-lhe novamente. Com uma nova palavra vinda de Deus, ele pôde retornar e continuar seu trabalho na obra do Senhor.

16 Pessoas Comuns com Alvos Incomuns

Ora, àquele que é poderoso para fazer infinitamente mais do que tudo quanto [ousamos ou] pedimos ou pensamos [infinitamente além de nossas mais ousadas orações, desejos, pensamentos, esperança ou sonhos], conforme o seu poder que opera em nós... (Efésios 3.20).

Deus usa pessoas comuns que tenham alvos e visões incomuns.

É assim que eu sou: apenas uma pessoa comum, normal, mas tenho um alvo e uma visão. Mas o fato de eu ser alguém comum não significa que aceito ser regular. Não gosto dessa palavra. Não quero nem pretendo ser regular. Não sirvo a um Deus regular, portanto sei que não devo me contentar em ser apenas regular. E você também não deve.

Regular significa "nem bom, nem mau; razoável, suficiente".[1] Não é algo mau, mas também não é excelente. Significa que apenas "dá para o gasto", e não creio que seja isso o que Deus quer que sejamos.

Creio que qualquer pessoa comum pode ser **poderosamente** usada por Deus. Eu sei que se crermos que Deus pode nos usar e, se formos ousados para termos alvo e visão incomuns, poderemos fazer coisas grandes e extraordinárias, que surpreenderão até a nós mesmos. E quando falo em *incomum*, refiro-me a algo que não faz sentido à mente humana. Temos de crer que Deus pode realizar tais coisas por nosso intermédio.

Em Efésios 3.20, lemos que Deus é capaz de fazer infinitamente mais e além do que jamais ousaríamos desejar, pedir ou pensar, segundo o Seu grande poder que opera em nós. Deus faz tudo isso conforme o Seu poder por nosso intermédio, e justamente por ser por nosso intermédio é que precisamos cooperar com Ele, fazendo a nossa parte. Isso significa que precisamos ser ousados em nossa fé e em nossas orações.

Muitos não creem o suficiente. Precisamos que a nossa fé cresça e alcance âmbitos novos e mais abrangentes. Temos de nos tornar pessoas incomuns com alvos incomuns.

Deus Escolheu Você Por Iniciativa Própria

> *Irmãos, reparai, pois, na vossa vocação; visto que não foram chamados muitos sábios segundo a carne, nem muitos poderosos, nem muitos de nobre nascimento; pelo contrário, Deus escolheu (selecionou propositalmente) as coisas loucas do mundo para envergonhar os sábios e escolheu (selecionou propositalmente) as coisas fracas do mundo para envergonhar as fortes; e Deus escolheu as coisas humildes do mundo, e as desprezadas, e aquelas que não são, para reduzir a nada as que são; a fim de que ninguém [tenha a presunção de se gabar e nem se] vanglorie na presença de Deus* (1 Coríntios 1.26-29).

Paulo fala francamente quem e o que Deus escolhe e por que. Diz que Ele escolhe aquilo que para o mundo é tolice para envergonhar os sábios e aquilo que o mundo chama de fraqueza para envergonhar os fortes.

A tradução dessa passagem na *Nova Versão Internacional* é muito boa. No versículo 30 ela diz que Deus escolheu cada um de nós por iniciativa dEle. Não foi por acaso. Eu não fui arrastado à força até Ele porque Ele não tinha outra opção a não ser realizar este ministério por meu intermédio por não ter achado mais ninguém para fazê-lo.

Creio que quando Deus idealizou o Ministério Vida na Palavra, procurou alguém que reunisse em si o maior número de possível "ingredientes" variados: alguém que o amasse e tivesse o coração voltado para Ele; que trabalhasse duro; que fosse determinado e diligente; que fosse disciplinado e tentasse usar um mínimo de bom senso; alguém que não desistisse facilmente.

Não tenho nenhum talento especial. A única coisa que realmente faço bem é falar. Tenho uma boca e a uso. No Corpo de Cristo, sou a boca.

Mesmo assim, minha voz é um pouco incomum. Quem poderia imaginar que Deus a pegaria e a faria ser ouvida em todo lugar? Nem sempre falo tudo corretamente. Nem sempre pronuncio as palavras perfeitamente ou uso a expressão mais adequada. Fico maravilhada de que não precisamos ser refinados e primorosos segundo o padrão do mundo para sermos usados por Deus.

As pessoas olham o exterior, mas Deus olha o coração. O que é maravilhoso para mim é o fato de que seja o que ou quem for que Deus decida ungir, cumprirá com eficácia o propósito dEle em Sua obra.

As pessoas me ouvem porque sou ungida. É por causa da unção que elas vêm. Se Deus quiser, Ele pode ungir até uma mula![2] Ele pode escolher e ungir quem Ele quiser. A unção nos é dada não por causa da nossa aparência, da nossa instrução, das nossas posses ou até mesmo dos nossos talentos, e sim pela atitude que há em nosso coração; pela nossa disposição de preencher os requisitos necessários para sermos usados por Deus.

Vejamos agora quais são os requisitos que Deus quer que preenchamos para sermos escolhidos por Ele.

Que Tipo de Pessoa Deus Usa?

1. Deus usa pessoas que são fiéis nas pequenas coisas.

Muitos não querem fazer coisas pequenas. Já querem começar pelas grandes.

Não sei dizer quantas reuniões já promovi em mais de vinte anos de ministério. Tenho várias gavetas de arquivos com mensagens que preguei nesses encontros. Já passei milhares de horas estudando a Palavra de Deus. Umas das razões de eu ter este ministério que se tornou tão grande é o fato de que fui fiel nas pequenas coisas.

A Bíblia diz que Deus escolhe aquilo que o mundo dispensa, aquilo que o mundo despreza, aquilo que o mundo vê como insignificante, sem valor ou inútil. Ele pega as coisas que o mundo considera alguma coisa e as reduz a nada. Mas as coisas que começam como nada Ele eleva e faz com que se tornem algo significativo.[3]

Por isso, se achamos que somos algo, temos de ter cuidado, pois, como já vimos, a Bíblia diz que o Senhor exalta mas também humilha. Ela também diz que a pedra que os construtores rejeitaram tornou-se a Pedra Angular.[4]

Quando comecei a pregar o evangelho, muitos de meus amigos me rejeitaram porque, nos círculos de onde saí, as pessoas acham que as mulheres não devem ser pregadoras. Disseram-me que eu não poderia pregar. Só havia um problema: eu já estava pregando, e o fazia porque cria que Deus havia me dito que eu era capaz de fazê-lo. Mas sofri muita rejeição, e foi muito difícil para mim. Foi doloroso também. Agora, porém, fico imaginando que aquelas mesmas pessoas que me rejeitaram e me magoaram hoje não têm como evitar me ver ao passarem pelos canais de TV.

A questão é: se nos mantivermos fieis ao que Deus nos pede para fazer, cedo ou tarde Ele nos recompensará pelas coisas difíceis por que passamos para sermos obedientes a Ele. Na verdade, creio que Deus nos recompensará em dobro por isso.[5]

2. Deus usa as pessoas que Lhe rendem toda a glória.

No versículo 29 de 1 Coríntios 1, lemos por que Deus escolhe as coisas e as pessoas que escolhe: para que nenhum ser humano possa se vangloriar em Sua presença.

Sempre me recordo de onde vim. Se eu me esquecer, Deus tem suas formas de me lembrar que não sou nenhuma celebridade. Aliás, a celebridade só é célebre longe de casa. Quando volta para casa, deixa de ser uma celebridade, pois todos ali a conhecem.

As pessoas geralmente perguntam a meu filho mais novo, Dan, como é ter a Joyce Meyer como mãe. Ele diz simplesmente: "Ela é só minha mãe". Ele não se impressiona com o que alcancei ou com quem me tornei. Para ele sou simplesmente "a mamãe".

Quem nos conhece melhor sabe que não somos figurões. Somente aqueles que não nos conhecem nos veem assim.

3. Deus usa as pessoas que querem Lhe dar fruto.

Deus usa as pessoas que sabem que se quiserem dar frutos para Deus, precisam ser podadas.

Se quisermos ser líderes no reino de Deus, então precisamos estar dispostos a permitir que Ele nos trate, e isso nem sempre é agradável para nós. Na verdade, pode ser doloroso. Podemos até não gostar disso, mas precisamos confiar em Deus.

Nenhum de nós nasce pronto para ser usado. Precisamos ser aperfeiçoados primeiro. Às vezes compramos produtos que vêm "prontos para uso" porque não queremos ter o trabalho de prepará-los. Mas não existem líderes que vêm "prontos para uso".

Como afirmei no início do livro, não creio que existam líderes natos. Eles precisam ser desenvolvidos. Há, provavelmente, milhares de pessoas que têm talento para liderança, mas não permitem que Deus faça o que precisa fazer para prepará-las para posições de liderança. Não querem passar pelos processos que incluem ficar na roda do Oleiro e no forno do Purificador. Querem que tudo aconteça agora.

Somos impacientes. Somos como crianças numa viagem de carro com os pais. Começamos a perguntar logo que saímos dos limites da cidade: "Já estamos chegando?". E o que costumamos responder-lhes? "Calma; só vamos chegar quando chegarmos".

Talvez esta seja uma "palavra a seu tempo" para todos nós hoje.[6] Chegaremos lá se não desistirmos de Deus. Ele sabe a hora certa. É isso que nos diz Gálatas 6.9: *E não nos cansemos de fazer o bem, porque a seu tempo ceifaremos, se não desfalecermos.*

No fim, se nos mantivermos fiéis a Deus, chegaremos aonde Deus quer que estejamos.

4. Deus usa pessoas que estão dispostas a terminar o que começam.

Muitas pessoas são ótimas para começar algo, mas costumam não terminá-lo.

A razão é simples: as emoções nos impulsionam a começar. Elas sempre nos influenciam ao começarmos algo novo. Por exemplo, recebemos uma palavra de Deus ou alguém profetiza sobre nós, e o entusiasmo nos coloca em ação. Mas a questão é: por quanto tempo continuaremos em ação quando as emoções acabarem?

Lembro-me da primeira vez que fui a uma igreja sem denominação. Eu já participava havia algumas semanas, quando um profeta veio orar por nós. Ele nos colocou em fila e começou a orar. Entrei na fila. Ele impunha as mãos em cada um de nós e nos abençoava. Quando chegou a minha vez, ele impôs as mãos e disse: "Vejo você impondo as mãos sobre milhares e milhares de pessoas, e elas caindo sob o poder de Deus".

Fiquei eufórica. Para mim, aquela palavra foi a confirmação de algo que eu cria que Deus estava me falando. Demonstrei tanta emoção ao ouvir aquilo que acho que até assustei o pobre homem. Eu geralmente não fico assim, mas foi por causa do entusiasmo. Depois de alguns anos, eu ainda estava eufórica, mas por outra razão. Não perdi a animação; ela se transformou numa expectativa entusiástica que me fazia pensar o tempo todo: **Acho que não consigo esperar nem mais um segundo.**

O início de coisas novas é sempre muito animador. Mas os que vencem uma corrida não são os que começam animados; são aqueles que se mantêm constantes e cruzam a linha de chegada quando ninguém mais está animado com a corrida; quando ninguém mais está torcendo; quando perdem o "pique" emocional; quando não têm mais vontade de prosseguir; quando parece que nunca chegarão ao final; quando tudo o que lhes resta é uma palavra de Deus que os moveu a começarem a corrida. É aí que eles que conseguem se distinguir daqueles que passam a vida inteira falando sobre a corrida, mas jamais entram nela.

Precisamos aprender a fazer a jornada, e não somente falar da jornada.

5. Deus usa aqueles que se mantêm no caminho estreito.

Os versículos 13 e 14 de Mateus 7 são os meus favoritos. Neles, Jesus fala sobre o reino do céu: *Entrai pela porta estreita (larga é a porta, e espaçoso, o caminho que conduz para a perdição, e são muitos os que entram por ela), porque estreita é a porta, e apertado, o caminho que conduz para a vida, e são poucos os que acertam com ela.*

Ele está dizendo que é fácil sucumbir à tentação, cair em pecado, ser destruído. É fácil seguir o curso deste mundo e descer a correnteza junto com todas as pessoas. Uma coisa é certa: ninguém se sente sozinho no caminho largo. Sempre haverá muita companhia, pois muitos vão na mesma direção.

Atualmente o mundo está cheio de pessoas que transigem com o pecado; pessoas que estão dispostas abrir mão de todos os valores para viver o *status quo*, ser medíocres, e simplesmente "ir levando".

É muito cômodo relaxar e "deixar o barco correr". Mas aqueles que passam pela porta estreita terão de lutar contra a pressão. Satanás não vai facilitar as coisas para quem decide se empenhar para viver uma vida justa; para aqueles que procuram falar adequadamente, agir corretamente, pensar corretamente e usar seu dinheiro com sabedoria; aqueles que param de viver uma vida egoísta e egocêntrica, que decidem ser firmes e ousados por Deus. O diabo tentará impedi-los de viver dessa forma. Seu propósito, claro, é nos pressionar para que fiquemos tão deprimidos e desanimados que tenhamos vontade de desistir de tudo.

Por isso é que precisamos aprender a **resistir** ao diabo e nos firmar nas coisas de Deus. Resistimos a ele submetendo-nos a Deus e mantendo-nos no caminho estreito.

Uma das formas que Satanás usa para nos deprimir e nos desanimar é fazendo com que pensemos que somente nós é que passamos por tribulações e provações. Na verdade, conheço poucas pessoas que não estejam passando por dificuldades.

A Palavra de Deus não nos diz que não passaremos pelo fogo ardente.[7] Porém ela promete que nunca estaremos sós ao passaremos por ele.[8] E promete, ainda, que quando passarmos, não ficará em nós nem cheiro de fumaça.[9]

Deus usa as pessoas que permanecem no caminho estreito e, algumas vezes, só haverá duas pessoas nesse caminho: você e o Senhor. Mas siga em frente; não faça o que o mundo faz. Mesmo que ninguém no trabalho coma com você na hora do almoço ou converse com você, não se envolva nas fofocas do trabalho, não espalhe boatos nem critique os outros. Não permita que a solidão o leve a se envolver em relacionamentos errados. Use esses momentos em sua vida para se aproximar do Senhor. Conheça-o melhor cada dia.

6. Deus usa pessoas que fazem escolhas sábias.

De capa a capa a Bíblia fala da sabedoria e do poder que provém dela. Acho que precisamos ler Provérbios com mais frequência e levá-lo mais a sério, porque ele enfatiza a sabedoria, e sem sabedoria nunca vamos nos sair bem em nada.

Muitas pessoas possuem dons mas não têm sabedoria. Outras têm sabedoria mas não a usam. Há também muitos que possuem dons, mas não têm caráter, porque não querem crescer e permitir que Deus faça coisas que precisam ser feitas na vida delas.

Precisamos de sabedoria para tratar com as pessoas e com nós mesmos. Precisamos de sabedoria nos relacionamentos. Tantas pessoas se magoam porque abrem seu coração a um amigo e ele as trai. Então ficam furiosas com o amigo. Mas se não tivessem contado nada, poderiam ter evitado essa situação. Elas precisam usar a sabedoria.

Sei que é verdade porque isso já me aconteceu várias vezes. Deus uma vez me disse: "Joyce, se não quer que seus amigos a magoem e a traiam, aprenda a se calar. Pare de dizer a eles tudo o que Eu lhe disse". Esse é um princípio simples de sabedoria.

Creio que a falta de sabedoria é um dos fatores que faz com que muitas pessoas não consigam atingir seus alvos. Simplesmente não usam nenhuma sabedoria.

Se quisermos ser líderes e ter outras pessoas trabalhando para nós, precisamos de sabedoria para saber lidar com as pessoas.

Descobri que as pessoas não irão querer trabalhar para nós se não as tratarmos corretamente. A maioria das pessoas atualmente está desesperada por um emprego. Então, preciso usar a sabedoria no modo como trato os meus funcionários. Creio que se os tratar bem, irão desejar continuar trabalhando comigo. Por exemplo, se eu lhes pagar um bom salário, não vão sair procurando outro emprego. É sábio ser bom com as pessoas que não queremos perder.

Em Deuteronômio 30.19, Moisés disse aos israelitas: *Os céus e a terra tomo, hoje, por testemunhas contra ti, que te propus a vida e a morte, a bênção e a maldição, escolhe, pois, a vida, para que vivas, tu e a tua descendência.* Gosto desse versículo porque, por meio dele, o Senhor está nos dizendo: "Eu coloco diante de você dois caminhos: o largo e o estreito. E estou até dando uma 'dica' sobre qual deles escolher". É como uma pergunta de múltipla escolha, e Deus está nos dando a resposta: "Coloco diante de ti: a) Vida. b) Morte. Resposta certa: Vida!"

Todos certamente conseguimos entender isso. Deus quer que façamos a escolha certa porque ela não só nos afeta, como também a todos ao nosso redor, inclusive mesmo nossos filhos. Ele deixa claro que devemos escolher a vida para que nós e nossos filhos possamos viver. Nossos filhos aprendem aquilo que fazemos. Se formos avarentos, eles serão avarentos. Se formos críticos, eles serão críticos. Se formos pessimistas, eles serão pessimistas. Nossas ações e escolhas ensinam muito mais do que nossas palavras.

"Coloco diante de ti: a) vida. b) morte. Resposta certa: vida!"

7. Deus usa as pessoas que são bons exemplos para os outros.

Uma coisa que devemos perceber é que alguns são bons administradores, mas não conseguem liderar. Os bons administradores tomam boas decisões porque operam com métodos já testados. Em outras palavras, eles "seguem o manual de instruções". Mas os bons líderes não só seguem o manual; eles lideram servindo de exemplo aos outros. Deus quer bons lideres, que, pelo exemplo pessoal, possam liderar e guiar outros no caminho da justiça.

Em 1 Coríntios 11.1, o apóstolo Paulo escreveu: *Sejam meus imitadores [sigam meu exemplo] assim como eu sou de Cristo (o Messias).* Que afirmação ousada e maravilhosa!

O que exatamente Paulo está dizendo nesse versículo? Ele está dizendo a mesma coisa que disse em 1 Coríntios 4.16: *Admoesto-vos, portanto, a que sejais meus imitadores.* Isto é, ele está dizendo aos crentes em Corinto: "Observem minha vida, e eu lhes mostrarei como Jesus quer que vocês vivam".

É isso o que Deus quer que façamos: que sejamos confiantes e saibamos que estamos fazendo tudo com base em nossa vontade de obedecer a Ele, de tal forma que não tenhamos de esconder nada de ninguém. Ele quer que nós tenhamos a confiança de que qualquer pessoa que se espelhe em nós venha a ser como Jesus, tanto nas atitudes quanto na conduta.

Gosto muito de Romanos 5.19: *Porque, como, pela desobediência (deixando de dar ouvidos e sendo negligente) de um só homem, muitos se tornaram pecadores, assim também, por meio da obediência de um só, muitos se tornarão justos (tornando-se aceitáveis a Deus, justificados diante dEle).*

Esse versículo diz que um único ser humano pode afetar o mundo inteiro. Se é assim, então certamente podemos influenciar o bairro onde moramos, o lugar onde trabalhamos, o círculo de amigos que frequentamos – se fizermos as escolhas corretas.

Adão fez uma escolha errada e afetou milhões de pessoas que vieram depois dele. Jesus fez a escolha certa e afetou muitos milhões a mais que O seguiram. Ele veio, reorganizou tudo o que estava caótico e resolveu toda a situação. Tudo estava seguindo um curso negativo, mas Ele entrou em cena e nos disse: "Vou lhes ensinar um novo caminho para viver".

Dave e eu nos maravilhamos com um fato óbvio: se seguirmos o plano de Deus, nossa vida será abençoada; se não o seguirmos, ficará um caos. Isso deveria ser óbvio para todos. A Bíblia diz isso várias vezes.

No Salmo 119.6, o salmista diz: *Então não terei de que me envergonhar [porque receberei a herança que Tu prometeste], quando considerarem todos os teus mandamentos.* Em outras palavras: "Se eu tão-somente ler o Teu Livro e fizer o que Ele diz, tudo em minha vida cooperará para o melhor".

Por que temos de reescrever isso acrescentando nossas próprias anotações, esperando que, de algum modo, Deus siga nossos planos ao invés de nós seguirmos os dEle? Quando iremos aprender que a mente de Deus é infinitamente superior à nossa, e que por isso devemos ouvi-Lo somente?

Dave e eu vemos a palavra de Deus como fronteiras para nossa vida. É como se Deus estivesse nos dizendo: "Enquanto vocês permanecerem dentro dessas fronteiras, tudo irá bem. O inimigo não será capaz de lhe atingi-los. Vou abençoá-los e cuidar de vocês. Teremos um bom relacionamento e boa comunhão juntos. Vocês serão prósperos, alegres e tranquilos. Não haverá condenação, porque seus pecados serão perdoados e estaremos constantemente conversando entre nós. Mas fora desses limites estão todos os tipos de inimigos perversos, violentos, terríveis e agressivos, prontos para destruí-los".

Se Deus nos diz isso e, ainda assim, escolhemos ultrapassar as fronteiras, de quem é a culpa?

Foi isso que os israelitas fizeram várias vezes. Quando o rei e o povo serviam a Deus, toda a nação era abençoada. Logo, as bênçãos eram tantas que o rei achava que era por causa dele. Cedo ou tarde, eles viravam as costas a Deus e começavam a servir outros deuses. Quando isso acontecia, todo tipo de coisas más recaía sobre eles, e então se davam conta: "Ah, nós pecamos".

Se queremos ser abençoados e usados por Deus, devemos permanecer no caminho estreito. O estilo de vida obediente de uma pessoa comum pode influenciar muitas outras pessoas comuns e encorajá-las a fazer coisas incomuns. Precisamos ter influência sobre os outros. Precisamos ensiná-los que podem fazer uma diferença positiva no mundo; que têm um destino preparado por Deus para cumprir.

De Volta aos Trilhos

Pois somos feitura dele [próprio], criados em Cristo Jesus para boas obras, as quais Deus de antemão preparou (planejou de antemão) para que andássemos nelas [vivendo uma vida boa, que ele planejou de antemão] (Efésios 2.10).

Somos obra das próprias mãos de Deus. Ele nos criou com Suas próprias mãos. Mas atrapalhamos tudo e precisamos ser recriados em Cristo Jesus. Tivemos de nascer de novo para que pudéssemos continuar a fazer as boas obras que Deus havia planejado e predestinado para nós antes de Satanás ter tentado nos destruir.

Não é porque tivemos problemas na nossa vida ou porque cometemos erros que o plano de Deus mudou. Ele continua como sempre foi. Tudo o que temos de fazer é voltar a nos enquadrar nele.

SEJA ÚTIL

> *Rogo-vos, pois, irmãos, pelas misericórdias de Deus, que apresenteis o vosso corpo [apresentando todos os membros e faculdades] por sacrifício vivo, santo e agradável a Deus, que é o vosso culto racional (inteligente)* (Romanos 12.1).

Você sabe o que significa ser consagrado a Deus? Significa ser separado para Seu uso exclusivo.

Anos atrás, comecei a ter uma revelação de que não pertenço a mim mesma. Fui comprada por um preço.[10] Fui marcada, como um fazendeiro marca o gado para mostrar que lhe pertence.

O mesmo se aplica a cada um de nós. Temos a marca o Espírito Santo sobre nós.[11] Não devemos agir como se pudéssemos comandar Deus, dizendo-Lhe o que queremos e como Ele deve proceder para nos atender. Não devemos começar o dia dando a Deus nossa longa lista do que queremos, do que é necessário para que sejamos felizes naquele dia.

Passei anos fazendo isso. Eu costumava orar: "Oh, Deus, se eu não tiver mais dinheiro, não vou suportar. O Senhor precisa fazer algo". Aqueles foram os anos de deserto de minha vida. Quando vivemos assim, não estamos na Terra Prometida. Se quisermos sair de lá para a Terra Prometida, temos de ser consagrados, dedicados e disciplinados.

Nosso problema é que, muito frequentemente, pensamos sobre o que não podemos fazer, e não sobre o que podemos. E seja o que for que Deus exija de nós, nós podemos fazer. O que Ele requer de nós é simplesmente que sejamos úteis, e todos podemos fazer isso. Talvez não sejamos capazes de fazer tudo, mas podemos terminar o que começamos. Podemos permanecer no caminho estreito. Podemos ser comprometidos e disciplinados. Podemos trabalhar duro, andar em sabedoria e nos empenhar para que nossas palavras e pensamentos sejam agradáveis a Deus enquanto confiamos nEle para que seus bons planos em nossa vida se realizem.

Deus Tem Planos Bons para Você

> *Eu é que sei que pensamentos tenho a vosso respeito, diz o Senhor; pensamentos de paz e não de mal, para vos dar o fim que desejais* (Jeremias 29.11).

O mais importante não é como começamos, mas como terminamos.

Algumas pessoas começam num impulso, mas nunca terminam. Outras começam vagarosamente, mas terminam com eficácia.

Isso também se aplica às pessoas que trabalham em nosso escritório. Algumas chegam, e depois das primeiras três semanas achamos que elas conseguiriam administrar o escritório por conta própria. Antes de nos darmos conta, ficamos impressionados com tais pessoas. Damos-lhes cargos de autoridade antes de as conhecermos melhor. Porém, em todas as ocasiões em que agimos assim, o tiro saiu pela culatra. Pouco tempo depois, elas já estavam prontas para ir para outro lugar. Eram pessoas que não podiam ser controladas. Não se submetiam à autoridade. Tinham dons e talentos, mas não possuíam o tipo correto de coração e de espírito.

Por outro lado, algumas pessoas que chegaram ao nosso escritório eram tão lentas no início que não tínhamos certeza quanto à permanência delas, pois o seu ritmo de aprendizado era lento demais. Pareciam não entender nada. Mas Deus nos dizia: "Deem mais tempo a elas".

Assim, continuamos com elas, e depois de um tempo elas, subitamente, estabilizam-se. Atualmente, algumas delas são nossos líderes-chave, provando novamente que não é como começamos que importa, mas como terminamos. Nem mesmo importa quantas vezes caímos no decorrer do processo. Segundo Provérbios 24.16, *Sete vezes cairá o justo e se levantará*... Deus tem um plano para cada um de nós. É o "destino" que ele determinou para nós.

Mas, como já disse, essa é uma possibilidade, não uma certeza. Até mesmo quando alguém profetiza coisas maravilhosas no nome do Senhor, assim como o profeta fez comigo, o que está sendo profetizado é o coração, a vontade e o desejo de Deus para nós. Isso não significa que irá certamente acontecer como foi profetizado porque, se não cooperarmos com Deus e decidirmos ir na direção oposta à que Ele determinou para nós, nada vai acontecer.

Deus tem um plano para nossa vida, mas temos de cumprir a nossa parte na realização desse plano. Deus não pode fazer nada em nossa vida sem nossa cooperação.

O primeiro capítulo deste livro sobre liderança tratou do potencial. **Creio que nossa tarefa prioritária é cooperar com Deus, todos os dias de nossa vida, para desenvolvermos nosso potencial**. Todo dia devemos aprender algo. Todo dia devemos crescer. Todo dia devemos descobrir algo. Todo dia devemos caminhar um pouco mais longe do que caminhamos no dia anterior.

Uma das coisas que devemos compreender é que não há outra pessoa na face da Terra que se interesse em desenvolver nosso potencial por nós. É verdade que todos queremos ajudar os outros a alcançar seu potencial, principalmente se forem nossos filhos e netos. Mas, na verdade, nenhum de nós pode fazer isso pelo outro, e ninguém pode fazer isso por nós. Cada um de nós deve fazê-lo sozinho. Devemos descobrir nossos dons e talentos dados por Deus, o que somos capazes de fazer, e, assim, trabalhar para desenvolver esses talentos, esses dons e essa capacidade ao máximo possível.

Deus tem um plano para cada um de nós. É um bom plano, um plano incomum, um grande plano, e não um plano regular, um plano medíocre.

Nadando contra a Corrente

John Mason escreveu dois livros muito bons que eu recomendo. Um deles é *An Enemy Called Average*[12] (Um inimigo chamado mediocridade), e o outro é *Conquering an Enemy Called Average*[13] (Vencendo um inimigo chamado mediocridade). Gostaria de compartilhar algumas coisas que aprendi nesses livros.

"Conheça seus limites, depois ignore-os".[14]

Sei o que não posso fazer. Mas também sei o que posso. Decidi me concentrar no que posso fazer, e não no que não posso. Muitos se concentram no que não podem fazer ou em tudo o que fazem de errado, e nunca no que fazem certo. Ficam tão presos a seus erros que perdem de vista o fato de que servem a um grande Deus.

Hebreus 12.2 diz: Tendo os olhos fitos em Jesus [ignorando tudo que pode nos distrair]... O problema é que às vezes nossa própria incapacidade nos distrai. Mas precisamos parar de olhar para elas e olhar para Jesus. Se você for fazer apenas uma coisa na vida, decida que irá fazê-la muito bem. Decida ser o melhor naquilo que vai fazer. John Mason diz: "O item menos lucrativo que já foi produzido é a desculpa".[15]

Uma das razões para as pessoas não fazerem nada é que elas ficam arrumando desculpas: "Não consigo. É difícil demais. Não tenho ninguém para me ajudar. Não tenho dinheiro". Madre Teresa foi para a Índia levando alguns centavos e Deus, e se saiu muito bem.

Você já ouviu a expressão *status quo*? É uma expressão em latim que indica uma condição existente.[16] Em outras palavras, significa a confusão em que estamos. Então, quando dizemos "É o *status quo*", estamos na verdade falando: "É a confusão".

John Mason também diz: "Faça o que as pessoas geralmente dizem que não pode ser feito".[17] "Nunca aceite o conselho dos seus medos",[18] e "Não fique parado assistindo passivamente ao que acontece. Corra atrás do que você quer".[19] Gosto muito de dizer que o mundo é cheio de pessoas com vontade mas sem firmeza. A vontade, sozinha, não vai fazer nada funcionar.

Faça uma lista. O que você anda fazendo com o seu tempo, energia, talentos, habilidades; enfim, com a sua vida? Você está seguindo todo mundo no caminho largo?

Ouse nadar contra a corrente!

Não fique flutuando correnteza abaixo só porque todos estão fazendo isso. Dê meia-volta no seu barco e comece a remar correnteza acima. Não há gasto de energia para descer a correnteza, mas há um bom gasto de energia e determinação para remar correnteza acima, contra a corrente, principalmente quando todos estão indo na direção oposta!

DESPERTE E TENHA UMA VISÃO!

> *Pelo que diz: Desperta, ó tu que dormes, levanta-te de entre os mortos, e Cristo te iluminará (como a alvorada que se torna manhã ensolarada). Portanto, vede prudentemente como andais, não como néscios, e sim como sábios (pessoas sensatas e inteligentes), remindo [usando em toda oportunidade] o tempo, porque os dias são maus. Por esta razão, não vos torneis insensatos, mas procurai compreender qual a vontade do Senhor* (Efésios 5.14-17).

Sabe qual a vontade de Deus para você? Você tem uma visão? Você sabe o que fará de sua vida? Pois deveria.

Obviamente, quando os jovens estão começando a vida, talvez não saibam com certeza o que o futuro trará, e não há problema nisso. Basta começarem a fazer algo, e dentro de algum tempo saberão com clareza o que devem fazer na vida.

Mas, se você tem 40 ou 50 anos, a essa altura você já deve ter consciência quanto ao que deve fazer. Isso não é uma observação negativa; é um fato. Já vivi mais anos nesta vida do que tenho ainda para viver, e se a esta altura ainda não sei o que fazer, há algo de errado comigo. Entretanto, há pessoas de minha idade que não sabem ainda o que querem "ser quando crescer"!

Li esse texto de Efésios há muitos anos, quando Deus me chamou para o ministério. Naquela época eu estava tão mal que costumava sentar no sofá e, depois de colocar as crianças para dormir, chorava durante duas horas. Era só isso que eu sabia fazer naquela época. Eu ficava com raiva de Dave noventa por cento do tempo. Ficava amuada e tinha todos os tipos de problemas na vida. Entretanto eu dava estudos bíblicos em minha casa todas as terças-feiras à noite. Eu amava a Deus, mas ainda tinha todo tipo de barreiras em minha vida.

Então o Senhor começou a me mostrar algumas das passagens que tenho compartilhado neste livro. Uma delas foi dizer para não sermos vagos, que o dicionário Webster define como "1. que não é expresso ou delineado com clareza" (tradução livre).[20]

Vou transcrever esse mesmo texto de outra versão da Bíblia:

Saiba o Que Você Está Fazendo e Por quê!

Porque outrora vocês eram trevas, mas agora são luz no Senhor. Vivam como filhos da luz, pois o fruto da luz consiste em toda bondade, justiça e verdade; e aprendam a discernir o que é agradável ao Senhor. Não participem das obras infrutíferas das trevas; antes, exponham-nas à luz.

Porque aquilo que eles fazem em oculto, até mencionar é vergonhoso. Mas, tudo o que é exposta pela luz torna-se visível, pois a luz torna visível todas as coisas. Por isso é que foi dito: Desperta, ó tu que dormes, levanta-te dentre os mortos e Cristo resplandecerá sobre ti.

Tenham cuidado com a maneira como vocês vivem; que não seja como insensatos, mas como sábios, aproveitando ao máximo cada oportunidade, porque os dias são maus. Portanto, não sejam insensatos, mas procurem compreender qual é a vontade do Senhor (Efésios 5.8-17 – NVI).

Precisamos ser pessoas com propósitos. Precisamos saber por que fazemos o que estamos fazendo. Precisamos ter certeza de que não perderemos de vista nosso alvo. Talvez tivéssemos um alvo há dez anos, mas ainda continuamos indo com a maré. Talvez estivéssemos fazendo algo ungido, mas não há mais aquela unção.

Se o cavalo já está morto, não insista em ficar montado nele.

Vou compartilhar uma história para ilustrar o que quero dizer. É uma história sobre a Rússia da época dos czares. No parque do Palácio de Inverno de Saint Petersburg havia um belo gramado no qual havia um banco e, perto dele, dois guardas. A cada três horas, faziam a troca da guarda. Ninguém sabia por quê. Um dia, um jovem tenente se tornou responsável pelo Palácio da Guarda. Ele começou a refletir e a fazer perguntas. No final, descobriu um velhinho, o historiador do Palácio.

"Sim", disse o velho, "eu me lembro. Durante o reinado de Pedro, o Grande, 200 anos atrás, o banco foi pintado. O czar ficou com receio de que as senhoras se sentassem e sujassem de tinta o vestido.

Então ordenou que um guarda vigiasse o banco. Mas o tempo passou e a ordem nunca foi revogada. Então, em 1908, todos os guardas do Palácio andavam em dupla, com medo da revolução. Por isso até hoje o banco tem esses dois guardas."[21]

Ocasionalmente é sábio se perguntar: "Por que estou fazendo isso?"

Regularmente eu digo à minha equipe de gerenciamento: "Vocês precisam dar uma repassada em suas prioridades. Algumas vezes, no decorrer do ano, precisam repensar o trabalho do seu departamento. Precisam avaliar todos os relatórios que estão gerando para ter certeza de que alguém ainda os lê e precisa deles. Talvez seja algo que eu e Dave lemos seis anos atrás e de que não precisamos mais. Talvez você esteja desperdiçando tempo e gastando energia com algo que ficou obsoleto, desnecessário".

8. Deus usa as pessoas que se recusam a desistir.

É muito fácil desistir do que se faz, mas devemos perseverar, ir em frente. A vida sem esforço nunca é eficaz. Todos acham que quanto mais coisas fizerem sem esforço, melhor a vida fica, mas isso é ilusão.

Uma coisa errada com os norte-americanos atualmente, até mesmo em relação à saúde, é o fato de que não temos muito que fazer a não ser passar a vida apertando botões: para subir no elevador, aperte o botão para ir ao próximo andar; para lavar a louça suja, ponha-a na máquina, aperte um botão e ela será lavada; para lavar as roupas, aperte um botão e elas ficarão limpas; jogue-as em outra máquina, aperte um botão e elas se secam – e se forem tiradas rapidamente, nem mesmo ficam amassadas e não precisam ser passadas.

Ainda assim reclamamos e murmuramos, porque temos de colocar e tirar as coisas das máquinas!

Falando em vida sem esforço e seus efeitos, reflita sobre esta história:

"Muitas abelhas foram levadas num voo espacial para ver como reagiriam à experiência da vida sem gravidade. No espaço sem gravidade, elas puderam voar sem esforço algum. O relatório da experiência foi resumido nestas palavras: **Elas gostaram da viagem, mas morreram**" (grifo nosso).[22]

Poderíamos achar que tudo deveria ser fácil, que aproveitaríamos a vida sem esforço, mas isso nos mataria. Fomos criados para fazer esforço. Não importa se sabemos ou não, mas fomos criados para o trabalho, para o envolvimento, para a participação e para o esforço. Não devemos lutar contra tudo, mas não devemos também ser o tipo de pessoa que desiste facilmente.

Em Lucas 18.1, lemos o seguinte: *Disse-lhes Jesus uma parábola sobre o dever de orar sempre e nunca esmorecer (desanimar, perder a coragem e desistir).*

Nessa parábola, Jesus fala de uma viúva que insistia em recorrer a um juiz injusto, chateando-o com seus constantes pedidos de justiça para certo caso. A conclusão de Jesus foi: "Se a mulher cansou o juiz injusto e ele fez justiça, você não acha que Deus [que é justo] lhe fará o mesmo se você se recusar a desistir, mas continuar a recorrer a Ele pedindo ajuda?"

E o que dizer da mulher com um problema de sangramento que a fez abrir caminho em meio à multidão, indo ao encontro de Jesus e pensando: "Se eu tocar pelo menos a barra de sua roupa, sei que serei curada". Jesus fez um comentário a respeito de sua determinação e recusa em se sentir intimidada pela multidão que O cercava e a impedia de chegar até Ele.[23]

E quanto a Zaqueu, que era tão baixinho para ver Jesus, que passava pela estrada, e subiu em uma árvore, onde Jesus o viu e pediu que descesse, porque ele iria jantar com Ele?[24] Por que Jesus escolheu Zaqueu? Ele reconheceu no homem uma característica que procura em todos nós. Ele viu que Zaqueu não olhou sua limitação e encontrou um modo de alcançar seu alvo.

Zaqueu poderia ter dito: "Gostaria de ver Jesus, mas sou baixo demais". Muitas pessoas param no **mas**: "Eu gostaria de fazer isto, **mas**... Eu queria tanto ter aquilo, **mas**... Eu gostaria de ser líder, **mas**...".

Precisamos nos recusar a desistir. Lembre-se: Paulo disse que a coisa mais importante que fez foi esquecer o que ficou para trás e **prosseguir**.

Se quisermos ser líderes, isso é o que devemos fazer também. Devemos nos recusar terminantemente a desistir, não importa o que aconteça.

Não Se Sinta Desanimado

> *No quarto ano de Jeoaquim, filho de Josias, rei de Judá, veio esta palavra do Senhor a Jeremias, dizendo: Toma um rolo [papiro], um livro, e escreve nele todas as palavras que te falei contra Israel, contra Judá e contra todas as nações, desde o dia em que te falei, desde os dias de Josias [o rei] até hoje* (Jeremias 36.1-2).

Nessa época, Jeremias estava em prisão domiciliar. Algumas pessoas podiam ir visitá-lo, mas ele não podia sair. Ele ainda recebia profecias do Senhor e as escrevia. Deus lhe dava uma mensagem, e ele a registrava em pergaminho. Então, um de seus servos vinha e levava a mensagem pela nação, já que o próprio Jeremias não podia fazê-lo. Vemos, portanto, que Deus não adia as coisas por causa de inconveniências; ele sempre acha um modo de realizar o que quer.

Como as pessoas naquela época não tinham computadores e impressoras, máquinas de escrever e nem mesmo canetas e blocos de papel, escrever era um trabalho tedioso. Tudo tinha de ser anotado com pena e tinta num rolo. Se mais de uma cópia fosse necessária, ela tinha de ser feita à mão como o original, o que era um processo longo, cansativo e meticuloso.[25]

Então Deus deu a Jeremias uma profecia sobre Israel e Judá e ordenou-lhe que a registrasse num rolo. Jeremias chamou seu secretário, Baruque, que escrevia o que ele ditasse.

Quando o rei soube da existência do rolo, ordenou que ele fosse levado ao palácio real e lido para ele. Quando Jeudi, seu servo, estava lendo o rolo, o rei pegou as páginas que tinham sido lidas, cortou-as com uma faca e as queimou numa fogueira à sua frente, pois era inverno.[26]

Talvez o rei estivesse assentado perto do fogo, aquecendo os dedos dos pés, comendo uma maçã. Qualquer que tenha sido a situação, ele não gostou do que Jeudi leu, porque prezava seu estilo de vida ímpio e não queria mudá-lo. Por isso cortou e queimou as páginas até que todas as profecias de Jeremias acabassem no fogo.

Você pode imaginar como Jeremias teve ter se sentido quando soube que todo o seu trabalho árduo tinha sido queimado? Você consegue se ver nessa situação? Você já deu duro em algo durante um longo tempo, lutou, tentou e fez tudo o que sabia, e, de algum modo, o diabo veio e destruiu tudo?

Recomece Tudo!

> *Então, veio a Jeremias a palavra do Senhor, depois que o rei queimara o rolo com as palavras que Baruque escrevera ditadas por Jeremias, dizendo: Toma outro rolo e escreve nele todas as palavras que estavam no original, que Jeoaquim, rei de Judá, queimou* (Jeremias 36.27-28).

Qual foi, então, a resposta de Deus para o terrível dilema de Jeremias e seu desânimo? "Jeremias, pegue outro rolo e escreva tudo novamente." Em outras palavras, **recomece tudo**.

Se quisermos ser lideres na obra de Deus, devemos estar dispostos a fazer a obra e, se necessário, refazê-la inúmeras vezes até alcançarmos a vitória e terminarmos o que Deus nos chamou para fazer.

Conclusão

Se você quiser, pode ser usado por Deus em algum cargo de liderança. Deus está sempre procurando pessoas para promover, e você pode ser uma delas. Você tem potencial e capacidade imensos, e precisa apenas desenvolvê-los completamente. Esse desenvolvimento implica permitir que Deus o transforme. Esse processo pode ser doloroso em alguns momentos, mas você será beneficiado depois. À medida que desenvolve as qualidades de liderança que Deus colocou em você, lembre-se de que está investindo no futuro. Você **pode** cumprir o plano que Deus tem para você, mas é preciso estar determinado a não se conformar com nada menos do que tudo aquilo que você pode ser. O principal segredo para você sair de onde está e ir para onde quer ir é a perseverança.

É possível se fazer um líder ou a pessoa já nasce com essas qualidades? Algumas pessoas nascem com qualidades típicas de um líder, mas precisam ser desenvolvidas. Porém, não olhe para a liderança como algo que somente algumas pessoas raras e de grande talento podem alcançar. Deus se deleita em usar pessoas comuns para realizar coisas incomuns.

Pessoas comuns, com objetivos incomuns, que assumem um compromisso incomum, podem ajudar um número incomum de pessoas que, por sua vez, também poderão levar outras pessoas comuns a fazer coisas incomuns.

Desenvolva integralmente o seu potencial. E, à medida que o fizer, leve outros a desenvolverem o potencial deles também. Seja tudo o que pode ser. Depois ajude outros a serem tudo o que podem ser.

Oração

PARA UM RELACIONAMENTO PESSOAL COM O SENHOR

Oração para um Relacionamento Pessoal com o Senhor

Deus quer lhe dar o dom da salvação. Jesus quer salvá-lo e enchê-lo com o Espírito Santo mais do que tudo. Se você nunca convidou Jesus, o Príncipe da Paz, a ser seu Senhor e Salvador, eu o convido a fazer isso agora. Faça a oração a seguir e, se você a fizer com toda sinceridade, experimentará uma nova vida em Jesus Cristo.

Pai,

Tu amaste tanto o mundo que deste o Teu único Filho para morrer pelos pecados de todos nós, para que todos os que crerem nEle não pereçam, mas tenham vida eterna.

A Tua Palavra diz que nós somos salvos pela Tua graça, por meio da fé, como um presente do Senhor. Não há nada que possamos fazer por conta própria para recebermos a salvação.

Senhor, creio e declaro que Jesus Cristo é o Teu Filho, o Salvador do mundo. Creio que Ele morreu na cruz por mim e carregou meus pecados, pagando o preço por eles. Creio de todo o coração que Tu ressuscitaste Jesus.

Peço-Te que perdoes meus pecados. Eu confesso Jesus como meu Senhor. Como está escrito na Tua Palavra, agora eu sou salvo e passarei a eternidade contigo!

Obrigado, Pai. Eu Te agradeço muito!

Em nome de Jesus, amém.

Leia estas passagens da Bíblia: João 3.16; Efésios 2.8-9; Romanos 10.9-10; 1 Coríntios 15.3-4; 1 João 1.9; 4.14-16; 5.1,12-13.

Notas finais

Introdução

[1] Veja Gálatas 5.22-23.

Capítulo 1

[1] Marcos 10.27.

[2] Cf. 1 Tessalonicenses 2.13. Uma das traduções desse versículo enfatiza Deus como o único que faz a obra em nós. Muitas versões da Bíblia enfatizam que a obra de Deus é feita em nós por intermédio de sua Palavra: "A Palavra de Deus que atua com eficácia em vocês" (NVI)

[3] Mateus 18.19.

[4] O Espírito Santo é a força de vida divina de Deus que entra em nosso espírito no novo nascimento, quando recebemos Seu Filho, Jesus, como nosso Salvador. O Espírito Santo nos estimula, guia, lidera e trabalha em nós por intermédio de nosso próprio espírito, capacitando-nos a receber e experimentar o poder de Deus de forma mais ampla. (Cf. João 16.13.) Ele é poderoso e capaz de fazer em nós o que nunca poderíamos fazer sozinhos. Quando andamos de acordo com nossa carne ou com nossa mente, com nossa vontade e com nossas emoções, dependemos de nós mesmos. Quando seguimos o Espírito Santo, dependemos de Deus.

[5] INSTITUTO ANTÔNIO HOUAISS. Dicionário eletrônico Houaiss da língua portuguesa. Verbete: Potencial.

[6] Cf. Gálatas 3.16,19

[7] INSTITUTO ANTÔNIO HOUAISS. Dicionário eletrônico Houaiss da língua portuguesa. Verbete: Desenvolvimento.

[8] Zacarias 4.10.
[9] Cf. Gênesis 2.7.
[10] Cf. Gênesis 1.26-27.
[11] João 10.10.
[12] João 8.44.
[13] Deuteronômio 1.2.
[14] Cf. Tiago 4.5-6; Hebreus 4.16; Efésios 2.8.
[15] Cf. 1 Timóteo 3.4-5.

Capítulo 2

[1] BURKE, Roger K. (Ed. Cons.). Health: physical education and recreation reprint series, p. 273, 477.
[2] "Figurado. O óleo era o símbolo do Espírito... de Deus, como o princípio da vida espiritual que procede de Deus e enche o ser natural da criatura com poderes de vida divina. Ungir com óleo, consequentemente, era um símbolo de dom com o Espírito de Deus para as tarefas do ofício para as quais a pessoa foi consagrada." (NEW Unger's bible dictionary. 1988. Verbete: Óleo. Tradução livre.)
[3] 2 Coríntios 3.2.
[4] Números 20.3-13.
[5] Efésios 4.22-24.
[6] Tiago 1.2-3.
[7] Êxodo 18.21.
[8] 2 Timóteo 2.15.
[9] Mateus 25.20-25.
[10] Filipenses 3.14.
[11] 1 Coríntios 15.58.

Capítulo 3

[1] Mateus 24.27-44; Apocalipse 19.11-16.
[2] Cf. Atos 2.17. "A expressão [os últimos dias] denotava 'o tempo futuro' em geral. Mas, como a vinda do Messias era aos olhos dos judeus o evento mais importante no futuro... veio a ser a expressão apropriada daquilo... Os últimos dias, ou o período de término do mundo, eram os dias do Messias. Não está implícito na expressão que eles supusessem que o mundo terminaria naquela época. A visão deles era o oposto. Eles ansiavam por um tempo longo e glorioso sob o reinado do Messias, e com essa expressão eles foram levados pela promessa de que seu reino

deveria ser para sempre e de que seu governo não teria fim..." (BARNES, Albert D. D. Barnes' notes. Electronic Database. 1997.

[3] INSTITUTO ANTÔNIO HOUAISS. Dicionário eletrônico Houaiss da língua portuguesa. Verbete: "Estabilidade."

[4] PFEIFFER Charles D.; HARRISON, Everett F. Wycliffe bible commentary. Electronic Database.1962. Cf. Romanos 8.4-15.

[5] MEYERS, Joyce. Managing your emotions. Tulsa: Harrison House, 199.

[6] Mateus 23.13.

[7] Cf. Hebreus 13.7.

[8] Cf. Provérbios 16.18.

Capítulo 4

[1] Cf. Romanos 5.8-10; 1 Coríntios 15.3-4.

[2] Cf. Hebreus 13.8.

[3] Cf. Efésios 1.11-12.

[4] Cf. JAMIESON. Fausset and Brown commentary. Electronic Database.

[5] Romanos 8.29.

[6] 1 Pedro 5.8.

[7] Salmo 62.8.

[8] Provérbios 17.17.

[9] Cf. Romanos 6.10-11.

[10] Mateus 26.41.

Capítulo 5

[1] 1 Pedro 3.4.

[2] Cf. 1 Coríntios 9.4-12.

[3] Cf. 1 Coríntios 3.13-15.

[4] Cf. 1 Crônicas 28.9; Apocalipse 2.23.

[5] Cf. 2 Samuel 11; 24.10.

[6] Hebreus 11.6.

[7] "[...] por um lado, ele [Deus] envergonhou a sua descrença por intermédio do dom maravilhoso da água e, por outro, puniu Moisés e Aarão pela fraqueza de sua fé". (KEIL; DELITZSCH. Commentary on the old testament. 1996. Tradução da edição em inglês).

[8] Romanos 1.17.

[9] Cf. Salmos 23.3 e outras versões.

[10] João 8.32.

[11] Tiago 1.22.

[12] MURRAY, Andrew D. D. Humility: the beauty of holiness, 1991.

[13] WEBSTER'S. 1828. Verbete: Presunção.

[14] 1 Samuel 16.7.

[15] Tito 1.15.

[16] Cf. Mateus 5.13-14.

Capítulo 6

[1] Mateus 6.14,15.

[2] Lucas 6.27-38.

[3] Gênesis 37,39.

[4] Gênesis 41.40.

[5] Gênesis 42-45.

[6] 2 Crônicas 16.9.

[7] Atos 7.59-60.

[8] 1 Coríntios 13.4-8.

[9] Números 12.1-2.

[10] Mateus 7.12.

[11] Gênesis 12.1.

[12] Filipenses 3.13-14.

[13] Isaías 43.18-19.

[14] "Nenhuma pessoa com um defeito físico ou com uma doença que pudesse desqualificá-la poderia servir como sacerdote (Levítico 21.16-21). A perfeição do corpo simbolizava a integralidade espiritual e a santidade de coração do sacerdote." (NELSON'S illustrated bible dictionary. Thomas Nelson Publishers: 1986).

[15] Mateus 15.14.

[16] Provérbios 28.1-2; 2 Timóteo 2.24.

[17] Salmo 18.39.

Capítulo 7

[1] Isaías 61.3.

[2] Hebreus 11.6.

[3] Tiago 1.22.

[4] 1 Coríntios 14.33.

[5] Lucas 1.26-38.
[6] Lucas 2.19.
[7] Salmo 138.8.
[8] Hebreus 11.6.

Capítulo 8

[1] Veja Mateus 25.31-40.
[2] Salmo 115.17.
[3] Cf. João 11.44.
[4] 2 Timóteo 1.6-7.
[5] Eclesiastes 9.10.
[6] Ageu 1.7.
[7] Romanos 12.5-6.
[8] N.T. Na versão bíblica em inglês utilizada pela autora, a palavra "sabedoria" vem logo antes de "habilidade" (Nota da tradutora).
[9] N.T. FERREIRA, Aurélio. B.H. Dicionário Eletrônico Aurélio Século XXI. Verbete: regular.
[10] Cf. 1 Samuel 16.1-13.
[11] 1 Samuel 2.6-7.
[12] VINE, W.E. Vine's complete expository dictionary of old and new testament words: an expository dictionary of new testament words. Verbetes: Fiel, fidelidade, infidelidade, pistos, p. 223.
[13] Mateus 25.21-23.
[14] Romanos 8.37.
[15] Filipenses 4.13.
[16] 2 Coríntios 2.14.
[17] Apocalipse 1.18; Mateus 28.18-20; Efésios 1.17-23; João 8.44; Deuteronômio 28.13; João 3.16.
[18] 1 Timóteo 6.12.

Capítulo 9

[1] Neemias 8.10.
[2] Veja Mateus 23.27.
[3] Veja João 3.3-15.
[4] Marcos 9.21 (paráfrase da autora).
[5] 1 João 3.8.

[6] Gálatas 5.22-23.
[7] Lucas 1.26-38 (paráfrase da autora).
[8] Mateus 6.14-15.
[9] Mateus 6.12 (paráfrase da autora).
[10] Veja Salmo 133.1-3.

Capítulo 10

[1] "Lídia era [...] 'das que adoravam a Deus' [...]. A expressão que descreve sua religião [...] é a designação usual para um prosélito [nota da autora: um convertido ao judaísmo]... Ela tinha o hábito de freqüentar um lugar de oração perto do rio, uma situação conveniente para as purificações necessárias exigidas pela adoração judaica, e foi ali que Paulo e seus companheiros a conheceram." (Original ORR, James. International Standard Bible Encyclopedia, 1915. Electronic Database.)
[2] "O caráter de Nazaré era notoriamente ruim. Ser um Galileu ou nazareno era uma expressão de desprezo (João 7.52)... Natanael perguntou se era possível que o Messias viesse de um lugar notoriamente ímpio. Esta não era uma forma incomum de julgamento: não baseado em evidência, mas por preconceito..." (BARNES, Albert D. D., Barnes' notes. João 1.46.).
[3] Efésios 6.5-8.
[4] Deuteronômio 28.1-14.
[5] NELSON'S illustrated bible dictionary. Verbete: Medo.
[6] Mateus 12.34.
[7] Números 13.30.

Capítulo 11

[1] INSTITUTO ANTÔNIO HOUAISS. Dicionário eletrônico Houaiss da língua portuguesa. Verbete: Teste.
[2] FERREIRA, Aurélio B. H. Dicionário eletrônico Aurélio século XXI. Verbete: Testar.
[3] Mateus 26.34-75.
[4] Tiago 1.12.
[5] Isaías 61.3.
[6] ADAM CLARKE'S commentary. Electronic Database, 1996. Salmo 118.22; Mateus 21.42.
[7] João 7.5.
[8] Cf. Hebreus 9.28.

[9] João 15.18-20.
[10] Cf. Hebreus 10.30.
[11] Provérbios 18.24.
[12] "Em todo o período do Antigo Testamento, ele (Satanás) buscou destruir o plano messiânico. Quando o Messias veio como homem, Satanás tentou eliminá-lo (Apocalipse 12.4-5). Satanás leva as pessoas a pecar de várias formas. Algumas vezes ele faz isso com sugestão direta, como no caso de Judas Iscariotes (João 13.2-27)... algumas vezes por meio das fraquezas da própria pessoas (1 Coríntios 7.5)." (NELSON'S illustrated bible dictionary. Verbete: Satanás).
[13] Mateus 26.48-49.
[14] 2 Samuel 15.1-14.
[15] Gênesis 37,39.
[16] "Miriã, como profetisa... nada menos do que a irmã de Moisés e Aarão, ocupou a primeira posição entre as mulheres de Israel; e Aarão pode ser considerado como o cabeça eclesiástico de toda a nação. Mas... eles desafiaram a vocação especial de Moisés e a autoridade exclusiva que Deus havia lhe dado. Miriã foi a instigadora, baseado no fato de que seu nome aparece visivelmente como primeiro (Números 12.1), e que a punição (Números 12.10) recaiu somente sobre ela..." (BARNES, Albert D. D. Barnes' notes. Números 12.1.

Capítulo 12

[1] João 11.4.

Capítulo 13

[1] Isaías 14.15.
[2] Mateus 26.39.
[3] Cf. 1 Coríntios 16.9.
[4] Hebreus 12.3.
[5] Cf. 1 Samuel 24.1-7.
[6] "Jó era um modelo de integridade espiritual – uma pessoa que se agarrava à sua fé, sem compreender a razão por trás do sofrimento." (NELSON'S illustrated bible dictionary. Verbete: Jó.)
[7] Cf. Marcos 6.16-27; "João foi o precursor de Jesus não somente em seu ministério e mensagem (Mateus 3.1; 4.17), mas como em sua morte. (NELSON'S illustrated bible dictionary. Verbete: João Batista.)
[8] Lucas 2.46-47.

[9] Lucas 2.40.
[10] Lucas 2.52.
[11] SMITH, William L. L. D. A Dictionary of the bible. Revisado e editado por E. N. e M.A. Peloubert. Nashville: Thomas Nelson, 1962. Verbete: Jesus Cristo, p. 308. "Jesus começou seu ministério quando tinha aproximadamente trinta anos..."
[12] Cf. Lucas 2.51.

Capítulo 14

[1] "A imagem e semelhança é necessariamente intelectual, sua mente, alma, que devem ser formadas segundo a natureza e perfeições de seu Deus. A mente humana é ainda dotada com muitas habilidades extraordinárias, principalmente quando saídas das mãos do Criador. Deus produziu um espírito, e um espírito também formado segundo as perfeições de sua própria natureza. Deus é a fonte de onde este espírito foi formado, assim, o riacho deve se parecer com a fonte que o produziu." (ADAM CLARKE'S commentary. Electronic Database, 1996. Gênesis 1.26).
[2] Romanos 9.20-21.
[3] "... a brilhante conclusão da parte II de O Messias, de Handel." The Columbia Encyclopedia.
[4] INSTITUTO ANTÔNIO HOUAISS. Dicionário eletrônico Houaiss da língua portuguesa. Verbete: Carisma.
[5] INSTITUTO ANTÔNIO HOUAISS. Dicionário eletrônico Houaiss da língua portuguesa. Verbete: Caráter.
[6] Ed. Columbia University Press, 2000. Disponível em: www.infopçease.com/ ce6/ society/A0822457.html.
[7] Efésios 6.6.
[8] 1 Samuel 2.7.
[9] Lucas 8.18.
[10] Deuteronômio 28.2.
[11] Mateus 7.16.

Capítulo 15

[1] INSTITUTO ANTÔNIO HOUAISS. Dicionário eletrônico Houaiss da língua portuguesa. Verbete: Equilíbrio.
[2] FERREIRA, Aurélio B. H. Dicionário eletrônico Aurélio século XXI. Verbete: Equilibrar.

[3] Filipenses 4.13.
[4] Números 11.16-17.
[5] Hebreus 12.2.
[6] João 10.10.
[7] 1 Reis 18.27 (paráfrase da autora).
[8] "O ato de Elias pode ser justificado pela ordem expressa da Lei de que os israelitas idólatras deveriam ser mortos e pelo direito de um profeta sob a teocracia de intervir e executar a Lei quando o rei não cumprisse seu dever." (Barnes' Notes. 1 Reis 18.40.)
[9] Veja Salmo 18.29.

Capítulo 16

[1] FERREIRA, Aurélio B. H. Dicionário eletrônico Aurélio século XXI. Verbete: Regular.
[2] Cf. Números 22.21-33.
[3] Cf. 1 Coríntios 1.27-28.
[4] Como vimos num capítulo anterior, a pedra angular do Salmo 118.22 parece ter sido usada originalmente em referência a Davi. Davi, rejeitado por Saul e outros líderes judeus, foi mais tarde escolhido pelo Senhor para governar Israel. Jesus, a pedra angular (cf. Mateus 21.42), foi rejeitado e crucificado pelos judeus e depois ressuscitou dos mortos para expiação pelo pecado do mundo. (Baseado em ADAM CLARKE'S commentary. Electronic Database, 1996; Salmo 118.22; Mateus 21.42; também Efésios 2.20).
[5] Isaías 61.7.
[6] Cf. Provérbios 15.23.
[7] Cf. 1 Pedro 4.12-13.
[8] Cf. Isaías 43.2.
[9] Cf. Daniel 3.27.
[10] Cf. 1 Coríntios 6.20.
[11] Cf. Efésios 4.30.
[12] MASON, John. An enemy called average. Tulsa: Harrison House, 1990.
[13] MASON, John. Conquering an enemy called average. Tulsa: Insight International, 1996.
[14] MASON, John. Conquering an enemy called average, p.15.
[15] MASON, John. Conquering an enemy called average, p.35.
[16] WEBSTER'S II. Verbete: Statu quo.

[17] MASON, John. Conquering an enemy called average, p. 77.
[18] MASON, John. Conquering an enemy called average, p. 93.
[19] MASON, John. Conquering an enemy called average, p. 117.
[20] WEBSTER'S II. Verbete: Vago.
[21] TAN, Paul Lee. Encyclopedia of 7,700 Illustrations. Rockville, MD: Assurance Publishers, 1979, p. 1504.
[22] GRANT, Dave. The Great Lover's Manifesto. Eugene, OR: Harvest House Publishers, 1986, p. 13.
[23] Mateus 19.1-5.
[24] Lucas 19.1-5.
[25] "Superfícies antigas, como peles de animais e pedra, nas quais as informações eram registradas na época da Bíblia... Tinta e pena (3 João 13), caneta de metal ou uma ferramenta como um pincel eram usadas para escrever em materiais mais macios (Jó 19.24; Jeremias 17.1). A tinta usada era preta, geralmente com conteúdo metálico. Frequentemente era feita de fuligem, misturada com óleo ou goma de bálsamo." (NELSON'S illustrated bible dictionary. Verbete: Material de escrita).
[26] Jeremias 36.22-23.

Bibliografia

AMERICAN dictionary of the english language. 10. ed. San Francisco: Foundation for American Christian Education, 1998. Facsímile do Noah Webster's, edição de 1828, permissão para reimpressão por G. & C. Merriam Company, 1967;1995 (renovação) por Rosalie J. Slater.

BUKE, Roger K. Health, physical education and recreation reprint series. United States of America. Brown Reprints, 1970.

FERREIRA, Aurélio B. H. de. Dicionário eletrônico Aurélio século XXI.

GRANT, Dave. The great lover's manifesto. Eugene, Oregon: Harvest House Publishers, 1986.

INSTITUTO ANTÔNIO HOUAISS. Dicionário eletrônico Houaiss da língua portuguesa.

MASON, John. An enemy called average. Tulsa: Harrison House, 1990.

MASON, John. Conquering an enemy called average. Tulsa: Insight International, 1996.

MURRAY, Andrew, D. D. Humility: the beauty of holiness. Fort Washington, Pennsylvania: Christian Literature Crusade 1961. Reeditado em 1980; Pocket Companion Edition, editado e reeditado em 1991.

TAN, Paul Lee. Encyclopedia of 7,700 illustrations. Rockville, Maryland: Assurance Publishers, 1979.

VINE, W.E. Vine's complete expository dictionary of old and new testament words. Nashville: Thomas Nelson Inc., 1984, 1996.

WEBSTER'S II new college dictionary. Boston/New York: Houghton Mifflin Company, 1995.

Leitura Recomendada sobre Liderança

BLANCHARD, Ken. The heart of a leader. Tulsa. Honor Books, 1998.

BRINER, Bob; PRITCHARD, Ray. The leadership lessons of jesus: a timeless model for today's leaders. Nashville: Broadman & Holman Publishers, 1997.

CATHY, Truett. It's easier to succeed than to fail. Nashville: Oliver Nelson, 1989.

DAMAZIO, Frank. The making of a leader. Portland: City Bible Publishing, 1988.

HAMMOND, Mac. Positioned for promotion: how to increase your influence and capacity to lead. Tulsa: Harrison House, 2000.

MAXWELL, John C. The 21 Irrefutable laws of leadership: follow them and people will follow you. Nashville: Thomas Nelson, 1998.

THE COLUMBIA ENCYCLOPEDIA. 6. ed. Columbia University Press, 2000. Disponível em: www.infopçease.com/ce6/society/A0822457.html.

ZIGLAR, Zig. See you at the top. Gretna, Louisiana: Pelican, 1997.

Joyce Meyer é uma das líderes no ensino prático da Bíblia no mundo. Renomada autora de *best-sellers* pelo *New York Times*, seus livros ajudaram milhões de pessoas a encontrarem esperança e restauração através de Jesus Cristo.

Através dos *Ministérios Joyce Meyer*, ela ensina sobre centenas de assuntos, é autora de mais de 80 livros e realiza aproximadamente quinze conferências por ano. Até hoje, mais de doze milhões de seus livros foram distribuídos mundialmente, e em 2007 mais de três milhões de cópias foram vendidas. Joyce também tem um programa de TV e de rádio, *Desfrutando a Vida Diária®*, o qual é transmitido mundialmente para uma audiência potencial de três bilhões de pessoas. Acesse seus programas a qualquer hora no site www.joycemeyer.com.br

Após ter sofrido abuso sexual quando criança e a dor de um primeiro casamento emocionalmente abusivo, Joyce descobriu a liberdade de viver vitoriosamente aplicando a Palavra de Deus à sua vida, e deseja ajudar outras pessoas a fazerem o mesmo. Desde sua batalha contra um câncer no seio até as lutas da vida diária, Joyce Meyer fala de forma aberta e prática sobre sua experiência, para que outros possam aplicar o que ela aprendeu às suas vidas.

Ao longo dos anos, Deus tem dado a Joyce muitas oportunidades de compartilhar seu testemunho e a mensagem de mudança de vida do Evangelho. De fato, a revista *Time* a selecionou como uma das mais influentes líderes evangélicas dos Estados Unidos. Sua vida é um incrível testemunho do dinâmico e restaurador trabalho de Jesus Cristo. Ela crê e ensina que, independente do passado da pessoa ou dos erros cometidos, Deus tem um lugar para ela, e pode ajudá-la em seus caminhos para desfrutar a vida diária.

Joyce tem um merecido PhD em teologia pela Universidade Life Christian em Tampa, Flórida; um honorário doutorado em divindade pela Universidade Oral Roberts em Tulsa, Oklahoma; e um honorário doutorado em teologia sacra pela Universidade Grand Canyon em Phoenix, Arizona. Joyce e seu marido, Dave, são casados há mais de quarenta anos e são pais de quatro filhos adultos. Dave e Joyce Meyer vivem atualmente em St. Louis, Missouri.

Coleção Campo de Batalha da mente

Vencendo a batalha em sua mente

Campo de Batalha da Mente

Há uma guerra se desenrolando e sua mente é o campo de batalha. Descubra como reconhecer pensamentos prejudiciais e ponha um fim a qualquer influência em sua vida!
(265 páginas - 15 x 23 cm)
Mais de 2 milhões de cópias vendidas

Campo de Batalha da Mente
Guia de Estudos

Um guia prático e dinâmico. Pra você que já leu o Campo de Batalha da Mente, aprenda a desfurtar ainda mais, de uma vida vitoriosa em sua mente, aplicando os fundamentos do Guia de Estudos. - (117 páginas -15,5x23)

Campo de Batalha da Mente
Para Crianças

Recheado de histórias, testes divertidos e perguntas para fazer você pensar, esse livro irá ajudar você a perceber o que está certo e o que está errado, e também para ajudá-lo a observar algumas coisas com as quais você pode estar lutando, como preocupação, raiva, confusão e medo.
(170 páginas - 14x21cm)

Campo de Batalha da Mente
Para Adolescentes

Traz uma conversa franca sobre: pressões dos amigos, expectativas para seu futuro, e a luta pela independência. Com entrevistas com jovens como você, e conselhos diretos, baseados na Bíblia, Joyce dará a munição que você necessita para tornar seu cérebro uma máquina potente, precisa e invencível.
(153 páginas - 14x21cm)

A Revolução do Amor

"Eu adoto a compaixão e abro mão das minhas desculpas. Eu me levanto contra a injustiça e me comprometo a demonstrar em ações simples o amor de Deus. Eu me recuso a não fazer nada. Esta é a minha decisão. EU SOU A REVOLUÇÃO DO AMOR."

Com capítulos escritos pelos convidados Darlene Zschech da Hillsong, Martin Smith do Delirious?, pelos Pastores Paul Scanlon e Tommy Barnett, e por John Maxwell, A REVOLUÇÃO DO AMOR apresenta uma nova maneira de viver que transformará a sua vida e o seu mundo. - (262 páginas - 15x23cm)

Visite: www.bellopublicacoes.com

O Vício de Agradar a Todos

Muitas pessoas em nossos dias têm uma necessidade incontrolável de afirmação, e são incapazes de se sentirem bem consigo mesmas sem ela. Esses "viciados em aprovação" passam todo o tempo em uma luta constante contra a baixa estima e a desordem emocional, o que causa enormes problemas no seu relacionamento com as outras pessoas.

Joyce Meyer oferece um caminho para a libertação da necessidade avassaladora pela aceitação do mundo exterior – uma aceitação que não traz realização, ao contrário, conduz à decepção. - (304 páginas - 15x23cm)

Eu e Minha Boca Grande! - Bestseller!

Sua boca está ocupada falando sobre todos os problemas de sua vida? Parece que sua boca tem vontade própria? Coloque sua língua em um curso de imersão para a vitória. Você pode controlar as palavras que fala e fazê-las trabalhar para você!

Eu e Minha Boca Grande, mostrará a você como treinar sua língua para dizer palavras que o colocarão em um lugar superior nesta vida. Joyce enfatiza que falar a Palavra de Deus deve vir acompanhado de viver uma vida em completa obediência à Biblia para ver o pleno poder de Deus fluindo em sua vida. - (215 páginas - 15x21cm)

Mais de 600 mil de cópias vendidas

Beleza em Vez de Cinzas

Neste livro Joyce compartilha experiências pessoais como o abuso que sofreu do pai, dificuldades financeiras e como Deus transformou as cinzas que haviam em sua vida em beleza. Receba a beleza de Deus para suas cinzas. (266 páginas - 13,5 x 20 cm)

A Formação de um Líder

Este livro traz elementos indispensáveis para a formação de um líder segundo o coração do próprio Deus. Um líder que recebeu do Senhor um sonho que parecia ser humanamente impossível. - (380 páginas - 15 x 21 cm)

A Raiz da Rejeição

Neste livro Joyce Meyer lhe mostrará que Deus tem poder para libertá-lo de todos os efeitos danosos da rejeição. Nosso Pai providenciou um meio para que nós, como seus filhos, sejamos livres da raiz de rejeição.
(125 páginas - 13 x 20 cm)

Se Não Fosse pela Graça de Deus

Graça é o poder de Deus disponível para satisfazer todas as nossas necessidades. Através deste livro você irá conhecer mais sobre a graça de Deus e como recebê-la através da fé.
(198 páginas - 13,5 x 21 cm)

Visite: www.bellopublicacoes.com

Devocionais

Joyce Meyer

Começando Bem Seu Dia

Devocionais para cada manhã do ano. Palavras inspiradoras, vivas e de simples aplicações para cada novo dia. Adquira o seu, e começe bem seu dia. - (366 páginas - 11 x 15,5 cm)

Terminando Bem Seu Dia

Ricos devocionais para cada noite do ano. Mensagens que irão trazer forças e refrigério a cada final de dia. Adquira-o já, e passe a terminar bem seu dia. - (366 páginas - 11 x 15,5 cm)

A Decisão Mais Importante Que Você Deve Tomar

Mesmo que nosso corpo morra, o nosso espírito continua a viver na eternidade. Se seu espírito vai para o céu ou para o inferno, irá depender somente das escolhas que você faz.
(59 páginas - 12 x 17 cm)

Curando o Coração Ferido

Se você foi ferido no passado ou se sente indigno, pode ser difícil receber o amor incondicional de Deus. Deixe a Palavra de Deus começar a operar em você hoje!
(88 páginas - 12,5 x 17,5 cm)

Paz

A paz deve ser o árbitro em nossa vida. Segue a paz e de certo gozarás vida. Jesus deixou-nos a Sua paz, uma paz especial, a paz que existe até no meio da tempestade.
(56 páginas - 12 x 17 cm)

Diga a Eles que os Amo

Uma grande porcentagem das dificuldades que as pessoas enfrentam tem origem na falta do conhecimento de que Deus as ama pessoalmente. Creia que você é importante para Deus!
(54 páginas - 12 x 17 cm)

Visite: www.bellopublicacoes.com

SÉRIE - CONVERSA FRANCA

Todos os 07 livros da série Conversa Franca de Joyce Meyer

Conversa Franca sobre Depressão

Neste livro podemos descobrir como andar por fé, e não por sentimentos... Como crentes, a alegria não é algo que tentamos produzir, é algo já feito em nós que espera ser liberado!
(118 páginas - 11,5 x 15,5 cm)

Conversa Franca sobre Solidão

Existem momentos na vida em que você pode se sentir sozinho, mas apenas lembre-se que você nunca está sozinho quando Deus está ao seu lado!
(131 páginas - 11,5 x 15,5 cm)

Conversa Franca sobre Preocupação

A preocupação é o oposto da fé. Ela não pode fazer nada para mudar a sua situação. Se você caiu na armadilha mortal de tentar saber com antecedência de tudo a respeito de sua vida, então este livro é para você!
(133 páginas - 11,5 x 15,5 cm)

Conversa Franca sobre Insegurança

Quando perceber que seu valor está em quem Deus diz que você é e não no que você faz, você poderá aprender a lidar com as críticas, e a levar uma vida frutífera e plena!
(183 páginas - 11,5 x 15,5 cm)

Conversa Franca sobre Medo

Não se deixe intimidar e não permita que o medo governe sua vida nem um dia mais sequer! Acabe com o medo e liberte-se hoje!
(100 páginas - 11,5 x 15,5 cm)

Conversa Franca sobre Estresse

Joyce compartilha o valor de aprender a dizer não, assim como viver a vida como um ser humano, ao invés de um fazer humano! Tome o controle sobre o estresse e comece a desfrutar a vida hoje!
(102 páginas - 11,5 x 15,5 cm)

Conversa Franca sobre Desânimo

Se não lidarmos com a decepção imediatamente, daremos ao diabo permissão para nos conduzir pelo caminho do desânimo e finalmente à depressão devastadora.
(132 páginas - 11,5 x 15,5 cm)

Visite: www.bellopublicacoes.com

MENSAGENS EM DVD

Joyce Meyer

Nove Maneiras de Evitar Ficar Nervoso e Tenso

Quando entramos num relacionamento com Deus e nos tornamos familiar com a sua Palavra, Ele nos fornece discernimento como direção para nosso viver.
(Duração: 90 minutos)

Cura Emocional

Todos sofrem maus tratos ao longo da vida. Joyce fala da importância do equilíbrio, e como sentimentos errados criam mais problemas, descreve o processo bíblico para a cura emocional e como acelerar esse processo.
(Duração: 38 minutos)

Qual Tipo de Influência Você Está Exercendo

Influência todos a possuimos. É um poder invisivel de afetar outros sem esforço aparente. Cada um de nós está influenciando alguém. A questão é: que tipo de influência estamos exercendo?
(Duração: 1h e 5min.)

Pense Grande

Muitos cristãos estão presos a uma rotina simplesmente porque não querem deixar o passado para trás. Deixe que Deus faça alguma coisa com relação ao seu futuro - algo grande!
(Duração: 52 minutos)

Vivendo Uma Vida Santa

Passe a viver de maneira intensa e excelente. As realidades da sua vida podem ser incrivelmente afetadas com a excelência se você decidir a agir e viver, em santidade. Vivendo uma Vida Santa te ensinará isso.
(Duração: 47 minutos)

Seu Futuro Começa Hoje

O caminho para o seu futuro é estreito demais para você arrastar o seu passado para ele. Aprenda a prosseguir para o alvo da soberana vocação, pois, seu futuro começa hoje!
(Duração: 47 minutos)

Relaxe e Receba de Deus

Acabando com o Estilo de Vida Confuso, Frustrante e Cansativo! Ao invés de tentar alcançar alguma coisa através das boas obras ou de um desempenho pérfeito, Deus quer que você aprenda como relaxar para receber o que precisa.
(Duração: 47 minutos)

Homem Espiritual e Discernimento

O Espírito Santo opera em três áreas: no relacionamento com Deus, dando uma intuição espiritual e com a sua consciência. Comece a viver de maneira profunda!
(Duração: 54 minutos)

Visite: www.bellopublicacoes.com